HEYNE KOCHBÜCHER

Amadea Morningstar / Urmila Desai

Die
Ayurveda-Küche

**Eine harmonische Ernährungsweise
zur Stärkung des Energiesystems**

Deutsche Erstausgabe

WILHELM HEYNE VERLAG

MÜNCHEN

HEYNE KOCHBÜCHER
07/4633

Aus dem Amerikanischen übertragen von
ERICH KELLER

Titel der Originalausgabe:
THE AYURVEDIC COOKBOOK
erschienen bei Lotus Press, Santa Fe, 1990

9. Auflage

ISBN 3-453-05423-7

Für Gord mit viel Liebe —
möge Deine Pitta
klar und still sein.

INHALT

Abkürzungen und Erklärungen:

EL = Eßlöffel
TL = Teelöffel
g = Gramm
l   = Liter
ml = $\frac{1}{1000}$ l (= 1 g)

1 Tasse entspricht einer normalen Teetasse mit $\frac{1}{8}$ l Inhalt. Nehmen Sie zum Abmessen deshalb immer eine Tasse mit 125 ml/g für genaue Ergebnisse.

Vorwort

Die Wissenschaft der Ayurveda wurde ebenso wie die des Yoga von den großen Meistern und Sehern des alten Indien entwickelt und inspiriert. Ayurveda und Yoga haben gemeinsame Wurzeln und spielen eine bedeutsame Rolle in der spirituellen Evolution, in der Erhaltung der Vitalität und des körperlichen Wohlergehens. Ayurveda ist wahrscheinlich die älteste Wissenschaft des Lebens. Sie ist ein zutiefst spirituelles System von Ernährung, Heilung und Erhaltung der Gesundheit. Anders als die traditionelle westliche Medizin beschränkt sich die Ayurveda nicht auf die Heilung von Krankheiten mit einer oberflächlichen Behandlung der Symptome. Statt dessen gelten Körper und Geist des Individuums als Einheit.

In der Ayurveda sind Medizin und Nahrung nicht getrennt, sondern ergänzen einander. Ohne das Wissen um die starke Wirkung der Nahrung auf körperliche Gesundheit, geistige Klarheit und spirituellen Fortschritt kann niemand erwarten, seine Vitalität zu erhalten, von Krankheiten zu genesen oder Yoga erfolgreich zu praktizieren.

Tatsächlich messen Yogis der Nahrung große Bedeutung als ein integrierter Teil der erfolgreichen Praxis jeglicher spiritueller Disziplin bei. Ayurveda zielt nicht nur auf die Heilung, sondern auch auf die Vorbeugung und Erhaltung der für das Yoga so unabdingbaren Vitalität. Für die alten Seher war der menschliche und ätherische Körper zusammengesetzt aus *Prana* — der ursprünglichen Energie, der vitalen Lebenskraft, die sich in der Form der Erde, des Wassers, des Feuers, der Luft und des Äthers manifestiert. Jede Unausgewogenheit dieser Elemente im menschlichen Körper wird als Krankheit, Unwohlsein oder Schmerz erfahren. Der gesunde Körper sorgt für die Ausgewogenheit dieser Elemente, indem er Atem, Nahrungsmittel, Wasser, Sonne, Bewegung und Schlaf zuführt.

Yogis sehen in Nahruungsmitteln wie Getreide, Früchten, Gemüse, Samen, Bohnen, Kräutern und Wurzeln die essentiellen Träger und den Ausgleich für die *Prana*-Energie im Körper. Ihre Kräfte entfalten sich jedoch nur, wenn sie in den richtigen Kombinationen und unter Berücksichtigung jedes einzelnen, einmaligen Individuums genutzt werden. Erst dadurch enthüllen sich die tiefgreifenden Wirkungen der ayurvedischen Nahrung.

Die ayurvedische Kost ist exquisit sowohl in ihrem exotischen Geschmack, als auch in Duft, Farbe und Konsistenz. Wenn man von seiner gewohnten, fleischorientierten Nahrung auf vegetarische Kost überwechselt, verspürt man oft eine Verbesserung des Gesundheitszustands. Wenn man aber ayurvedische Rezepte ausprobiert, erfährt man eine tiefe Befriedigung und Erfüllung. Unser ganzes System reagiert auf die wohltuende Nahrung, was durch die subtilen Düfte und Geschmacksrichtungen der speziellen Gewürzmischungen erzielt wird. Die feinen Gewürze und Düfte spielen eine ausschlaggebende Rolle bei dem Prozeß, uns auf eine höhere Ebene von Gesundheit und Wohlbefinden einzupendeln.

Ayurvedische Kost sollte aber nicht mit den stark gewürzten, scharfen Gerichten Indiens verwechselt werden. Die Menge und Mischung der Gewürze mußten abgestimmt werden auf die körperliche Verfassung speziell des im Westen aufgewachsenen Menschen. Dies ist den beiden Autorinnen Amadea Morningstar und Urmila Desai, meiner Frau, hervorragend gelungen. Urmila mit ihren intuitiv verfeinerten traditionellen indischen Kochrezepten und Amadea, die amerikanische Ernährungsberaterin, repräsentieren zusammen die perfekte Mischung für eine praktische und zeitgemäße Anwendung dieser alten Wissenschaft.

Ich bin besonders berührt von der Feinfühligkeit, mit der Amadea dieses komplexe Gebiet behandelt und die Ayurveda mit Erfahrung auf die westliche Art des Kochens übertragen hat. Aufgrund meiner persönlichen Erfahrungen mit Urmilas Kost habe ich einen tiefen Respekt für sie und ihre Kochkünste. Ihre Art, Nahrung zuzubereiten, wirkt sich sogar positiv auf das Bewußtsein der Esser aus.

Somit ist dies nicht einfach nur ein weiteres Rezeptbuch, sondern ein einmaliges Gesundheitsbuch, das bei gutem Verständnis eine völlig neue Dimension der gesunden Ernährung und der Freude am Essen erschließt. Amadeas und Urmilas frische und lebendige Perspektiven sind eine wünschenswerte Ergänzung für die jetzt im Westen aufblühende Ayurveda.

Yogi Amrit Desai,
Gründer und spiritueller Leiter des Kripalu Center,
Lenox, Massachusetts, USA.

Einführung

Seit einigen Jahren wurde die Ayurveda, das traditionelle Naturheilverfahren Indiens, im Westen zunehmend bekannter, und damit erschienen auch zahlreiche Bücher, die uns bei der Wahl der Nahrung für die verschiedenen körperlichen Veranlagungen beraten. Diese Informationen sind aber nur nutzbar, wenn man weiß, wie man ayurvedisch kocht und die speziellen Rezepte kennt. Diese Informationen gibt Ihnen dieses Buch.

Die Upanishaden, die ältesten Schriften Indiens, sprechen von der Nahrung als *Brahman,* der göttlichen Realität. Die Einheit allen Lebens zeigt sich im Prozeß des Essens, durch den wir an der Bewegung der Schöpfung in der materiellen Welt teilhaben. Der physische Körper ist aus Nahrung geboren, lebt durch diese, und die meisten seiner Krankheiten können letztendlich auf eine Versorgung mit der falschen Nahrung zurückgeführt werden. Abhilfe schafft man in diesem Fall nicht durch bessere Medikamente, auch nicht dadurch, in besseren Restaurants zu essen, sondern indem wir für uns selbst und die Menschen, die wir lieben, kochen — das sind unsere ältesten Rechte und Pflichten. Obwohl die richtige Ernährung allein nicht immer ausreichen wird, um Krankheiten zu kurieren, so können doch einige wirklich gelindert werden. Überdies hilft sie wesentlich bei der Vorbeugung von Krankheiten und ist somit die Basis eines gesunden und glücklichen Lebens.

Die indische Küche beruht auf den therapeutischen Prinzipien der alten ayurvedischen Wissenschaft des Lebens (Ayur = Leben, Veda = Wissenschaft). Es ist eine reiche Tradition, die viele westliche Gerichte und Kochmethoden armselig erscheinen läßt, in denen wesentlich weniger Gewürze verwendet werden. Man geht davon aus, daß aufgrund des Mangels an frisch zubereitetem Essen und einer Vielfalt von Gewürzen — von Kardamom bis Cayenne — die Abhängigkeit von Zucker, Kaffee und künstlichen Stimulatoren begünstigt werden.

Fast Food ist bequem, jedoch geht bei seiner fabrikmäßigen Zubereitung viel Lebensenergie verloren oder wird zerstört, die nicht mit Begriffen wie Vitamine, Mineralien oder Kalorien umschrieben oder gemessen werden kann. Nichts kann die Natur im Leben oder beim Kochen ersetzen. Je weiter wir uns in unseren Lebensgewohnheiten von der Natur entfernen, desto mehr werden wir langfristig leiden. Die Ayurveda lehrt, daß wir uns immer weniger befriedigt fühlen werden, je öfter wir unsere Nahrung nicht mehr selbst zubereiten (und je mehr diese von ihrem natürlichen Zustand abweicht).

Ein Kochbuch zu schreiben, das für Heilzwecke genutzt werden kann, ist eine beachtliche Aufgabe. Es erfordert nicht nur, die Eigenschaften der verschiedenen Nahrungsmittel, sondern auch schmackhafte Rezepte zu kennen. Die Gerichte haben einen spirituellen Aspekt, der auf Urmila Desais Kenntnissen der indischen Küche beruht, und verlangen kein Übermaß an Gewürzen, Zucker und Ölen.

Auch diejenigen, die bereits indisch gekocht haben, werden diese Rezepte als feiner, sättigender oder befriedigender empfinden. Amadea Morningstar bringt ihre Kenntnisse der Makrobiotik, der westlichen Ernährungskunde sowie der ayurvedischen Rezepte und Überlieferung ein. Wir sollten noch bemerken, daß ayurvedisches Kochen nicht nur an die indische Küche oder deren Kräuter und Gewürze gebunden ist. Die Prinzipien dieser Wissenschaft sind universal und gelten überall auf der Welt.

Laut der Ayurveda haben Nahrungsmittel therapeutische Wirkungen. Sie werden weitgehend durch energetisierende Stimulanz beim Schmecken bzw. dadurch erlebtes Empfinden klassifiziert. Diese werden hier klar umrissen. Ebenso werden die verschiedenen Kochmethoden, teils zur Veränderung bestimmter Eigenschaften oder zur Vermeidung von Nebenwirkungen beschrieben. Eingehend behandelt wird die Kunst des Würzens, denn Gewürze machen nicht nur die Nahrung schmackhafter, sondern verstärken auch deren therapeutische Wirkung. Bestimmte Nahrungsmittel können durch das Anwenden der richtigen Gewürze, Öle oder Kochmethoden noch nützlicher für die individuelle körperliche Verfassung gemacht werden.

Das »Ayurvedische Kochbuch« zeigt, wie solche Anpassungen gemacht werden können und weist oft auf die Möglichkeiten hin, wie man dasselbe Gericht für verschiedene Veranlagungen variieren kann. Es zeigt auch, daß die ayurvedische Kost unabhängig von der Konstitution vielfältig und schmackhaft ist.

Die meisten Nahrungsmittel sind neutral in ihrer Energie und wirken mild. Würzmittel von wärmender Natur wie Knoblauch und Ingwer, haben mehr betonende Wirkung. Manche Zutaten können unsere Stimmungen reizen oder verschlimmern. Dies geschieht aber nur bei regelmäßigem Verzehr. Wir müssen sie nicht immer meiden, sollten sie jedoch nicht ständig zu uns nehmen.

Ayurveda lehrt uns, in erster Linie *sattvische* Nahrungsmittel zu essen. Das ist eine sichere Ernährung für jeden. Unter »sattvisch« versteht die Ayurveda angemessen zubereitete, frische und vegetarische Nahrung. Die Rezepte in diesem Buch sind sattvischer Natur. Auch wenn uns die Ayurveda die Wirkungen z.B. verschiedener Fleischsorten erklärt, sagt sie uns auch, daß diese für die Gesundheit nicht notwendig sind.

Dieses Kochbuch bietet dem Leser eine reichhaltige und schmackhafte vegetarische Ernährung. In unserem Land wird vegetarisches Essen mit Rohkost, Salaten oder makrobiotischem Kochen verbunden, und somit erscheint vielen die vegetarische Küche als geschmacklos oder eintönig. Obwohl Rohkost sehr nützlich für eine kurzfristige Entgiftung ist, kann man sie auch nach einem längeren Zeitraum als zu leicht und nicht sättigend empfinden. Die indische und ayurvedische Küche bietet jedoch durch ihren Reichtum an Gewürzen, Ölen und verschiedenen Kochmethoden eine größere Vielfalt als es durch eine schwere Fleischkost möglich wäre. Sie zeigt insbesondere, wie man ein sättigendes und anregendes vegetarisches Essen zubereitet, das uns nicht nur die Klarheit gibt, die diese Ernährung vermittelt, sondern auch die Kraft enthält, die man gewöhnlich Fleischgerichten zuschreibt.

Verschiedene Getränke einschließlich vieler Kräutertees sind genannt, da Getränke unsere Verdauung unterstützen oder behindern können.

Noch ein letztes Wort zum Essen: Die Hindus sehen in der Aufnahme der Nahrung eine Gabe an das göttliche Feuer im Magen, durch dessen Gnade wir es verdauen. Wer sich dessen bewußt ist, wird sich durch das Essen kein Leid zufügen. Die ayurvedische Nahrungszubereitung geschieht in diesem Bewußtsein.

David Frawley O.M.D.
Vedacharya (Lehrmeister der Veden, Anm. d. Übersetzers)

Teil I

Grundlagen der Ayurveda

Einige Worte
über uns Autoren

Ich, Amadea, begann mich vor etwa acht Jahren für Ayurveda zu interessieren, als ich erkannte, daß es mir für meine Arbeit als Ernährungsberaterin eine neue Perspektive bot. Angetan von der ayurvedischen Weltsicht, die sich so sehr von unserer westlichen unterschied, befaßte ich mich tiefer mit dem Thema und begann, es praktisch anzuwenden. Wie so viele professionelle Gesundheitsberater wollte ich sowohl meinen Klienten als auch meiner Familie helfen. Ich stellte erfreut fest, daß die ayurvedischen Prinzipien wirklich waren. Gleichzeitig war ich darüber erschrocken, wie wenig ich über diese alte indische Heilmethode gewußt hatte. Seitdem habe ich die Grundlagen und Anwendungsmöglichkeiten dieser Methode studiert.

Urmila kam zur Ayurveda durch ihre Praxis des spirituellen Lebenswandels. Ihre Kochkunst reflektiert eigene Erfahrungen mit den verschiedenen Ernährungsweisen und stellt die Kultivierung ihrer intuitiven Fähigkeiten dar. Sie lernte bereits als junges Mädchen von ihrer Mutter die Zubereitung traditioneller indischer Speisen auf der Basis ayurvedischer Prinzipien.

Wir beide teilen ein starkes Interesse an der Nahrung als Heilkraft, was unsere Verbundenheit beim Schreiben dieses Buches noch verstärkte. Jede von uns hat jahrelang gekocht, probiert und experimentiert. Die Ayurveda hat uns gegeben, was wir brauchten. Sie ergänzt sich übrigens mit anderen Heilverfahren und kann mit diesen zusammen angewendet werden.

Geschichte der Ayurveda

Ayurveda ist ein Heilverfahren, das aus den Bedürfnissen der Zeit vor etwa drei- bis fünftausend Jahren in Indien entstand. Sie hat eine philosophische und praktische Grundlage, wobei letztere einem spirituellen

Hintergrund entstammt. Demnach besteht die Erde aus fünf Elementen: Äther, Luft, Erde, Feuer und Wasser — Manifestationen des Göttlichen. Diese fünf Elemente sind die Basis aller Erscheinungen im Materiellen, von der körperlichen Konstitution jedes Individuums bis zum Geschmack der Nahrung. Der harmonische Ausgleich dieser Elemente ist der Schlüssel zur Erhaltung der Gesundheit und der erfolgreichen Heilung von Krankheiten im physischen oder geistigen Bereich.

Das Indien des ayurvedischen Ursprungs ist für uns weitgehend ein Mysterium. Und doch wissen wir, daß das Flußtal des Indus eine ganze Reihe von Stadtstaaten, die zwischen 3000 bis 1500 v. Chr. entstanden, mit Reichtum und Nahrung versorgte. Diese großen städtischen Kommunen waren eine der fünf Wiegen unserer heutigen Zivilisation: Ägypter, Peruaner, Chinesen, Sumerer und die Menschen des Indus. Von der Kultur des Indus ist überraschenderweise sehr wenig bekannt, was wohl an den wenigen gefundenen, meist noch nicht entzifferten Schriften liegt.

Man kann sich leicht die Rishis, die erlauchten Weisen des alten Indien vorstellen, wie sie unter den Kieferbäumen an abgelegenen Stellen des Himalaya meditierten und das Wissen, das zur Ayurveda wurde, weitergaben wie die Überlieferung es erzählt. Doch ist es auch wichtig, daran zu erinnern, daß diese Kultur ihrer Zeit voraus war.

Sir Mortimer Wheeler, ein Fachmann der Indus-Sagen, charakterisiert sie als vielleicht »das weitgehendste politische Experiment vor dem Anbeginn des Römischen Reiches«. (Dies zu einer Zeit, da das alte ägyptische Königreich blühte!) Die indischen Stadtstaaten von vor 4000 Jahren umfaßten ein Gebiet von etwa 1 Million km^2. Sie hatten alle eine elegante Bilderschrift, ein bemerkenswert genaues, standardisiertes Maß- und Gewichtssystem und eine starke Neigung zu einer gut organisierten Stadtplanung. Die zwei größten Städte, Mohenjo-Daro und Harappa, konnten maximal bis zu 50000 Menschen beherbergen, wobei der Stadtkern sich bis zu 18 km^2 ausdehnte.

Diese urbanen Zentren waren in rechteckigen Häuserblocks angelegt, die länger waren als die von New York oder Los Angeles heute. Sie hatten ein weitverzweigtes Trinkwasser- und Abwassersystem. Es gab ein Netz öffentlicher und privater Toiletten von außerordentlich hohem

Standard, was sich in der Lehre der Ayurveda, mit ihrer Betonung auf Hygiene, widerspiegelt. Wohnhäuser aus Stein standen Wand an Wand in Reihen gebaut, wie man es in einigen alten Wohnvierteln in San Francisco oder New York findet, wo jeder Bewohner direkt mit dem Energiefluß der Stadt verbunden ist.

Es war eine wohlhabende Gesellschaft, die der Göttlichen Mutter diente. Wie andere naturorientierte Zivilisationen dieser Zeit wurden große, zentrale Flächen der Lagerung von Getreide vorbehalten. Die umfangreichsten Flächen dienten dem Anbau von Weizen und Baumwolle. Mit Sumerern wurde über den Persischen Golf und das Arabische Meer Handel getrieben. Der Hafen Lothal verfügte über eine für diese Zeit enorme Werft sowie gigantische Brennöfen aus Stein zur Herstellung einer großen Vielfalt von Tongegenständen. Zu diesen gehörten viele Kinderspielsachen, was den Reichtum dieser Kultur belegt. Die Spielsachen waren überraschend fortschrittlich, besaßen oft funktionierende Räder und konnten an Schnüren gezogen werden. Dieser fortschrittlichen und stabilen Kultur entsprang das Heilverfahren der Ayurveda. Ironischerweise beschreiben die Erzählungen, wie sich die Weisen erst aus dieser Kultur zurückziehen mußten, um einen klaren Kopf für die Eingebungen des Wissens zu bekommen, das sie suchten.

Irgendwann in ferner Vergangenheit pilgerte eine große Gruppe von Weisen zu den Gebirgsausläufern des Himalaya, um sich mit dem Problem der Krankheit und ihrer Auswirkung auf das Leben und die religiösen Praktiken zu befassen. Ihr Bemühen war das Ausmerzen der Krankheiten aller Lebewesen, und sie meditierten deshalb zusammen. Die Überlieferung sagt, daß ihnen der Gott Atreya erschien, um ihnen die notwendigen Informationen und Perspektiven zu geben. Als sie dann, in die Städte zurückgekehrt, ihr Wissen weitergeben wollten, waren weder Erinnerung noch Verständnis mehr greifbar, da sie dort zu sehr abgelenkt wurden. Sie mußten also zurück zum Himalaya, um dort noch einmal die Eingebungen des Gottes Atreya zu empfangen. Und aus diesem Treffen entstand das Heilverfahren, welches heute als Ayurveda bekannt ist.

Die Stadtstaaten des Indus blühten für mehr als 1000 Jahre zwischen

2600 und 1500 v. Chr. Das Wesen der Ayurveda wurde jahrhundertelang mündlich durch Gesänge und Verse überliefert, bevor sie jemals niedergeschrieben wurden, so daß die Daten ihres Ursprungs nur geschätzt werden können. Die »Rigveda« ist schätzungsweise 4500 Jahre alt und ist damit das älteste Lied der Welt. In 128 Hymnen beschreibt sie 67 Kräuter und die medizinische Heilung im alten Indien. Die »Atharvaveda« von vor 3200 Jahren gibt zusätzliche Informationen über die Wurzeln dieser Medizin.

Die Ayurveda wurde weiter praktiziert und der erste schriftliche Text war die »Charaka Samhita«. Sie wurde von dem ayurvedischen Lehrer Charaka etwa 700 v. Chr. in Punjab verfaßt. Dieser Text enthält eine große Anzahl von Informationen über die Anwendung der Medizin im allgemeinen und von Nahrung und Kräutern zur Heilung im speziellen. Susruta schrieb etwa ein Jahrhundert später im heutigen Benares die »Susruta Samhita«. Sie konzentriert sich auf operative Praktiken der ayurvedischen Medizin zu dieser Zeit. Beide Texte sind heute noch vorhanden.

Die Ayurveda erlebte besonders unter Ashoka, der eines der größten Imperien der frühen Zeitgeschichte schuf, einen Aufschwung. Der machtvolle Hindu-Krieger Ashoka lebte in Indien mehrere Jahrhunderte vor Christus und schwor der Anwendung von Gewalt durch Buddhisten auf dem Höhepunkt seiner Macht ab. Durch die Verbreitung des Buddhismus wurde die Ayurveda wieder belebt und Grundlage einiger immer noch existierender, hoch anerkannter Heilverfahren einschließlich der tibetanischen buddhistischen Medizin und teilweise der chinesischen Medizin. Sie beeinflußte auch die medizinischen Heilpraktiken in Japan und Indonesien.

Als die Moslems 1100 und 1200 n. Chr. Indien besetzten, ging die Ayurveda unter und wurde zwangsweise durch das heute noch praktizierte islamische Heilverfahren der »Unani« ersetzt. Für einige Jahrhunderte waren die Moslems als die besten Ärzte der Welt bekannt, die von Europäern und auch Indern konsultiert wurden. 1833 ging die Ayurveda endgültig unter, denn die Engländer schlossen alle noch bestehenden ayurvedischen Schulen in Indien. Von da an durfte nur noch westliche Medizin aus der Sicht der letzten Eroberer Indiens praktiziert werden.

Es ist bemerkenswert, daß die Ayurveda und ihre Kultur so vielen Angriffen trotzte und überlebte.

Mit der Unabhängigkeit Indiens erwachte auch in den Menschen dort der Wunsch nach Wiederbelebung ihrer reichhaltigen Ressourcen heimischer Heilverfahren. Dr. M. K. Nadkarni stellte sein klassisches Werk der Sammlung von über 2000 indischen Gerichten und Kräutern, die »Indische Materia Medica«, zusammen.

Die traditionelle ayurvedische Medizin umfaßte acht Bereiche: Gynäkologie und Geburtenhilfe, Toxikologie, Hals-Nasen-Ohren-Medizin, Kinderheilkunde, allgemeine oder innere Medizin, Augenheilkunde und Chirurgie, die plastische Chirurgie einschloß. Die Ausbildung von ayurvedischen Ärzten schloß das Studium der Astrologie, Farbtherapie, Heilung mit Edelsteinen, Psychologie, Klimakunde, Heilkräuterkunde und Ernährungskunde mit ein. Damit wird ein erstaunliches und dynamisches Modell für diejenigen geboten, die heute nach einem praktischen und integrierten Heilverfahren suchen.

Die alten ayurvedischen Texte kann man nicht wörtlich nehmen, denn die alten Inder benutzten, was ihnen zur Verfügung stand, und wir müssen das nehmen, was uns geboten wird. Zum Beispiel aßen die Indianer Kanadas Kiefernnadeln (reich an Vitamin C), um in den vergangenen Jahrhunderten ihre Genesung von Wintergrippen zu beschleunigen. Der New Yorker von heute wird da eher einige Vitamin-C-Tabletten einnehmen. In Indien würde man für eine hohe Dosis Vitamin C die Frucht Amla nehmen, die über 700 mg dieses Vitamins pro Frucht hat. Wir nehmen also, was wir haben. Die wenigsten von uns werden von Krokodilsamen oder Kuhdung angetan sein, da unsere kulturelle Konditionierung uns nicht für diese Dinge empfänglich macht. Aber die Ayurveda bietet etwas, das über die exotischen und ungewöhnlichen Behandlungen hinausgeht: Ein klares System von Konzepten und Prinzipien, ein Verständnis der Naturgesetze, das für uns in dieser Zeit unschätzbar ist.

Wissenswertes zu diesem Buch

Dieses Kochbuch unterscheidet sich von vielen anderen, da unser Hauptinteresse der Heilung gilt. Unser Ziel war die Entdeckung der in den Nahrungsmitteln und Kräutern steckenden Kräfte, die uns hier zur Verfügung stehen, und der Gebrauch einer Struktur (Ayurveda) für ihre effektivste Anwendung. Wir haben uns vieler traditioneller ayurvedischer und indischer Rezepte, besonders aus der Region Gujarat, bedient, die mit im Westen erhältlichen Zutaten schnell und einfach zuzubereiten sind.

Unser Bestreben war, Rezepte zu entwerfen, die Menschen verschiedenster Natur am zuträglichsten und somit für Familien und Gruppen geeignet sind.

Wir hoffen, Sie haben dieselbe Freude am kreativen und spielerischen Kochen für sich, Ihre Familie und Freunde, wie wir sie hatten.

Die Zeiten, da uns nicht berührte, was wir nicht sehen konnten, sind vorüber. Wir leben auf einem Planeten, der unsere Hilfe braucht. Wie der einzelne dazu beiträgt, wird individuell verschieden sein, jedoch ist es wichtig, daß wir alle etwas tun. Dieses Kochbuch ist ein Gebot an Sie und den Heiler in Ihnen, eine innere Harmonie zu schaffen. Wir wünschen Ihnen viel Erfolg dabei!

Ernährung aus ayurvedischer Perspektive

Die ayurvedische Lehre kennt 10 Prinzipien einer gesunden Ernährung und wie man essen soll:

① Essen soll warm sein (gewöhnlich gekocht).

② Essen soll gut schmecken und leicht verdaulich sein.

③ Sie sollten nicht zuviel oder zuwenig essen.

④ Essen Sie auf leeren Magen, nachdem das letzte Mahl verdaut ist und nicht vorher.

⑤ Die Bestandteile eines Mahls sollen sich in ihrer Wirkung ergänzen und nicht gegensätzlich sein.

⑥ Essen soll in einer angenehmen Umgebung und aus einem ansprechenden Geschirr eingenommen werden, um sich daran zu erfreuen.

⑦ Sie sollten beim Essen keine Eile haben.

⑧ Sie sollten es aber auch nicht übermäßig in die Länge ziehen.

⑨ Es ist am besten, wenn Sie sich auf das Essen konzentrieren.

⑩ Sie sollten nur das essen, was Ihrer Veranlagung entgegenkommt und zum mentalen und emotionalen Temperament paßt.*

Diese Ratschläge mögen selbstverständlich erscheinen, doch wenn Sie einmal an Ihre Eßgewohnheiten denken, werden Sie sicher einige, wenn nicht sogar viele Unterschiede finden. Von allen Grundsätzen für die Erhaltung einer guten Gesundheit ist jener der angemessenen Menge als der wichtigste zu betrachten. Für Ayurveda ist Essen sowohl Medizin als auch Sättigung, und was man ißt von erheblicher Bedeutung.

Warum soll Essen warm sein? Warm kann hier zwei Bedeutungen haben. Die Zielsetzung der ayurvedischen Ernährung ist bessere Verdauung. In der Ayurveda stimulieren die Nahrungsmittel, die eine wärmende Qualität haben — egal, ob ihre Temperatur warm oder kalt ist — gewöhnlich die Verdauung. Warmes Essen läßt sich besser verdauen, was man gut bei Getreide und Hülsenfrüchten beobachten kann. Rohe Bohnen oder ungekochter Reis würden vom Körper wegen ihrer harten Konsistenz nicht gut aufgenommen und gäben dem kranken Körper nichts.

Kochen gibt vielen Nahrungsmitteln Feuchtigkeit und macht sie verdaulicher. Außerdem verhindert es das Wachstum von Bakterien und das Verrotten, ein wichtiger Punkt in früheren Zeiten und auch noch heute in den heißen Ländern der Welt.

---

* Aus: Charaka Samhita

Die ayurvedische Medizin konzentriert sich besonders auf eine gute und angemessene Zubereitung von Essen, und das heißt normalerweise kochen. Rohkost wird auch benutzt, speziell bei *Pitta-* und *Kapha-*Veranlagung, und in einigen Fällen könnte der ayurvedische Arzt für bestimmte Umstände und Konstitutionen eine Diät verordnen, die nur aus Säften oder rohem Obst besteht.

Der Körper ist aus sieben »Dhatus«, Körpergewebetypen, aufgebaut. Diese Gewebe arbeiten zusammen, um eine reibungslose Funktion des Körpers zu gewährleisten. Sie bestehen aus Plasma (Rasa), Blut (Rakta), Muskeln (Mamsa), Fett (Meda), Knochen (Asthi), Nerven und Knochenmark (Majja) sowie Fortpflanzungsgewebe (Shukra und Artav). Eines unterstützt dabei das andere. Die Reihenfolge der Aufzählung gibt auch den Grad der Wichtigkeit und Problematik der Behandlung von leicht bis schwer an. Zum Beispiel ist eine Disharmonie des Blutes leichter zu behandeln und auszugleichen als wenn das Knochenmark betroffen wäre. In der westlichen Medizin finden wir eine ähnliche Beurteilung. Ein schmerzliches Beispiel dieser Art ist der Krebs, der tatsächlich bereits weit fortgeschritten und schwieriger zu behandeln ist, wenn er das Knochenmark anstelle ausschießlich des Blutes befallen hat.

In der ayurvedischen Physiologie sind auch die »Srotas« beschrieben, lebenswichtige Kanäle, durch die die Körperenergie fließt. Wenn ein Kanal durch Abfallstoffe oder andere Umstände verstopft wird, ist er nicht mehr voll funktionstüchtig. Damit kann sich Energie am Ort der Verstopfung ansammeln oder der Energiefluß in andere Bereiche verhindert werden.

Diese Tatsache ist bestimmt den meisten Therapeuten, die Massage, Akupunktur, Akupressur, Rolfing usw. ausüben, bekannt. Wer sich noch nie mit Energiearbeit beschäftigt hat, wird das vielleicht nicht so ohne weiteres verstehen. Die Srotas sind in ihrer Funktion die energetischen, nichtgegenständlichen Gegenstücke der Blutgefäße und Nerven, die auch Energie übertragen. Man kann sagen, daß die *Srotas* der körperlichen Verfassung die Energie liefern.

Ein drittes Basiskonzept der Ayurveda ist »Ama«, die angesammelten Abfallstoffe des Körpers, entstanden durch schlechte Verdauung und Nahrungsaufnahme. Da man zur Zeit der Entstehung der Ayurveda unsere heutigen Giftstoffe (z.B. DDT) nicht kannte, würden die Gründer die Ansammlung in unseren Körpergeweben wohl als toxisch betrachten. Wir nehmen diese Giftstoffe aus unserer Umwelt auf, und wenn wir sie nicht gut umsetzen und ausscheiden, sammeln sie sich in unseren Geweben an, wo sie uns gesundheitlich beeinträchtigen. Das betrifft hauptsächlich Menschen, die in Industriegebieten und Großstädten leben.

Für die Ayurveda gibt es zwei Wege der Erhaltung der Gesundheit: 1. Unterstützung und Stärkung der Körpergewebe *(Dhatus)* durch gute Ernährung und Kuren, so weit sie es benötigen. 2. Ausscheidung von Abfallstoffen *(Ama)* und Öffnung von blockierten Energiekanälen *(Srotas)*. Traditionell wurde das Beispiel einer Petroleumlampe genannt. Die Lampe muß ein entsprechendes Öl haben, um brennen und leuchten zu können. Und sie muß sauber und geschützt von Wind, Staub und Mücken sein, um helles Licht zu verbreiten. So gesehen, werden wohl die wenigsten Menschen ihre Gesundheit erhalten. Drei Viertel der Menschheit haben nicht genügend nahrhaftes Essen, während die meisten des verbleibenden einen Viertels in Müllbergen untergehen, die durch exzessiven Konsum und Umweltverschmutzung entstehen.

In allen bevölkerungsreichen Gebieten der ganzen Welt kämpfen Menschen, insbesondere Kinder, ums Überleben. Viele sind schlecht ernährt und haben daher kaum genug Widerstandskräfte, um sich gegen die sie umgebende, starke Konzentration von Schadstoffen und Krankheitserregern in der Umwelt zu verteidigen. Das gilt für New York genauso wie für Brasilia.

Ein bekanntes Beispiel ist Blei. Wenn ein Kind nicht genügend Kalzium hat, wird es eher Blei aufnehmen. Wo kommt dieses Blei eigentlich her? Erst einmal von den Abgasen der Kraftfahrzeuge, Busse und LKWs in Großstädten; auch alte Anstriche in den Gebäuden sind eine Quelle. Ironischerweise tendiert das Schwermetall Blei dazu, sich in Bodennähe aufzuhalten, so daß Kinder und Haustiere mehr davon einatmen als Erwachsene. Hohe Bleigehalte findet man in Menschen aller Bevölkerungsschichten, sie sind keine Erscheinung der Kinder armer Familien. Als Gegenmittel kann man Calzium (Milchprodukte, Grüngemüse, Salate) einnehmen. Es stärkt Knochen und Nerven direkt.

Gleichzeitig wird es den Platz des Bleis einnehmen und es regelrecht aus dem Körper drängen.

Die fünf Elemente Feuer, Wasser, Erde, Luft und Äther kommen in jeder Kreatur in verschiedenen Kombinationen zusammen, und somit ist jede Person unterschiedlich durch ihre Mischung der Elemente und die Weise, wie sie sich ausgleichen. Diese Mischung muß beachtet und mit ihr gearbeitet werden, denn das, was einer Person hilft, muß nicht notwendigerweise für eine andere gut sein. Bezeichnend für diese Heilverfahren ist der Ausgangspunkt, daß unsere Gesundheit und Konstitution durch das, was wir essen, beeinträchtigt wird. Für die Ayurveda sind Nahrung und Handlungen die Schlüssel zur Heilung. Wenn wir so essen und uns so verhalten, daß wir unsere körperliche Verfassung genauso unterstützen wie unsere Umwelt, werden wir und sie eher sauber, klar und gesund bleiben. Umgekehrt werden wir bei einem rücksichtslosen Verhalten, sei es bewußt oder unbewußt, wahrscheinlich unter den Folgen leiden. Das zeigt sich auf eindrucksvolle Weise auf persönlicher und planetarischer Ebene mit dem Eintritt in die 90er Jahre. Wir sind nicht von der Umwelt getrennt, sondern ein Teil von ihr. Die Sinne werden in der Ayurveda als elementare Werkzeuge für das Sammeln von Informationen über den Körper und seine Bedürfnisse betrachtet. Das scheint offensichtlich, wird aber nicht so in der westlichen Medizin praktiziert. Der ayurvedische Arzt wird den Puls fühlen, den Körpergeruch wahrnehmen, die Gesamterscheinung betrachten, der Tonlage der Stimme lauschen und dem, was der Patient sagt. Er wird Nahrungsmittel und Kräuter aufgrund ihrer Geschmacksrichtungen zur Wiederherstellung des körperlichen Gleichgewichts empfehlen. Auch die chinesische Medizin und andere traditionelle Heilverfahren arbeiten auf ähnliche Weise.

In der westlichen Medizin könnte ein Bluttest der erste Schritt zur Diagnose sein. Der westliche Arzt betrachtet abstrakte Werte als Schlüssel zur Diagnose, und wenn er erfahren ist, wird er wahrscheinlich auch seine Sinne benutzen, aber in der Ayurveda ist dies die Grundlage des Behandelns. Die besten ayurvedischen Heiler können die feinsten Nuancen des Pulses des Patienten sowohl fühlen als auch intuitiv erfassen. Sie gebrauchen ihre Sinne und nicht irgendeine Maschine.

Kräuter werden in der Ayurveda als wichtiger Teil der Nahrung in großem Umfang angewendet, denn durch bestimmte Kräuter kann man
wirkungsvoll auf das körperliche Gleichgewicht einwirken, die Verdauung anregen und die Aufnahmefähigkeit verstärken.

Die Ayurveda kennt neben Nahrung, Handlung und Kräutern einen
vierten wichtigen Schlüssel zur Heilung: die Gedanken und Gefühle
des Kranken. Die Aussage Charakas leuchtet ein, der sagt, daß eine Diät
oder Medizin nicht wirkungsvoll sein wird, wenn sie mit Unwillen
eingenommen wird. Sie wird nur helfen, wenn das Individuum fühlt,
dadurch seine Gesundheit erhalten zu können oder von seiner Krankheit befreit zu werden. Aus unserer Sicht bedeutet das, daß ein Gericht
gut schmecken muß, sonst wird man es kaum zur Gänze genießen wollen.

Es ist hilfreich zu wissen, warum spezielle Nahrungsmittel für Heilung
und Ausgleich empfohlen werden. Das Wissen um die Gründe kann
Ihre Bemühungen unterstützen. Das Anwenden der Ayurveda erfordert
die aktive Teilnahme des Individuums. Um Erfolg zu haben, müssen
Sie bestimmte Nahrungsmittel, Kräuter und pflanzliche Medizin essen
bzw. einnehmen sowie grundsätzlichen Verhaltensregeln für den Lebensstil folgen.

Es fordert sicherlich mehr von Ihnen als nach westlicher Methode passiv eine Behandlung zu akzeptieren, die oftmals nur die Einnahme von
Medizin oder Tabletten verlangt. Nicht jeder möchte eine derartige,
aktive Rolle bei seiner Genesung spielen.

Die Natur der Ayurveda basiert auf dem gesunden Menschenverstand.
Zum Beispiel nehmen Sie bei einem brennenden Hautausschlag kühlende Substanzen, sowohl innerlich als auch äußerlich, um sich zu heilen. Ein trockener Ausschlag würde auf einen Mangel an innerlicher
Feuchtigkeit hinweisen. Genauso arbeitet die Ayurveda: Bei Hitze wird
gekühlt, bei Kälte gewärmt, bei Trockenheit Feuchtigkeit zugeführt usw.
Sie sieht die inneren Vorgänge sich auf das Äußere auswirken und be-
zieht sich auf den individuellen Körper, seine Konstitution und was er
für sein Gleichgewicht braucht. So werden Sie bei einer Herzkrankheit
mit einem speziellen Programm für *Ihren* Körper behandelt, aber nicht
mit einem für die allgemeine Behandlung eines Herzleidens.

Ein anderer, ansprechender Aspekt der Ayurveda ist ihre sinnvolle Struktur. Heutzutage gibt es Dutzende von Empfehlungen, wie man einen bestimmten Zustand am besten behandeln soll. Das führt bei vielen zu Ratlosigkeit und Verwirrung. Meine Patienten teilen mir gelegentlich ihre Frustration bezüglich Ernährung mit. Wenn Sie Ihre persönliche Veranlagung und Beschwerden kennen, können Sie Nahrung als ein wirksames Mittel Ihrer Heilung einsetzen. Und das alles unter Ihrer Kontrolle: Sie essen für sich, niemanden sonst. Es liegt in Ihrer Macht; das bedeutet Selbstverantwortung und ein stärkeres Selbstwertgefühl.

Es ist nicht so einfach wie eine Tablette einzunehmen oder ein tiefgefrorenes Menü aufzutauen. Doch wird es weit positivere Auswirkungen haben, als Sie sich vorstellen können.

Entdecken Sie Ihre Veranlagung

Die während unserer Geburt vorherrschende Kombination von Energien bestimmt in der Ayurveda unsere angeborene Veranlagung. Was wir aus dieser Konstitution machen, liegt an uns. Es ist die Quelle unserer Gesundheit, unserer Vitalität und unseres Wohlbefindens. Sie kann auch das Sprungbrett für Schwierigkeiten werden, wenn wir unsere Bedürfnisse ignorieren. Die fünf Elemente bilden drei Basistypen dieser Veranlagung. Sie heißen *Vata, Pitta* und *Kapha.* Wenn Luft und Äther dominieren, sind Sie von Natur aus ein Vata-Typ. Bei Feuer und Wasser gelten Sie als Pitta. Herrschen Wasser und Erde bei Ihrer Geburt vor, sind Sie ein Kapha-Typ.

Woher sollen Sie nun wissen, ob das nicht einfach kulturelle Stereotypen sind? Für mich war das jedenfalls ein Kriterium, als ich der Ayurveda begegnete. Ich habe nämlich eine starke Abneigung gegen bequeme Systeme der Einteilung, besonders wenn es sich um Menschen handelt. Vielleicht war das der Grund, daß ich mich so lange mit der Ayurveda befaßte.

Menschen sind weit komplexer und bemerkenswerter als dies irgendeine Standardbeschreibung erfassen könnte, sei sie nun ayurvedisch, astrologisch, biochemisch oder psychologisch. Leute benutzen Einteilungen oft als Mittel, sich zu bestätigen. »Aha, ich bin Kapha, deswegen habe ich Gewichtsprobleme.« Oder: »Oh, ich bin Vata, kein Wunder, daß ich mich schlecht festlegen kann.« »Als Pitta muß ich natürlich meine Launen ausleben.« Es ist nicht der Sinn der Einteilung, uns selbst einzugrenzen oder in irgendeiner Weise zu beschränken. Jedoch ist es durchaus sinnvoll, unsere natürlichen Ressourcen kennenzulernen, die uns dann bei der Heilung unterstützen. Sie können die Frage nur durch Ausprobieren beantworten und werden sicher merken, wenn es Ihnen nutzt.

Was hat man praktisch davon, wenn man seine Konstitution kennt? Jede Veranlagung hat ihre eigenen Bedürfnisse. Diese zu decken, bedeutet einen Ausgleich und bessere Chancen für eine gute Gesundheit und die Ruhe des Geistes.

Wie findet man nun seine Veranlagung heraus? Idealerweise kann ein qualifizierter ayurvedischer Arzt Ihren Puls messen und Sie über Ihre Konstitution informieren. Durch diese Untersuchung kann er darauf schließen, welche Elemente ausgeglichen sind, welche es nicht sind und was zu tun ist. Ein talentierter Ayurvede ist eine unschätzbare Hilfe, aber was soll man machen, wenn man irgendwo auf dem Land lebt, wo es so jemanden nicht gibt?

Jede Veranlagung hat ihre charakteristischen körperlichen, emotionalen und geistigen Attribute, die uns Aufschluß geben, welche Elemente vorhanden sind. Der folgende Fragebogen kann Ihnen helfen, eine bessere Vorstellung Ihres Typus zu bekommen, damit Sie die Rezepte zu Ihrem bestmöglichen Vorteil anwenden können.

Die verschiedenen Typen

Kreuzen Sie da an, wo Sie sich am ehesten wiederfinden. Manchmal wird es mehr als eine Möglichkeit geben.

VATA		PITTA		KAPHA	
Schlank und immer schlank gewesen; kann ungewöhnlich groß oder klein sein.	☐	Mittlere, wohlproportionierte Erscheinung.	☐	Tendenz zu starker Statur.	☐
Schlank als Kind.	☐	Mittlere Größe als Kind.	☐	Plump oder ein wenig pummelig als Kind.	☐
Leichte Knochen und/oder feingliedrig.	☐	Mittelstarke Knochenstruktur.	☐	Schwere Knochenstruktur.	☐
Schwierigkeiten beim Zunehmen.	☐	Nimmt leicht zu oder ab, wenn der Wille da ist.	☐	Nimmt leicht zu und hat Probleme, wieder abzunehmen.	☐
Kleine, aktive, dunkle Augen.	☐	Durchdringende hellgrüne, graue oder amberfarbene Augen.	☐	Große, attraktive Augen mit langen Wimpern.	☐
Haut: trocken; wird leicht rauh.	☐	Haut: Fettig/ölig.	☐	Haut: Dick, kühl, geschmeidig.	☐

▷

VATA	PITTA	KAPHA
☐ Im Vergleich zur übrigen Familie dunklerer Teint; leicht bräunend.	☐ Helle Haut; kriegt schneller einen Sonnenbrand als der Rest der Familie.	☐ Bräunt langsam, aber gleichmäßig; Haut bleibt länger kühl als bei anderen.
☐ Haar: Dunkel, stark, borstig, widerspenstig.	☐ Haar: Fein, hell, leicht fettend; blond, rot oder schnell ergrauend.	☐ Haar: Dick, wellig, leicht fettig; hell oder dunkel.
☐ Bevorzugtes Klima: Wärme, Feuchtigkeit, Sonne.	☐ Bevorzugtes Klima: Kühl, leichte Brise.	☐ Bevorzugtes Klima: Fühlt sich überall wohl, solange es nicht zu feucht ist.
☐ Variierender Appetit; kann sehr hungrig werden, dabei sind meist die »Augen größer als der Bauch«.	☐ Irritiert, wenn eine Mahlzeit übergangen oder hungrig wird; guter Appetit.	☐ Guter Appetit, ißt gerne, kann jedoch Mahlzeiten ohne körperliche Probleme übergehen, wenn es sein muß (mag es aber nicht).
☐ Ausscheidung unregelmäßig; Stuhl kann trocken und hart sein; evtl. Verstopfung.	☐ Regelmäßige und problemlose Ausscheidung; Stuhl ist weich, ölig, locker; mindestens ein- oder zweimal täglich.	☐ Regelmäßige Ausscheidung; Stuhl gleichmäßig, dick und schwer.
☐ Verdauung unregelmäßig.	☐ Gewöhnlich gute Verdauung.	☐ Gute Verdauung; manchmal etwas langsam.

VATA

☐ Arbeit: Abneigung gegen Routine.

☐ Arbeitsqualitäten: Kreatives Denken.

☐ Mag körperlich aktiv sein.

☐ Fühlt sich geistig eher entspannt bei körperlicher Betätigung.

☐ Ändert seine Meinung leicht.

☐ Tendiert zu Angst oder Furcht bei Streß.

☐ Träumt oft, erinnert sich aber kaum an Träume.

☐ Wechselhafte Stimmungen und Einfälle.
▽

PITTA

☐ Arbeit: Mag Planung und Routine, besonders wenn selbst bestimmt.

☐ Arbeitsqualität: Leiter und Initiator.

☐ Mag körperliche Aktivitäten, besonders Leistungssport.

☐ Bewegung hilft, die Emotionen unter Kontrolle zu halten.

☐ Hat feste Meinungen und teilt sie anderen gerne mit.

☐ Tendenz zu Ärger, Frustration oder Irritation bei Streß.

☐ Oft farbige Träume, erinnert sich leicht daran.

☐ Starke Ausdruckskraft der Gefühle und Ideen.

KAPHA

☐ Arbeit: Mag Routine.

☐ Arbeitsqualitäten: Kann Projekte problemlos abwickeln und gut organisieren.

☐ Mag am liebsten entspannende Freizeitaktivitäten.

☐ Bewegung hält das Gewicht im Rahmen, was eine Diät allein nicht schaffen würde.

☐ Ändert Meinung und Ideen nur langsam.

☐ Tendenz, schwierige Situationen vermeiden zu wollen.

☐ Erinnert sich nur an besonders intensive oder bedeutungsvolle Träume.

☐ Zuverlässig, stabil; liebt keine Veränderungen.

33

VATA		PITTA		KAPHA	
Findet, Geld ist zum Ausgeben da.	☐	Findet, Geld sollte am besten für besondere Dinge ausgegeben werden oder für Anschaffungen, die nützlich sind.	☐	Kann Geld gut zusammenhalten, sparen.	☐
Mag Knabbereien, Snacks.	☐	Mag eiweißreiche Kost wie Geflügel, Fisch, Eier, Bohnen.	☐	Mag fett- und stärkehaltige Nahrung, Brot.	☐
Bei Krankheit vornehmlich nervöse Störungen oder starker Schmerz.	☐	Bei Krankheit am wahrscheinlichsten Fieber, Ausschlag, Entzündungen.	☐	Bei Krankheit, Tendenz überschüssige Flüssigkeit oder Schleim zurückzuhalten.	☐
Leichter Schlaf.	☐	Gewöhnlich guter Schlaf.	☐	Tiefer, guter Schlaf.	☐
Sexualität schwankend; rege Fantasie.	☐	Sexualität wach und bereit.	☐	Konstante Sexualität und Bereitschaft.	☐
Brüchige Fingernägel.	☐	Biegsame Nägel, aber stark.	☐	Starke, dicke Nägel.	☐
Kalte Hände und Füße; transpiriert kaum.	☐	Guter Kreislauf, gelegentlich transpirierend.	☐	Maßvolle Transpiration.	☐
Leichter, schneller, veränderlicher Puls.	☐	Starker, voller Puls, warme Hände.	☐	Gleichmäßiger, langsamer Puls; kühle Hände.	☐
Veränderlicher Durst.	☐	Gewöhnlich durstig.	☐	Selten durstig.	☐

Addieren Sie jetzt alle Kreuze. Ihre Grund-Veranlagung wird generell durch die Spalte mit den meisten Kreuzen bestimmt. Sollten Sie annähernd gleich viele Kreuze in zwei Spalten haben, sind Sie dual veranlagt: Vata-Pitta, Pitta-Kapha usw. Selten werden drei Spalten relativ gleiche Wertungen aufweisen, was auf eine Drei-Typen-Konstitution hinweist.

Falls Sie nun in einer anderen Spalte, als Ihrer Grund-Veranlagung Kreuze gemacht haben, kann das eine Unausgewogenheit in dieser Konstitution anzeigen. Zum Beispiel: Wenn Sie Pitta-Typ sind, aber »Brüchige Fingernägel« und »Leichter Schlaf« angekreuzt haben, könnte das heißen, daß Sie, obwohl Sie Pitta sind, eine Disharmonie in Vata haben. Mehr dazu im folgenden Text.

Schauen wir uns jetzt Ihr Ergebnis an. Klingt eine der Beschreibungen zutreffender auf Sie als andere? Vata-Typen neigen dazu, leichte, schnelle, drahtige und kreative Menschen zu sein. Die Pittas haben einen scharfen Verstand, leidenschaftliche Gefühle und sind gerne Leiter/Führer. Kapha-Typen sind solide, verläßlich, umgänglich und sollten nicht zu sehr gedrängt werden. Traditionell vergleicht man den gereizten Kapha mit einem zornigen, angreifenden Elefanten. Sind Sie immer noch über Ihren Typ unsicher (Vatas sind oft unsicher)?

Welches Klima bevorzugen Sie am meisten? Temperatur und Luftfeuchtigkeit sind gute Schlüssel. Die Vatas mögen Wärme, Pittas kühles Klima und Kaphas mögen alles, nur keine Feuchtigkeit. Ihre Gestalt als Kind ist ein weiterer Schlüssel. Nehmen Sie diese Aspekte, um sich endgültig klar zu werden.

Trifft mehr als eine Beschreibung auf Sie zu? Das ist möglich, denn viele sind mit einer dualen Konstitution geboren, wobei zwei Typen dominieren. Zum Beispiel würde ein Pitta-Kapha-Typ die Attribute beider beinhalten. Diese Menschen fühlen sich normalerweise wohl in Führungspositionen und haben den Schwung, das zu erreichen, was sie sich vorgenommen haben. Ein Vata-Pitta akzeptiert leicht und hat eine Menge geistiger Energie und Vorstellungskraft. Sie können sich gefühlvoll ausdrücken. Während Süßes sie beruhigt, könnten sie sich bei Übertreibung mit dem Problem der Hyperglykämie (hoher Blutzukker) konfrontiert sehen.

Vata-Kaphas stellen sich Herausforderungen, während Angst und Apathie sich dagegen verbünden, das zu tun, was für ihre neuen Pläne notwendig ist. Jedoch sind geistige Beweglichkeit und Durchhaltevermögen Eigenschaften, auf die sie sich verlassen können. Sie brauchen Wärme, um gesund zu bleiben und sich wohl zu fühlen. Ein in heißen Regionen geborener Vata-Kapha wird Schwierigkeiten haben, sich in einer Gegend niederzulassen, wo es kalt ist.

Haben Sie sich hauptsächlich in einem Typ mit einigen Aspekten in einem anderen wiedergefunden? Falls diese Aspekte lediglich in den letzten Jahren aufgetaucht sind, wie z.B. »trockene Haut« oder »Gewichtsveränderung« oder »ich wurde schnell ärgerlich, aber jetzt reagiere ich öfters mit Angst«, dann könnte das auf einen momentanen Krankheitszustand oder eine Unausgeglichenheit hinweisen. Wenn wir unsere Veranlagung und natürlichen Bedürfnisse mißachten, können wir aus dem Gleichgewicht kommen. Diese Unausgewogenheit kann sich in unserer Grund-Veranlagung oder einer anderen als der angeborenen zeigen.

Ein Beispiel zu dem letztgenannten Fall: Sie waren als Kind etwas pummelig, freundlich und gingen auf die Bedürfnisse anderer ein. Als Jugendlicher mochten Sie Ringen und waren wie besessen vom Erreichen des Idealgewichts, um sich mit anderen zu messen. Während der folgenden Jahre haben Sie intensiv trainiert, stark proteinhaltige Kost zu sich genommen, und völliges Hungern war die Norm, bis Sie einen sehr schlanken Körper hatten.

Doch traten Probleme auf, denn Sie bekamen Panikanfälle und litten unter Schlaflosigkeit. Irrationale Ängste bezüglich Ihres Körpers, Ihres Selbstbildes und Ihrer Selbstdarstellung begannen, Sie aus dem Gleichgewicht zu bringen.

Wir haben hier den Fall eines Menschen, dessen ursprüngliche Veranlagung Kapha ist, der aber eine Unausgeglichenheit in Vata durch seine Entscheidung für einen anderen Lebensstil entwickelt hat. Diese Vata-Unausgeglichenheit ist ein Zustand, der nicht seiner wahren Konstitution entspricht.

Aus der Sicht ayurvedischer Ernährung würde diese Person sowohl Kapha als auch Vata auszugleichen haben, mit Schwerpunkt auf der akuten Unausgewogenheit in Vata. Beruhigende, wärmende, gekochte Kost würde hier empfohlen. Selbstverständlich wäre es gut, einen Blick auf die ursächlichen, psychologischen Gründe für die Wahl des Lebensstils der Person zu werfen. Hier würden wir erst einmal eine Ernährungsberatung machen, damit die betroffene Person ihre innere Ruhe wiederfindet, um sich anschließend den tieferen Ursachen zuzuwenden. Und dieser Ernährungswechsel ist etwas, das jeder für sich selbst machen kann.

Die Kennzeichen und Ernährungsbedürfnisse der einzelnen Veranlagungen

VATA

Wenn Vata in Ihrer Veranlagung dominiert, sind Sie mit einem schnellen, wachen Geist, Flexibilität und Kreativität gesegnet. Vata wird mit Bewegung assoziiert. Sie werden körperlich und/oder geistig rege sein. Vata gibt Ihnen Schwungkraft für alle körperlichen Prozesse und ist auch extrem wichtig für Ihre Gesundheit. Bei einer diätetischen Therapie für Vatas versucht man, die Bewegung zu stabilisieren oder ihr eine Basis zu geben. Vata sitzt vornehmlich im Darm. Diese Energie kann im Überfluß auch im Gehirn, den Ohren, den Knochen und Gelenken, der Haut und den Hüften gefunden werden. Vata tendiert dazu, sich im Alter zu intensivieren, was durch zunehmende Trockenheit der Haut und Falten (Trockenheit ist ein weiteres Kennzeichen von Vata) offensichtlich wird.

Jahreszeitlich tritt Vata besonders im Herbst auf, und das ist die wichtigste Zeit, eine Diät durchzuführen. Routine hilft auch sehr wirkungsvoll beim Stabilisieren der gesamten Bewegungsenergie. Durch routinemäßige Heilaktivitäten werden Vatas eine wohltuende Wirkung verspüren. Tageszeitlich ist Vata am aktivsten am späten Nachmittag (14 bis 16 Uhr) und vor Sonnenaufgang (2 bis 6 Uhr).

Die anderen Kennzeichen von Vata, neben Trockenheit und Mobilität, lauten: leicht, kalt, rauh, subtil, klar und zerstreuend. Jedes Übermaß dieser Eigenschaften kann Vata aus dem Gleichgewicht bringen, während ihr Gegenteil diese Veranlagung beruhigt. Zum Beispiel kann häufiges Reisen, speziell fliegen, Vata stören.

Ruhe, Wärme und Meditation können es dagegen besänftigen. Laute Geräusche, ständige Stimulation, Drogen, Zucker und Alkohol — all das kann Vata aus der Balance bringen. Beruhigende Musik, Pausen, tiefes Atmen und Massage harmonisieren es.

Kälte, kalte Speisen, tiefgefrorene und getrocknete Nahrungsmittel beeinträchtigen Vata stark, während ihm warmes Essen gut tut.

Unwohlsein und Krankheiten werden bei Vata-Disposition am ehesten im Winter und Herbst auftreten. Einige der allgemein üblichen Symptome eines unausgeglichenen Vata sind Blähungen, Aufgedunsenheit, nervöse Zuckungen, schmerzende Gelenke, trockene Haut, trockenes Haar, spröde Fingernägel, nervöse Störungen, Verstopfung, geistige Verwirrung oder Chaos.

Die geistigen Störungen basieren oft auf Angst, Furcht oder Gedächtnisschwäche (oder auf allen). Vor Jahren habe ich einmal etwas Seltsames bemerkt. Drei Patienten kamen innerhalb eines Monats mit Gedächtnisschwäche, jedesmal als sofortige Folge einer Unterleibsoperation. Ich hielt das für merkwürdig und wunderte mich über die Langzeitfolgen der Anästhesie bei den Operationen. Ich sah die möglichen Zusammenhänge erst, als ich mich mit Ayurveda befaßte.

Vata sitzt im Unterleib. Operative Eingriffe in diesem Bereich destabilisieren es. Ein Symptom eines unausgeglichenen Vata ist Gedächtnisschwäche. Es ist speziell wichtig, nach einer Unterleibsoperation etwas für Vata zu tun, egal, was Ihre Grund-Veranlagung ist.

Was Sie für einen Vata-Ausgleich tun können:

- Halten Sie sich warm.
- Wählen Sie wärmende Mahlzeiten und Gewürze.

- Vermeiden Sie extreme Kälte, kalte Getränke, kalte Speisen, Eiscreme.
- Minimieren Sie den Verzehr von rohen Nahrungsmitteln, speziell Äpfel und alle Sorten von Kohl.
- Seien Sie zurückhaltend bei den meisten Bohnen, mit einigen Ausnahmen (siehe unten).
- Bevorzugen Sie warmes Essen mit ausreichend Flüssigkeit. Suppen, heiße Getränke und Reis mit etwas Öl oder Butter sind einige Beispiele.
- Würzen Sie hauptsächlich süß, sauer und salzig.
- Bringen Sie Ordnung in ihr Leben.
- Schaffen Sie sich eine möglichst sichere, ruhige und geborgene Umgebung.

Vatas brauchen Wärme auf allen Ebenen — von ihrer Umwelt bis zu ihren Freundschaften und ihrem Essen. Kälte läßt Vatas sich zusammenziehen, erstarren und behindert den freien Fluß ihrer Bewegungsenergie, die so wichtig für ihr Wohlbefinden ist.

Rohe, kalte Nahrungsmittel benötigen mehr Energie zur Verdauung. Vatas haben normalerweise nicht übermäßig viel Verdauungsfeuer, das sie verschwenden können. Kohlgewächse entwickeln, wenn sie roh gegessen werden, recht schnell Gase. Dazu gehören Broccoli (der noch am leichtesten zu verdauen ist), Kraut, Blumenkohl, Kohlrabi, Rosenkohl und Grünkohl. Gas, das luftig ist, schleudert Vata heraus. Oder genaugenommen, Vata wird herausgeschleudert und Gas ist das Ergebnis. Meistens, wenn Sie Blähungen haben, wird Ihr Vata zumindest vorübergehend aus dem Gleichgewicht sein. Ein leichter Salat aus Kopfsalat und Sprossen kann mit Essig und Öl stabilisiert werden; oder man kann marinierte, gedünstete Gemüse essen (siehe Salate, Seite 179 ff.). Wenn Sie Rohkost essen wollen, dann tun Sie das zu einer Zeit und an einem Ort, wo es heiß ist.

Kalte Bohnen tendieren dazu, schwer und trocken zu sein, liegen also nicht im Interesse der Vatas. Und doch können einige für die Vata-Konstitution gut sein. Dunkle Linsen wärmen und können in angemessener Menge gegessen werden. Halbierte Mungobohnen sind auch recht gut für Vata. Viele, aber nicht alle Vata-Menschen können auch bestimmte, gut gewürzte Sojaprodukte wie Tofu oder Sojamilch zu sich nehmen. Lassen Sie Ihre Neigung entscheiden. Milchprodukte, besonders warme, wirken sehr beruhigend auf Vata.

Warmes, gekochtes ganzes Getreide tut dem Vata-Typen gut. Speziell Basmati-Reis, brauner oder Naturreis, wilder Reis, Haferschrot (-mehl) und Weizenprodukte sind besonders heilsam, solange Sie gut vertragen werden. Hefe in jeder Form (Brot, Bierhefe zum Kochen etc.) und Zukker können Blähungen beim Vata erzeugen. Gelegentliche Chapatis, Tortillas, Matzenbrot und hefefreie Krackers oder Brot werden besser vertragen. Nudeln aller Art sind gut.

Früchte werden dem Vata-Typ empfohlen, solange sie süß, saftig und gut reif sind, jedoch nicht Äpfel, Birnen, Preiselbeeren, Wassermelonen oder getrocknete Früchte (wenn doch, dann sollten sie gut eingeweicht oder gekocht sein). Die Früchte sollten entweder allein oder vor einer Mahlzeit gegessen werden, aber nicht mit anderer Nahrung zusammen.

Vorgegorene Nahrungsmittel haben verschiedene Wirkungen auf den Vata. Viele empfinden die Säure von Gurken, Umeboshi-Pflaumen und Essighaltigem als anregend auf ihre Verdauung, einige wenige bekommen davon eine Magenverstimmung.

Eier sollen in einem Gericht verarbeitet oder gut gewürzt gegessen werden. Zum Beispiel mögen Vatas Rühreier, Omelettes oder Puddings. Nicht alle können hart gekochte Eier gut verdauen, aber wenn doch, dann sollten Sie sie genießen.

Die meisten Süßigkeiten verträgt der Vata-Typ gut, wenn er kein Übermaß an Hefepilzen in seinem Darm oder sonstwo entwickelt hat. Zukker reizt ihn zu sehr und wird am besten vermieden. Wenn Sie für sich selbst oder andere Vata-Typen kochen, wählen Sie am besten Sesamöl oder Ghee. Seine Wärme ist von großem Nutzen. Wenn Sie für sich selbst und anders veranlagte Menschen kochen, wählen Sie am besten Sonnenblumenöl.

Auswärts essen

Von allen Typen haben Sie es am leichtesten, passende Restaurants zu finden. Es wird Ihnen fast überall alles gut bekommen mit einigen wenigen Einschränkungen. Halten Sie sich zurück mit Salat und Bergen von Rohkost. Alles was Tomaten enthält, sollten Sie am besten meiden. Stärke/Säure-Kombinationen wie Tomatensauce und Nudeln bekommen dem Vata-Typen nicht gut. Auch eiskalte Speisen sind ihm nicht zuträglich. Aber es gibt ja nun wirklich genug auf Ihrer Speisekarte, so daß Sie immer satt und zufrieden sein werden!

 PITTA

Pittadominante Personen sind gesegnet mit Entschlußkraft, starkem Willen und meist auch mit einer guten Verdauung. Pitta steht in Verbindung mit den Elementen Feuer und Wasser, und oft ist es die hitzige Art der Pittas, die zuerst auffällt. Ihnen steht überdies eine starke Energie zur Verfügung.

Pitta sitzt hauptsächlich im Magen und im Dünndarm, des weiteren in den Augen, der Haut, im Blut, in den Schweißdrüsen und im Fett.

Die Pitta ist besonders ausgeprägt in der Lebensmitte und solange wir jung sind. Es ist wichtig, dieses kreative Feuer für einen speziellen Zweck einzusetzen und zu lernen, leidenschaftliche Gefühle auf eine konstruktive Weise auszudrücken. Übersetzt heißt das: Seien Sie kreativ und drücken Sie sich aus! Pittas wird nachgesagt, daß sie es ausgezeichnet verstehen, Verantwortung für sich, ihr Leben und ihren Heilungsprozeß zu übernehmen.

Die Kennzeichen von Pitta sind fettig/ölig, heiß, hell, beweglich und flüssig. Jedes Übermaß dieser Eigenschaften kann Pitta aus der Balance bringen. Gegensätze dazu wirken besänftigend und ausgleichend. Im Sommer und zur Mittagszeit ist Pitta vorherrschend und kann dann am ehesten Störungen unterliegen. Im Sommer ist es heiß und hell, wir sind mehr in Bewegung, machen Urlaub. Während dieser Zeit zeigt sich ein Ungleichgewicht als Sonnenbrand, Hitzeflecken und Launenhaftigkeit. Diese Symptome legen sich auf natürliche Art und Weise, sobald es kühler wird, was Rückschlüsse darauf zuläßt, wie man am besten mit dieser Veranlagung umgeht. Für Pittas ist es besonders wichtig, im Sommer kühlende Speisen mit einer Vielfalt von Rohkost zu wählen. Warme Speisen werden am besten im Winter eingenommen. Tageszeitlich ist Pitta zwischen 10 bis 14 Uhr und 22 bis 2 Uhr am aktivsten.

Wenn das Element Feuer zu stark wird, kommt es zu folgenden Symptomen: Hautausschläge, Brennen, Fieber, Entzündungen, Geschwürbildungen und Irritationen wie Bindehautentzündung, Darmentzündungen, Halsentzündungen, schnelle Stimmungswechsel, Irritierbarkeit, Ärger, Wut, Frustration oder Eifersucht. Das Element Wasser zeigt sich bei Ihrer Veranlagung manchmal in der Tendenz, große Mengen von Urin zu produzieren. Im Extremfall können bei ungesundem Lebensstil und falscher Ernährung die Nieren geschwächt werden, so daß Pitta seine normale Vitalität verliert. Dies alles deutet darauf hin, sich selbst wieder ins Gleichgewicht bringen zu müssen.

Was Sie für einen Pitta-Ausgleich tun können:

- Ruhe bewahren.
- Ein Übermaß an Hitze, Dampf und Feuchtigkeit vermeiden.
- Nicht zuviel Öl, gebackene Speisen, Koffein, Salz, Alkohol, rotes Fleisch und scharfe Gewürze zu sich nehmen.
- Bevorzugen Sie frische Früchte und Gemüse.
- Genießen Sie reichlich Milch, Hüttenkäse und Vollkorngerichte.
- Legen Sie Wert auf süße, bittere und adstringierende Geschmacksrichtungen.
- Halten Sie sich viel in frischer Luft auf.
- Vertrauen Sie Ihren Gefühlen und drücken Sie diese so aus, daß sie und Ihre Mitmenschen dadurch unterstützt werden.

Von großer Bedeutung ist es, kühl zu bleiben, an heißen Tagen nach einem schattigen Plätzchen zu suchen und das aktive Gehirn mit einem Hut zu schützen. Nach der heißen Dusche sollte der Pitta-Typ noch kaltes Wasser folgen lassen. All das beruhigt bei dieser Konstitution. Zuviel Sonne, scharfes Essen (Chili) und heißes Klima reizen Pittas. Irritiert werden sie durch die laut Ayurveda wärmenden Qualitäten von

Salz, Alkohol, rotem Fleisch, scharfen Gewürzen und den meisten Ölen. Die meisten reifen und süßen Früchte beruhigen, mit Ausnahme einiger weniger, wie die wärmenden Tomaten und Papayas.

Eine kühlende Natur haben die meisten Milchprodukte, also alle Arten von Milch, Hüttenkäse, die meisten Weichkäse und Eiscreme, die im Gegensatz zu den stark fetthaltigen, salzigen und säuerlichen Hartkäsen, Sauerrahm und Buttermilch mit ihrer »anfeuernden« Wirkung empfohlen werden. Selbst zubereiteter Joghurt, wie auf Seite 96 beschrieben, kann gegessen werden. Das volle Korn von Weizen, Basmati-Reis und Gerste kühlt und entspannt den Pitta-Typen.

Knabbergebäck und Reisküchlein werden gut vertragen. Der mittelstark wärmende Hafer tut Pittas gut und ist somit auch hilfreich. Grundsätzlich kann der Pitta-Typ aus einer großen Vielfalt von Weizenprodukten, einschließlich Nudeln, Brot, Semmeln und Knabbergebäck, auswählen. Die gegen Weizen allergischen Pittas können die im Buch aufgeführten weizenfreien Rezepte anwenden.

Pitta-Typen fühlen sich oft zu stark proteinhaltigen Nahrungsmitteln hingezogen und scheinen etwas mehr Eiweiß als die anders Veranlagten zu benötigen. Tatsächlich wirken Ziegenmilch, Kuhmilch, Sojamilch, Eiweiß (als Schaumcreme, Soufflés), Tofu, Tempeh und Hüttenkäse sehr ausgleichend auf diese Konstitution. Exzellent sind die meisten Bohnen mit ihrem kühlenden, schweren und süßlich-adstringierenden Geschmack, mit Ausnahme der wärmenden Linsen. Alle sollten aber maßvoll genossen werden, auch hier kann man die Verdauung überstrapazieren. Sie sollten nicht mehr als drei- bis fünfmal pro Woche gegessen werden, um gefährliche Blähungen zu vermeiden. Beachten Sie Ihre Reaktionen und essen Sie dementsprechend.

Das Bedürfnis nach bitterem Geschmack wird durch Petersilie, Brunnenkresse, Frühlingszwiebeln, Schalotten, Löwenzahn u.a.m. gestillt, die gleichzeitig eine gute Quelle von Vitamin A, B-Komplex, Kalzium, Magnesium und Eisen sind. Viele Pittas scheinen mehr vitaminreiches Gemüse und Früchte als andere Menschen zu benötigen, vielleicht um ihre Leber zu stärken und zu beleben.

Kühlende Gewürze sind ein wichtiger Bestandteil der Ernährung des Pittas. Am besten sind Cumin (Kreuzkümmel), Koriander, Safran, Dill,

Fenchel, Minze und Petersilie. Auch gut sind Zimt, Kardamom, Gelb-wurz (Kurkuma), kleine Mengen von schwarzem Pfeffer, Salz und/oder süßsauren Zwiebeln. Knoblauch dagegen sollte vermieden werden.

Mit Ihrem charakteristischen guten »Verdauungsfeuer« können Sie sich an Essenskombinationen wagen, die bei anderen Typen ein Desaster verursachen würden. Lassen Sie sich von Ihrem Bewußtsein leiten, das Ihnen sagt, welche Kombinationen Sie vertragen und welche Ihnen nicht gut tun.

Sirup, Zucker und unbehandelter, junger Honig (6 Monate oder weni-ger alt) sind gute Süßmittel für Sie. Bei Fetten und Ölen sind es Son-nenblumenöl, Ghee oder ungesalzene Butter, die in Maßen genommen werden sollen. (Maßvoll zu sein ist für den Pitta so ungewohnt wie Routine für den Vata!)

Auswärts essen

Das muß man etwas planen. Vegetarische und gutbürgerliche Gaststät-ten, nicht zu scharf kochende indische, japanische und chinesische Re-staurants (verzichten Sie auf die Frühlingsrolle) bieten Ihnen eine gute Auswahl auf der Karte, nicht zu vergessen die Salatbar. Sie sind der Typ, der in der Eisdiele schwelgen kann und auch Gerichte aus dem Nahen Osten verträgt, wenn Sie Minze oder Cumin und Fenchel mögen. Streichen Sie aber die fritierten und knoblauchhaltigen Gerichte von Ihrer Liste. Die mexikanische, italienische und Fast-Food-Küche wer-den Sie eher frustrieren, wenn Sie die Pitta-Diät strikt einhalten wol-len. Am besten vermeiden Sie Fleisch, gebackenes/fritiertes Essen, Kof-fein, Alkohol und Fast-Food ganz. Trotzdem, guten Appetit!

 KAPHA

Menschen mit Kapha-Veranlagung sind gesegnet mit Stärke, Durch-haltevermögen und Standfestigkeit. Kapha wird mit den Elementen Er-de und Wasser, den Eigenschaften Vertrauen, Erdverbundenheit und

Ruhe sowie Flüssigkeit und Ölung assoziiert. Obwohl es dem Kapha-Typen nicht schwerfällt, ein gewisses Normverhalten zu entwickeln und beizubehalten, so sind gelegentliche Veränderungen der Routine doch hilfreich für einen wirkungsvollen Heilprozeß. Das wird Ihnen als Kapha auch helfen, nicht emotional oder körperlich steckenzubleiben.

Kinder neigen dazu, einen großen Anteil Kapha zu haben, was sich in ihren weichen, geschmeidigen Muskeln und gut durchfeuchteten Haut zeigt, doch nimmt Kapha mit zunehmendem Alter ab.

Die Herausforderung des Kapha ist seine potentielle Trägheit und die Tendenz, Dinge oder Leute besitzen zu wollen. Unsere kleine Tochter, ein typischer Kapha, gab uns bereits im Alter von neun Monaten ein schönes Beispiel dafür. Sie war bei Bekannten und aß gerade ein Maisbrot, als ihr Vater auftauchte, um sie nach Hause zu bringen. Iza als praktisch veranlagte Person hielt ihre geliebten Brote fest in ihren Fäustchen als sie in den Kindersitz gesetzt wurde und schlief in der Dunkelheit des Autos schnell ein. Als sie zu Hause angekommen waren und das Licht im Auto anging, öffnete sie sofort die Augen und starrte direkt auf das mit ihren Händen noch immer fest umschlossene Maisbrot, um es sofort in den Mund zu stecken! Nahrung und Sicherheit sind wichtig für Kaphas. Aber natürlich teilen wir alle diese Bedürfnisse mehr oder weniger mit ihnen!

Hier kann eine Lockerung des Festhaltenwollens oft heilsam sein. Manchmal ist das Festhalten an alten Verhaltensmustern und Glaubenssätzen nämlich so stark, daß es zur Ursache einer Ansammlung von Abfallstoffen im Körper werden kann. Wenn diese Abfallstoffe sich auch gewohnt anfühlen mögen, so sind sie doch schwer wieder loszuwerden.

Zwei Beispiele fallen mir dazu ein: Ein Kapha-Patient hatte die Tendenz, Flüssigkeit im Körper zurückzuhalten. Als er begann, abführende Kräuter zu nehmen, verlor er überschüssige Flüssigkeit und erwartete nun starke Anzeichen von Austrocknung und großem Durst, obwohl er immer noch mehr Wasser in seinem Gewebe hatte als die Norm. Die Veränderung irritierte ihn, und es fiel ihm nicht leicht, mit dem Programm weiterzumachen.

Eine andere Patientin, die Milchprodukte und Weizen nicht gut vertragen konnte, führte eine Reihe von Darmreinigungen durch. Die Därme wurden dabei von großen Mengen von Schleim gereinigt. Dieser Schleim war teilweise das Produkt jahrelangen Essens nichtverträglicher Substanzen. Anstatt sich nun nach dieser Reinigung wohlzufühlen, fühlte sie sich gestört und aß noch am selben Abend eine große Schüssel Nudeln mit Käse — eine Nahrung, die sie seit Monaten nicht mehr gegessen hatte. Sie wußte, daß diese Speise bestenfalls nur noch mehr innere Vergiftungen herbeiführen würde, aber wenigstens fühlte es sich gewohnt an!

Die assoziierten Kennzeichen von Kapha sind: Fettig/ölig, kalt, weich, dicht, schwer, schleimig, statisch und langsam. Wenn Ihnen diese Auflistung wenig schmeichelhaft erscheint, trösten Sie sich damit, daß diese Konstitution in früheren Zeiten als sehr wertvoll betrachtet wurde. Biologen bestätigen dies, indem sie auf diese Eigenschaften als lebenserhaltend hinweisen. Kaphas sind beständig, solange sie ihren Körper nicht schwer mißhandeln.

Die Kapha-Energie sitzt vor allem im Brustbereich. Andere Stellen ihrer Konzentration sind die Nebenhöhlen, der Kopf, die Kehle, die Nase, die Lungen, die Gelenke, der Mund, der Magen, die Lymphe und das Plasma, und es wird oft mit der Schleimproduktion des Körpers in Verbindung gebracht. Schleim ist — in angemessener Menge — ein nützliches Schmiermittel, jedoch im Übermaß Ursache von Verstopfungen. Dieses Übermaß kann sich als Erkältung, Verstopfung, Sinusitis, Depression, Fettleibigkeit, hohes Gewicht, Diabetes, Ödeme (Wasserstau) oder Kopfschmerzen äußern.

Die Kapha-Energie kann sich kurz vor Vollmond anhäufen, und Biologen haben festgestellt, daß Organismen zu dieser Zeit eine deutliche Tendenz dazu haben, Flüssigkeiten zurückzuhalten. Tageszeitlich dominiert Kapha zwischen 6 und 10 Uhr und 18 bis 22 Uhr.

Kaphas können viel körperliche Bewegung vertragen, auf jeden Fall mehr als alle anderen Typen, und sie brauchen diese auch. Sie sind überdies in der Lage, besser als andere fasten zu können, denn ihre Körperreserven helfen ihnen, einen Fastentag mit nur wenigen »schwachen Momenten« problemlos zu überstehen. Die »schwachen Momente« werden begünstigt durch Situationen, die sie vermeiden sollten: Die horizontale Lage vor dem TV mit den Lieblingssnacks und Süßigkeiten. Denn sonst zieht die Schwerkraft den Großteil seiner Masse nach unten in Richtung Bauch oder Hüften!

Was Sie für einen Kapha-Ausgleich tun können:

- Seien Sie jeden Tag körperlich aktiv!
- Reduzieren Sie Ihren Fettverbrauch auf ein Minimum! (Achtung bei Gebackenem/Fritiertem!)
- Vermeiden Sie eisgekühlte Getränke und Speisen, Süßigkeiten und große Mengen Brot.
- Wählen Sie warme, leichte und trockene Speisen (siehe später).
- Trinken Sie nie mehr als einen Liter Flüssigkeit am Tag.
- Bevorzugen Sie bittere, scharfe und adstringierende Geschmacksrichtungen bei der Wahl des Essens und der Kräuter.
- Schwelgen Sie in frischem Gemüse, Kräutern und Gewürzen.
- Sorgen Sie für genügend vollwertige Kohlenhydrate, um sich bei Kräften zu halten und eine ausreichende Energiezufuhr zu gewährleisten.
- Lassen Sie in Ihrem Leben soviel Aufregung, Veränderung und Wechsel wie möglich zu.

Kaphas brauchen Abwechslung und Stimulation in ihrem Essen, bei Ihren Freunden und Aktivitäten. Das sorgt dafür, daß man die alten, gewohnten Pfade verläßt, die Welt mit anderen Augen sieht und für Neues offen wird. Es hilft auch, sich aus der Stagnation zu lösen und der Heilung zuzuwenden.

Sie werden feststellen, daß viele Rezepte für die Kapha-Veranlagung wenig oder kein Öl enthalten. Öle und Fette steigern Kapha wie nichts anderes, außer vielleicht Süßes und Saures. Falls Sie als Kapha ein Pitta- oder Vata-Rezept zubereiten wollen, verringern Sie einfach die Menge des Öls auf einen TL oder weniger und gleichen Sie es mit Wasser aus. Eine fettarme Diät ist eine Ihrer wichtigsten therapeutischen Maßnahmen und erfüllt Ihre körperlichen Bedürfnisse.

Die meisten Milchprodukte sind kalt, feucht und schwer, also wie Kapha selbst und sollten am besten vermieden werden. Ich benutze Ziegenmilch oder kleine Mengen Ghee, um meine Gerichte zu verfeinern.

Als Öl ist Sesamöl nicht empfehlenswert, obwohl es wärmt, da es zu schwer für Kapha ist. Senföl, das man in Läden mit asiatischen/indischen Lebensmitteln findet, ist gut, da es wärmt und scharf schmeckt. Sonnenblumenöl sollten Kaphas nehmen, wenn sie gleichzeitig für andere kochen, da es mild und neutral wirkt und viel ungesättigte Fettsäuren enthält.

Ein leichtes Frühstück aus frischen Früchten und/oder Tee ist wohltuend für den Kapha am Morgen, wo seine kaphische Energie am stärksten ist. Kohlenhydrate am Mittag und/oder Abend sind wegen ihrer Mineralien, Vitamin B und Ballaststoffe wichtig. Als die leichteste, wärmste und trockenste Nahrung sind Gerste, Hirse, Roggen, Amaranth, Quinoa, Hafer und Soba-Nudeln (aus Buchweizen) zu nennen. Diese Getreide halten Ihre Insulin-Produktion im Gleichgewicht, so daß Sie Stärke besser verdauen können.

Eine völlig eiweißreduzierende Diät scheint dem Körper des Kapha auf lange Sicht nicht gut zu tun. Fettarme, leichte Proteine, wie ballaststoffreiche Bohnen und beispielsweise die Gerste, die die Ausscheidung anregen, helfen dem Kapha am besten. Adzuki-Bohnen sind besonders empfehlenswert, schwarze Bohnen weniger, da sie schwer verdaulich sind. Sojabohnen und -produkte sollten nicht ständig gegessen werden, denn mehr als die Hälfte der Tofu-Kalorien stammen überraschenderweise vom Fett, bei schwarzen Bohnen sind es interessanterweise nur 4%. Trotzdem sind Soja-Produkte weniger stimulierend für die Kapha-Energie als Milchprodukte.

Eisgekühlte Getränke oder Speisen, die der Kapha-Energie entsprechen, werden natürlich nicht empfohlen. Flüssigkeiten und Salz, die die hohe Feuchtigkeit des Kaphas noch verstärken, sollten gering gehalten werden.

Warme, leicht gewürzte Gerichte sind vortrefflich für Sie — als Kapha sind Sie geradezu geboren für die asiatische oder lateinamerikanische Küche, solange sie keinen Käse enthält. Ich hatte eine Kapha-Patientin, die auf einer Asienreise, ohne es bewußt zu wollen und auch ohne irgendwelche Magenprobleme zu haben, fünfzehn Kilo verlor. Sie erhielt die ideale Diät für Ihre Konstitution: Viel Gemüse, Paprika, Ingwer, Soja- und Buchweizennudeln, gut gewürzten Tee und keine Milchprodukte, die auf der Verbotsliste der Kaphas stehen.

Der Kapha fühlt sich sichtlich wohler im Sommer und in warmen Gegenden, wo man mehr Rohkost zu sich nimmt, und hebt sich schwere Speisen besser für den Winter und für kalte Gegenden auf. Allgemein sind leichte, knusprige Speisen das beste für ihn. Popcorn wäre ein gutes Beispiel, aber auch Vollkornkrackers, Maistortillas und gedünstetes Gemüse.

Auswärts essen

Eine erfreuliche Auswahl bieten Salatbuffets, die mexikanische, indische, chinesische, thailändische, japanische und natürlich vegetarische Küche, wobei Gerichte und Beilagen wie Tempura, Sauerrahm, Frühlingsrollen, Käse (-saucen) und alles Fritierte vermieden werden sollten. Die gut bürgerliche und italienische Küche bieten Ihnen vermutlich nicht viel Auswahl, es sei denn, sie ist auf delikate Salate und Gemüsegerichte spezialisiert. Meine generelle Empfehlung, damit Sie das Auswärtsessen auch mit anschließendem Wohlbefinden genießen können: kein Fast-Food, Fleisch, Süßes und öltriefende Zutaten!

Allgemeiner Hinweis für alle Veranlagungen

Noch ein Wort zu der Frage, wie strikt man sich an die Ernährungsrichtlinien für seine individuelle Konstitution halten soll. Dies ist eine Heiltherapie — wie eng Sie sich an die Richtlinien halten, hängt davon ab, wie ernst Ihr Zustand ist und wie schnell Sie wieder ins Gleichgewicht kommen wollen. Selbstverständlich werden Sie schneller Erfolg erzielen, wenn Sie sich strikt an die Empfehlungen halten.

Was Ihre Veranlagung aus dem Gleichgewicht bringt

VATA

Sorgen
Schnelligkeit
Nicht genug Schlaf
Hastiges Essen
Routine
Trockene, gefrorene Gerichte; Reste essen
Viel Bewegung (in Autos, Flugzeugen, Zügen, Joggen)
Niemals die Haut befeuchten
Nachtarbeit
Aufregendes, kaltes, trockenes Klima/Plätze
Drogen, speziell Kokain und Speed
Schwerwiegende Operation im Unterleib
Gefühle unterdrücken

PITTA

Viel Alkohol
Gewürzte Speisen
Frustrierende Handlungen
Genuß von viel Tomaten, Chillies, rohen Zwiebeln, Saurem, Joghurt
Körperliche Ertüchtigung in der heißesten Zeit des Tages
Warme, enganliegende Kleidung
Drogen, speziell Kokain, Marihuana, Speed
Warmes, stickiges, stimulierendes Klima/Plätze
Stark salzhaltige Snacks/Mahlzeiten
Gefühle unterdrücken
Rohes Fleisch und gesalzener Fisch

KAPHA

Ein langer, tiefer Mittagsschlaf nach dem Essen
Viele fett- und ölhaltige Speisen
Übermäßiges Essen
Kreativität unterdrücken
Sich nicht darstellen und ausdrücken
Faulenzen und Fernsehen
Annehmen, daß andere es schon machen werden
Warmes, feuchtes, stimulierendes Klima/Plätze
Keine körperliche Bewegung
Ausschließliche Ernährung mit Bier und Chips
Drogen, speziell Beruhigungsmittel
Gefühle unterdrücken
Mindestens ein Dessert am Tag (etwa Käsekuchen oder Eiscreme)

Zum Verständnis ayurvedischer Ernährung: Der Geschmack

Geschmack ist ein Schlüssel, um die ayurvedische Ernährung zu verstehen und sie für praktisch jede Veranlagung zum Heilen und Ausgleich anwenden zu können. Aus ayurvedischer Sicht ist Geschmack aus einer Anzahl verschiedener Bestandteile zusammengesetzt.

Da ist der Geschmack, den wir erfahren, wenn wir Nahrungsmittel oder Kräuter in den Mund nehmen. Dieses direkte Erfahren von Geschmack und wie er auf den Körper wirkt, wird Gefühl, im Ayurvedischen *Rasa,* genannt. Dann gibt es die energetische Wirkung jedes Geschmacks auf die Verdauung, die heiß oder kalt sein kann — im Ayurvedischen *Virya* genannt. Nahrung mit heißer Energie wird normalerweise die Verdauung anregen, während kalte Energie zu einer Verlangsamung führen kann.

Geschmack hat außerdem mehr langfristige, nachhaltige und subtile Wirkungen auf den Körper und seinen Stoffwechsel, die im Ayurvedischen *Vipak* genannt werden. Während einige dazu führen, den Körper leichter zu machen und eine Gewichtsreduzierung unterstützen, können andere das Gegenteil bewirken.

Jede der sechs in der Ayurveda bekannten Geschmacksrichtungen hat bestimmte Eigenschaften *(Gunas)* oder Kennzeichen. Ein Geschmack kann leicht oder schwer, feucht oder trocken sein. Diese spezifischen Charakteristika jedes Geschmacks beeinflussen ihre direkten und langfristigen Wirkungen auf uns. Leichter Geschmack kann generell einfach verdaut und aufgenommen werden, die von der Ayurveda als schwer betrachteten fordern mehr Verdauungsenergie von uns. Feuchter Geschmack wird eine schmierende, nässende Wirkung auf den Körper haben, wie Sie wohl vermuten. Und trockene Nahrungsmittel, im Übermaß zugeführt, können austrocknend wirken.

Es ist nun nicht notwendig, unbedingt indisch zu essen, um in den Genuß ausgewogener Geschmacksrichtungen zu kommen. Jede Kultur hat ihre eigene Art der Speisezubereitung entwickelt, von denen viele in sich ausgewogen sind. Ayurveda bietet die Möglichkeit, bei jedem Kochstil und einer Vielzahl von Ernährungsweisen, Speisen ausgewogen zu gestalten.

Der Geschmack eines westlichen Essens kann genauso einfach ausgewogen werden wie der eines östlichen Mahls. Das Wichtigste ist, mit den Geschmacksrichtungen und ihren Wirkungen vertraut zu werden, so daß diese Sie bei Ihren Maßnahmen für eine gute Gesundheit unterstützen. Lassen Sie uns jetzt die sechs Geschmacksrichtungen und ihre Wirkungsweisen kennenlernen.

Süß

Der süße Geschmack besteht aus den Elementen Erde und Wasser und hat eine kühlende Wirkung auf die Verdauungsenergie, d.h. der Verdauungsprozeß wird leicht verlangsamt oder aufgehalten. Gleichwohl erzeugt er, besonders als Abschluß eines Mahls, eine leichte Befriedigung. Süß neigt dazu, schwer und feucht zu sein und wird kurz- oder langfristig dementsprechende Zustände erzeugen. Mit anderen Worten: Süße Nahrungsmittel wie Zucker, Bonbons, Kuchen und Eiscreme lassen Masse, Feuchtigkeit und Gewicht entstehen, wenn sie in großen Mengen gegessen werden. Überrascht Sie das? Nein, bestimmt nicht. Wir Westler sind in den vergangen Jahrzehnten exzessiv mit Süßem umgegangen und mancher ist regelrecht süchtig danach. Und trotzdem kann es in Maßen genossen äußerst befriedigend sein und ist ein hervorragender Geschmack zur Stimulation von Wachstum und für die Stabilisierung unseres Wesens.

In der Ayurveda bedeutet Geschmack sowohl Geschmacksempfindung als auch Gefühl. Jeder Geschmack kann einen subtilen emotionalen und mentalen Effekt auf unser Bewußtsein erzeugen und wirkt ebenso auf unseren Körper. Ausgewogen dosiert kann Süße für Liebe und Wohlbefinden sorgen — eine Notwendigkeit also für das Gefühl der Befriedigung. Bei Maßlosigkeit kann es verursachen, daß man lethargisch, passiv und selbstgefällig wird.

Wir kennen den erleichternden Seufzer, der durch Süße erzeugt wird, und tatsächlich kann dieser Geschmack sehr beruhigend auf die nervöse Geistesenergie des Vata-Typen wirken. Vata wird durch Süßes und seine starke Elementzufuhr von Erde und Wasser erdverbunden. Diese Elemente in ihrer kühlenden Form sind es auch, die Pitta ausgleichen und besänftigen. Kapha dagegen wird verstärkt und bekommt durch diesen Geschmack das, was es bereits in Fülle hat: Kühle, feuchte Erde und Wasser, was schnell zur Lethargie führen kann.

Im Westen ist Süßes überall erhältlich, und wir greifen zu gerne danach, um uns zu beruhigen oder wenn uns das Leben gerade schwierig erscheint. Viele von uns kennen das von sich, wenn man in die Küche geht mit dem Gedanken, wo wohl etwas Süßes sein könnte. Das Problem ist, daß wir für diese »Beruhigungsmittel« langfristig mit Passivität, Gewichtszunahme, Depression oder Diabetes zahlen müssen. Süßes gehört auf jeden Speiseplan, aber in der individuell angemessenen Menge und Art.

Sauer

Sauer besteht aus den Elementen Erde und Feuer. Die wärmende Eigenschaft des Feuers zeigt sich in seiner Wirkung auf die Verdauung — es heizt sie an, stimuliert sie und hat insgesamt eine leicht wärmende Wirkung auf den ganzen Körper. Jeder mit einem Magengeschwür mag die Wirkung von sauer als etwas wenig Erfreuliches erlebt haben. Beste Beispiele für saure Nahrungsmittel sind saure Gurken (Mixed Pickles), Cornichons, Zitronen, saure Trauben, eingelegte Zwiebeln usw. und Essig.

Auch eine milde Form der Schwere und Nässe sind mit diesem Geschmack assoziiert. Vata profitiert von der Wärme, Feuchtigkeit und Erdverbundenheit des Sauren, es kann recht hilfreich dessen Verdauung anregen. Pittas empfinden eher gegenteilig, denn sie vertragen diese Art der Säure nicht so gut. Und Kaphas können durch die milde Schwere und Nässe noch mehr Flüssigkeit zurückhalten und so an Gewicht zunehmen. Pittas und Kaphas gleichen Säure am besten mit anderen Geschmacksrichtungen aus, während Vatas von Saurem wie Umeboshi-Pflaumen, sauren Gurken und etwa Zitrone zur Stimulation ihres empfindlichen Verdauungssystem sehr profitieren können.

Auf emotionaler und mentaler Ebene erzeugt ein wenig Saures einen erfrischenden Realismus, da es eine »aufweckende« Wirkung hat. Zuviel davon verursacht Neid, Rivalität, Eifersucht oder Pessimismus — wer denkt jetzt nicht an das geflügelte Wort der »Saure-Gurken-Zeit«?! Wie immer ist auch hier das rechte Maß wichtig. Ein wenig kann unser Bewußtsein wecken und die Verdauung auf allen Ebenen anregen, zuviel mag uns in unerwarteten Neid und Verunsicherung stürzen.

Salzig

Feuer und Wasser sind die Elemente des salzigen Geschmacks. Das Feuer gibt dem Salz seinen wärmenden Effekt bei der Verdauung und stärkt somit das Verdauungsfeuer. Wie sauer und süß neigt salzig auf eine Art dazu, feucht und schwer zu sein. Salzig liegt irgendwo in der Mitte zwischen der tiefen Schwere und starken Feuchte des Süßen und der im Gegensatz dazu stehenden Leichtigkeit des Sauren. Es wird schneller einen Wasserstau verursachen als sauer, doch nicht so schnell eine Gewichtszunahme wie süß. Langfristig wirkt es süß. D. h. anfänglich ist salzig wärmend, aber langfristig nicht mehr so sehr wärmend, sondern eher feuchtend und stabilisierend. So kann man bei Menschen, die viele salzige Speisen zu sich nehmen, langfristig die Möglichkeit eines Wasserstaus im Gewebe beobachten.

Zu den besten Beispielen salziger Nahrung gehören gesalzene Erdnüsse, Chips, gesalzener Fisch, Gepökeltes, Algen, die meisten Fast-Food-Gerichte und Dosen-Menüs und schließlich das Salz selbst.

Salz ist hilfreich für Vatas, da es wärmt und die Feuchtigkeit hält. Der Zustand von Pittas wird dadurch eher verschlimmert, Kaphas mögen wahrscheinlich die Wärme dieses Geschmacks, jedoch ist es durch seine gewichtserhöhende, wasserstauende Tendenz für diese nicht angebracht.

Seine Wirkungen auf den Geist und die Gefühle umfassen eine weite Bandbreite. Eine kleine Menge salzigen Geschmacks kann einem Menschen eine ausgesprochene Stabilität verleihen. Ein Übermaß kann mehrere Wirkungen haben. Bei einigen kann salzig eine rigide, überstrukturierte und starre Geisteshaltung erzeugen. Bei anderen kann es sich als dringendes, wiederholtes Verlangen der Sinnesbefriedigung äußern. Beide Tendenzen können sich in einer Person vereinigen, die sich zutiefst daran erfreut, immer »recht« zu haben. Die Abhängigkeiten bei salzigen Kartoffelchips usw. sind ein gutes Beispiel für diesen Effekt — einmal davon gegessen, ist es schwer, wieder aufzuhören.

Salz wird in unseren Kulturkreisen reichlich genommen, um unser Adrenalin zu stimulieren. Man kann es anwenden, um auf diesem Weg die Adrenalindrüsen zur Höchstleistung zu bringen, so wie es manche mit dem Koffein tun. Kleine Mengen von Salz sind ausgezeichnet, um zu strukturieren und die Verdauung zu stärken. Große Mengen können ein unbewegliches und wasserrückhaltendes oder irritiertes und erschöpftes System schaffen. Japan ist ein Beispiel dafür. Während die Japaner eine extrem niedrige allgemeine Krebsrate haben, solange sie ihre traditionelle Kost essen, sind die Erkrankungen an Magenkrebs im Verhältnis dazu recht hoch. Medizinische Untersuchungen führen das auf den irritierenden Effekt auf die Magenschleimhaut durch die stark salzhaltige japanische Küche zurück.

Scharf/brennend

Scharf ist aus den Elementen Luft und Feuer zusammengesetzt. Es ist der heißeste und verdauungsanregendste Geschmack und hat leichte, sehr trockene Qualitäten. Seine Wirkungen sind kurz- und langfristig gleich: es wärmt stark. Deswegen ist es ein wunderbares Mittel zum Ausgleich für Kapha. Es wirkt austrocknend und wärmend auf die überschüssige Feuchtigkeit und Masse. Für Vata sind kleine Mengen des scharfen Geschmacks hilfreich, speziell in Verbindung mit anderen, weniger trockenen Geschmacksrichtungen. In kleinen Mengen wärmt und stimuliert es die Verdauung des Vata-Typen, in großen Mengen reizt es ihn aufs Äußerste, da die Leichtigkeit und Trockenheit zusätzliche Bewegung und Austrocknung in den Körpersystemen verursacht (Beispiele: Durchfall und/oder trockener Mund/Haut). Eine ausgewogene Mischung von scharf und süß, sauer und/oder salzig kann ganz gut für Vata sein. Diese Kombination findet man oft in indischen Curry-Gerichten. Zu den scharfen Nahrungsmitteln gehören u.a. Pfefferschoten, Knoblauch, Zwiebeln und scharfe Gewürze.

Die Wirkungen dieses Geschmacks auf Bewußtsein und Emotionen können mit belebend und Leidenschaft erzeugend beschrieben werden. Auch der Körper kann bei maßvollem Gebrauch in Bewegung gesetzt, gewärmt und motiviert werden. Scharf kann äußerst klärend sein. Ein Beispiel ist der Effekt von scharfer Senfsauce mit chinesischen Frühlingsrollen. Während die Frühlingsrolle fritiert und schwer ist (d.h. dichte Masse und damit schwer verdaulich), löst der scharfe Senf alles auf und hat eine unmittelbare, manchmal intensive, klärende Wirkung auf die Nebenhöhlen des Kopfes. Schärfe kann auf ähnliche Weise auf den Geist wirken. Überdosiert kann es Ärger, Aggressivität und Voreingenommenheit auslösen. Ein bißchen Ärger bzw. scharfer Geschmack kann nichts schaden, um ungeklärte Dinge zum Vorschein zu bringen und wieder einen klaren Kopf zu bekommen. Das Gleichgewicht des individuellen Körpersystems bedingt auch hier, was zuviel oder zuwenig des Geschmacks ist.

Bitter

Luft und Äther sind die Elemente von bitter, der kältesten und leichtesten aller sechs Geschmacksrichtungen. Bitter ist auch leicht trocken, und der Begriff »bitterkalt« läßt uns erahnen, wie es auf den Körper wirkt. Zu Beginn und kurzfristig ist es kalt, langfristig – oder als Nachwirkung – wirkt es verdauungsmäßig scharf. D.h. bitter wirkt erleichternd und trocknend über eine ganze Zeitspanne, während seine Kälte in der Nachwirkung auf den Verdauungsprozeß durch seine scharfen Eigenschaften abgemildert oder erwärmt wird.

Bitter ist ein ausgezeichneter Ausgleich für die Schwere und Nässe von süß, sauer und salzig. Es gibt wenig bittere Nahrungsmittel wie etwa Bittermandeln, Chicorée, Löwenzahn, Endivien- und andere Salate. Auch haben viele Kräuter einen bitteren Effekt auf den Körper. Schwedenkräuter (als Kräuterauszug erhältlich) sind ein klassisches Beispiel. Nahrungsmittel, die brennend wirken, können ein Übermaß an bitterem Geschmack erzeugen, was hier nicht empfohlen wird.

Die leichte, kalte und trockene Eigenschaft dieses Geschmacks ist gut für Pitta, denn er ist der beste zur Harmonisierung seines Verdauungssystems, wenn es aus dem Gleichgewicht gekommen ist. Hier sind Kräuter wie Schwedenbitter angebracht. Es ist auch ausgleichend für Kapha, aber nicht empfehlenswert für Vata.

In kleinen Mengen hilft der Geschmack dem Bewußtsein, um wieder klar zu sehen. Interessanterweise haben viele Kulturen bittere Kräuter für spirituelle und visionäre Übungen angewendet. Bitter kann das Gefühl einer leichten Unzufriedenheit erzeugen, die uns hilft, weiterzublicken und die Dinge realistisch zu sehen. Große Mengen verursachen dagegen Desillusion oder Kummer. Es kann anfänglich schwierig sein, sich mit diesem Geschmack anzufreunden, doch gleicht er andere gut aus.

Adstringierend/zusammenziehend

Dieser Geschmack ist aus den Elementen Luft und Erde zusammengesetzt und kann auch mit zusammenziehend oder leicht metallisch beschrieben werden. Er hat eine kühlende Wirkung auf die Verdauungsenergie, weniger als bitter, aber mehr als süß. Seine langfristige Wirkung ähnelt dem des scharfen Geschmacks, d.h. er wirkt später leicht und trocken, jedoch im Laufe der Zeit immer weniger kühlend auf den Körper.

Seine sanfte Kühle harmonisiert die Hitze von Pitta, seine leicht trockene Qualität hilft Kapha auszugleichen, doch er ist überhaupt nicht gut für Vata, denn es macht diese Konstitution noch trockener und kühler.

Adstringierend hat eine konträre Wirkung auf die Verdauung und kann sie verlangsamen. Es regt ein Zusammenziehen der Blutgefäße der Verdauungsorgane an, was den freien Fluß des Blutes, der Energie und der Enzyme in diesem Bereich verhindert. Die Kräuterheilkunde bedient sich adstringierender Kräuter gerade wegen dieses Effekts, weil dadurch Blutungen in einem bestimmten Bereich gestoppt werden können (z.B. durch Geranie oder Hirtentäschel).

Mental und emotional können angemessene Mengen des Geschmacks eine asketische, nüchterne Einstellung zum Leben fördern. In großen Mengen genommen, die wohl kaum realistisch sind, kann adstringierend förderlich auf Nihilismus oder Desinteresse am Leben wirken. Kleine Mengen wirken dämpfend auf extreme Emotionen, und ihre austrocknenden Effekte lassen uns wieder praktisch denken.

Es gibt sehr wenige Nahrungsmittel, die einen hauptsächlich adstringierenden Effekt auf den Körper haben, abgesehen von Unreifem (z.B. Bananen). Granatäpfel, Preiselbeeren, Holzäpfel und Quitten sind leicht adstringierend, aber haben auch eine saure Komponente, und viele Nahrungsmittel haben einen zusammenziehenden Nachgeschmack bzw. Wirkung. Dazu gehören auch Getreide, Bohnen und viele Gemüsesorten, die primär süß und sekundär adstringierend auf den Körper wirken. Deswegen sind speziell Bohnen gut für Pitta. Solange das Verdauungsfeuer des Pitta-Typen gut ist, wird er mit den meisten Bohnen gut zurechtkommen. Aber die Verdauungsenergie des Vata-Typen wird mit Bohnen überfordert sein.

Zusammenfassung

Sie werden festgestellt haben, daß die spezielle Kombination von Geschmacksrichtungen auf die verschiedenen Typen besonders hilfreich, ausgleichend und unterstützend wirkt. Auch für die Verdauung und Nahrungsaufnahme gibt es einige generelle Empfehlungen von Geschmacksrichtungen, die diese anregen und verlangsamen:

Vata	süß, sauer und salzig
Pitta	süß, bitter und adstringierend
Kapha	scharf, bitter und adstringierend
verdauungsanregend	scharf, sauer und salzig
verdauungsverlangsamend	süß, bitter und adstringierend

Es gibt gelegentlich Ausnahmen für diese Regeln, aber generell ist das genau die Art, wie man Unausgeglichenheiten jeder Veranlagung aus ayurvedischer Sicht heilen kann.

Ein Schritt weiter

Begeben wir uns jetzt in unsere Zeit und Kultur, da wir heute in der Lage sind, Energie in weit subtilerer Art und Weise zu nutzen als in der Vergangenheit. Während wir Geschmack körperlich nutzen, um uns zu harmonisieren, können wir auch für Erfahrungen sorgen, die uns genauso ausgleichen wie die verschiedenen Geschmacksrichtungen. Um es zu verdeutlichen: Es gibt Erfahrungen, die nicht auf oraler Ebene erlebt werden, uns aber auch wärmen und besänftigen. Wir können mit süßen Aromen, süßen Empfindungen und süßen Berührungen arbeiten.

Sie können sich das sicher selbst vorstellen. Was könnte nun ein süßes Erlebnis für Sie sein? Entspannen Sie sich für einen Moment, schließen Sie Ihre Augen und erspüren Sie das Bild oder das Gefühl, das in Ihrem Geist auftaucht. Wenn Sie wollen, merken Sie, wo in Ihrem Körper das Erlebte am stärksten zu spüren ist. Nehmen Sie wahr, wie es sich jetzt für Sie anfühlt.

Jeder Geschmack kann auf diese Weise erfahren werden. Einige Geschmacksrichtungen mögen einfacher vorstellbar sein als andere und doch können alle so angewendet werden. Für viele von uns ist eine orale Belohnung zur Gewohnheit geworden oder mit Schmerz verbunden, so daß eine neue Perspektive von Nahrung und Geschmack schwer zu erlangen ist. In meiner Arbeit erlebe ich viele Menschen, die mit dem Verlangen nach Süßem kämpfen, sich jedoch keine süßen Erlebnisse in ihrem Leben gönnen. Oft passiert es, daß, wenn wir uns Süßes auf anderen Ebenen (Liebe, Wärme, was immer »süß« für uns bedeutet) gestalten, unser Körper mehr Befriedigung verspürt und entspannt ist. Das Verlangen nach Süßem beginnt nachzulassen.

Ayurveda lädt uns ein, tiefer zu schauen und Geschmack zu nutzen, um sowohl unser Bewußtsein als auch unsere Gesundheit zu stärken.

Geschmacks-richtungen	Elemente	Eigenschaften	harmonisiert	reizt im Übermaß
Süß	Erde/Wasser	schwer, feucht, kühl	Vata und Pitta	Kapha
Sauer	Erde/Feuer	warm, feucht, schwer	Vata	Pitta und Kapha
Salzig	Wasser/Feuer	schwer, feucht, warm	Vata	Pitta und Kapha
Scharf	Feuer/Luft	heiß, leicht, trocken	Kapha	Pitta und Vata
Bitter	Luft/Äther	kalt, leicht, trocken	Kapha und Pitta	Vata
Adstringierend	Luft/Erde	kühl, leicht, trocken	Pitta und Kapha	Vata

Die Verdauung

Die Verdauung ist der Vorgang, bei dem wir das umsetzen, was wir von außen zuführen, um es zu einem integrierten Teil unseres Inneren zu machen. Die Absorption ist der Prozeß, durch den wir diese verdauten Elemente in unsere Zellen integrieren. Ausscheidung ist das Mittel, mit dem wir uns von jeglichen unbrauchbaren verdauten oder unverdauten Elementen trennen. Wie wohl und gut ernährt wir uns fühlen, wird in hohem Maße von dem ausgewogenen Verhältnis dieser drei Prozesse bestimmt.

In der Ayurveda sind gute Gesundheit, Kraft und Verdauungsfeuer die Schlüssel für eine gute Verdauung. Verdauungsfeuer bedeutet die Fähigkeit aller Verdauungsorgane, lebendig und effektiv zu sein sowie koordiniert zu funktionieren, wenn ihnen eine angemessene Menge Nahrung zugeführt wird.

Die »angemessene Menge« ist ein wichtiger Punkt des wirkungsvollen Verdauungsprozesses. Zuviel Nahrung kann wie Sand auf ein (Verdauungs-)Feuer wirken und es auslöschen, und dabei mehr Leistung von ihm fordern, als es tatsächlich bieten kann. Zuwenig Nahrung kann die Verdauungsenergie wie ein Feuer, das stark brennen will, aber nur ein paar dürre Zweige erhält, »verhungern« lassen. (Bemerkung: Es wird darauf hingewiesen, daß zeitgemäßes, begrenztes Fasten für die Ayurveda eine akzeptable Reinigungsmethode ist. Es kann die Verdauungsenergie anregen, wenn es unter der Aufsicht eines ayurvedischen Heilkundigen durchgeführt wird.)

In der heutigen Zeit, da Diäten, Übergewicht und Magersucht im Mittelpunkt stehen und diktieren, was zuviel oder zuwenig ist, kann das zu einer brisanten Frage werden. Doch die Realität ist, daß unser Körper, wenn er ausgeglichen ist, uns durch die einfachen Botschaften von Hunger oder Sättigung sagen kann, wieviel wir brauchen. Wir können diesen Botschaften vertrauen. Das Verhängnis ist, daß es manchmal eine lange Zeit dauern kann — Wochen, Monate oder Jahre — bis dieser innere Ausgleich hergestellt ist, was von bestimmten Bedingungen abhängt. Wichtig ist, zu wissen, daß es funktioniert.

Die Verdauungskräfte hängen immer von der körperlichen Kraft ab. Und die Erhaltung der Kraft hängt von einer guten Verdauung ab. Wenn das eine zusammenbricht, folgt das andere. Lassen Sie sich nicht entmutigen, wenn Sie Probleme entweder mit Ihrer Verdauung oder Ihrer Gesundheit haben. Seien Sie sich im klaren darüber, daß durch den Ausgleich des einen Bereiches der andere profitieren wird. Wie merken Sie nun, ob Ihre Verdauung gut ist? Eine harmonische Verdauung findet problemlos, mit wenig Geräusch oder Aufruhr statt. Wenn Sie Blähungen, Irritationen, Aufstoßen u.a.m. erleben, braucht Ihre Verdauung wohl einige Hilfe.

Wenn man sich mit der Verdauung befaßt, betrachtet man sowohl die »inneren« Faktoren (wie sich die Organe anfühlen und funktionieren) als auch den »äußeren« Allgemeinzustand. Lassen Sie uns jetzt erst die äußeren Faktoren betrachten, auf die Sie einen beträchtlichen Einfluß haben.

In der Ayurveda hat nicht nur die Nahrung selbst, sondern auch ihre Zubereitung und Kombination Bedeutung. Generell sind leichte Speisen nach ayurvedischer Ansicht auch leicht zu verdauen, während schwere Speisen schwer verdaulich sind. Eine Vielfalt von Nahrungsmitteln wie Salat, Basmati-Reis, Ghee und Eiweiß sind leicht. Und es gibt viele schwere Nahrungsmittel, wie z.B. Avocado, Käse, Bananen und dunkle Linsen. Letztere sind zwar stabilisierend, stärkend und sättigend, brauchen aber mehr Energie zum Verdauen, dämpfen von Natur aus den Appetit und sollten am besten nur in kleinen Mengen gegessen werden.

Große Mengen schwerer Nahrung sind ein gutes Mittel, um Krankheiten zu verursachen, es sei denn, man hat viel Nahrungsenergie und einen guten Stoffwechsel, der durch körperliche Betätigung tonisiert ist. Von leichten Speisen kann man mehr essen; sie tendieren dazu, den Appetit und die Verdauung anzuregen.

Die Nahrung wird ayurvedisch auch in heiß oder kalt unterteilt. Heiße Nahrung stimuliert das Feuer der Verdauung. Dazu gehören die meisten Gewürze, Chili, Knoblauch, Joghurt, rote Linsen, Honig u.a.m. Kalte Nahrung wird die Verdauung verlangsamen oder beruhigen; dazu gehören u.a. Milch, Kokosnuß, Dill, Koriander. Die ausgewogene Mischung von kalten und heißen Nahrungsmitteln ist optimal für die Verdauung.

Die Idee, daß Nahrung heiß, warm oder kalt wirkt, mag für manchen auf den ersten Blick fremdartig erscheinen, was es ja auch ist. Man kann sich recht gut die brennende Wirkung von »heißen« Nahrungsmitteln wie Chili oder die kühlende Wirkung von Milch vorstellen. Aber mit dem subtilen Feuer von Honig oder roten Linsen werden Sie wohl genau solche Schwierigkeiten bei der Vorstellung haben, wie ich sie anfangs hatte. Ich schlage Ihnen vor, zu experimentieren. Passen Sie auf, welche Wirkungen (wenn überhaupt) jegliche Nahrung auf Sie hat. Schwitzen Sie oder fühlen Sie sich erhitzt nach bestimmten Dingen? Verdauen Sie bestimmte Nahrung einfacher oder schwerer? Wie wirken sich Gewürze auf die Nahrung aus? Die Rezepte dieses Buches werden Ihnen helfen, die Anwendung von Nahrung und Gewürzen kennenzulernen, so daß Sie sich einen Erfahrungsschatz sammeln können, der Ihrer Gesundheit zugute kommt.

Das Konzept von wärmend und kühlend findet man in vielen Kulturen, und doch gibt es so manche Unterschiede zwischen diesen bezüglich der Nahrungsmittel und der Heilpraktiken. Joghurt wird z. B. vom indischen Ayurveden als wärmend, im benachbarten Tibet als kühlend betrachtet. Und das bei zwei Kulturen, die ziemlich dieselbe Art der natürlichen Medizin praktizieren und etwa dieselben Ergebnisse erzielen! Klima und Lebensstil haben nämlich auch einen Einfluß auf die Wirkung einer Nahrung. Experimentieren Sie also und lassen Sie sich dabei von den Erfahrungen aus vielen Jahrhunderten leiten.

In unserer Zeit des umfangreichen Einsatzes von Pestiziden und anderen Chemikalien kann es dazu kommen, daß ein Nahrungsmittel aufgrund seiner Vergiftung einen unerwarteten Effekt hat. Zum Beispiel kann eine Überdosis Pestizide Fieber, Durchfall oder andere brennende Symptome im Menschen verursachen. Das kann man irrtümlich für eine gewöhnliche Grippe oder Virusinfektion halten. Tatsächlich sind dies Reaktionen des Körpers auf chemische Überdosierungen, so wie beispielsweise mit Insektiziden stark behandelte Trauben Fieber erzeugen können. Dann wirken die Trauben nicht mehr kühlend. Oder die Nahrung kühlt noch mehr als normal, je nach dem verwendeten Mittel und unserer körperlichen Reaktion. Wie man die moderne Toxikologie in das uralte System der Ayurveda integrieren kann, ist noch zu erforschen.

Die Merkmale von Öligkeit, Feuchte und Trockenheit beeinflussen ebenfalls die Verdauung. Öl- oder fetthaltige Nahrung (u.a. Ghee, pflanzliche Öle, tierische Fette, Sojabohnen, viele Gemüsesorten, Zitrusfrüchte) bewirkt eine Schmierung des Verdauungstraktes und die Sekretion von Verdauungssäften, wenn man diese maßvoll zu sich nimmt. Im Übermaß können sie die Verdauung verhindern, indem sie die Leber und Gallenblase überfordern. Trockene Nahrung (Mais, Roggen, Buchweizen, Hirse, die meisten Bohnen, dunkles Blattgrün u.a.m.) wirkt gewöhnlich kaum verdauungsfördernd, obwohl kleine Mengen das Verdauungsfeuer wirkungsvoll anregen können. Große Mengen dagegen behindern die Verdauung. Zur Verdauung trockener Nahrung brauchen die meisten Menschen etwas zugesetzte Flüssigkeit.

Schleimige Speisen unterstützen die Schmierung und Verdauung. Weiche Nahrung besänftigt die Verdauung und wirkt mild reduzierend auf das Verdauungsfeuer. Rauhe Nahrungsmittel tendieren dazu, die Verdauung und Ausscheidung in Bewegung zu halten, wie man bei Hafer und Weizenkleie sieht, doch können sie für manche Menschen, insbesondere den Vata-Typen, nicht zuträglich sein. Scharfes wie Chili regt die Verdauung an, manchmal zu abrupt. Harte Nahrung und solche mit hoher Dichte (z.B. Nüsse) wirken wie schwere Speisen und fordern mehr Verdauungsenergie, während sie dem Körper Masse und Stabilität geben. Flüssige Nahrung steigert die Schmierung und Speichelbildung und hilft speziell bei der Verdauung von Kohlenhydraten im Mund. Statisches, fettes, trübes, schweres Essen behindert die Verdauung; hier wäre eine Fast-Food-Mahlzeit mit einem abschließenden Milchmixgetränk ein gutes Beispiel. Dagegen ist eine mobile, subtile, klare Speise besser für den Verdauungsprozeß von Kopf und Körper.

Wichtig ist, daß Sie anfangen, bewußter zu essen. Werden Sie sich klar darüber, was Sie essen und wie es sich anfühlt, es zu essen. Realisieren Sie, daß das Morgen neue Informationen in Form von Erlebnissen und Beobachtungen bringen wird, die Sie verinnerlichen werden. Heute ist nicht der letzte Tag Ihres Lernprozesses.

Kombination und Zubereitung von Speisen

Das geschickte Kombinieren von Merkmalen und Geschmacksrichtungen verbessert die Verdauung und macht sie leichter. Die richtige Kombination ist ein Schlüssel, um die Möglichkeit innerer Vergiftungen durch unvollständige Verdauung oder Ausscheidung zu verringern und die Absorption zu begünstigen. Indem man eine schwere Speise wie Haferschrot mit einer Prise Ingwer oder Kardamom anreichert, wird man sie leichter verdauen, aufnehmen und assimilieren. Trockene Nahrung, die angefeuchtet wird, wie das Einweichen und gründliche Kochen von Bohnen, gibt dem Verdauungstrakt eine bessere Gelegenheit, ihre lebenswichtigen Nährstoffe ohne starke Blähungen aufzunehmen. Das Anwärmen von Kaltem wie Milch gewährleistet Sättigung und hält das Ansammeln von Giftstoffen ganz allgemein in Grenzen. Die hier angebotenen Rezepte sind speziell nach vorgenannten Prinzipien so gestaltet, daß die Verdauung gestärkt und die Nahrungsaufnahme unterstützt wird.

Die meisten Gemüsearten sind leicht und einfach mit vielen anderen Nahrungsmitteln in Gerichten zu kombinieren. Ob sie nun gekocht (sehr leicht) oder roh (etwas schwerer vom ayurvedischen Gesichtspunkt der Verdauung) gegessen werden, hängt vom Koch und den Rezepten ab. Die meisten Früchte sind leicht ölig und werden somit die Verdauung begünstigen, wenn sie am Anfang mehrerer Gänge oder vor dem Essen gereicht werden. Sie werden am besten für sich gegessen. Zweimal gekochte Früchte (Eingemachtes, das aufgewärmt wird) können sehr gut verdaulich sein für die, welche ein empfindliches Verdauungssystem haben, da die Hitze sie leichter macht.

Die Kombination von konzentriertem Eiweiß wird in der ayurvedischen Küche grundsätzlich vermieden. Fisch mit Milchprodukten oder Bohnen mit Nüssen zu mischen ist generell nicht gut für eine optimale Verdauung. Als Ausnahme ist Joghurt zu nennen, der oft in kleinen Mengen wegen des Geschmacks und der Absorption beigefügt wird.

Getreide werden hier eher als Stärke- denn als Eiweißträger betrachtet. Ganze Getreidekörner können mit positiver Wirkung den meisten Gerichten beigefügt werden. Sie sind eine hervorragende Quelle für Kalorien, B-Vitamine und Spurenelemente.

Ausgleich der Verdauungsenergie

Die Anzeichen einer schwachen Verdauung sind weit mehr verbreitet als die einer sehr starken Verdauungsenergie. Aufstoßen, Blähungen, langsame Verdauung, Aufwachschwierigkeiten am Morgen, schwaches oder gar kein Schwitzen und Verstopfung können die Zeichen einer schlechten Verdauungsenergie sein. Zuviel essen ist eine der weitverbreitetsten Arten, um die Verdauungsenergie zu lähmen und im Laufe der Zeit zunehmend zu unterdrücken. Vata-Typen sind besonders häufig für eine uneffektive Verdauung veranlagt.

Eine übermäßige Verdauungsenergie kann ebenso Aufstoßen und Rülpsen verursachen, obwohl ein Brennen, speziell im Magen oder Duodenum (Zwölffingerdarm), ein sicheres Zeichen dafür ist. Durchfall, Irritation, starke Aufregung und der Drang, viel zu reden, können ebenfalls Indikatoren sein; auch starker Durst und Schwitzen können bemerkt werden. Das Essen von übermäßig wärmenden Speisen und lange Perioden des Nichtessens sind Methoden, die Verdauungsenergie überzustimulieren, genauso wie ständig unterdrückter Ärger.

Die beste Art, das Verdauungsfeuer wieder ins Gleichgewicht zu bringen, ist, kleine Mahlzeiten zu sich zu nehmen. Frischer Limonen- und Zitronensaft mit Wasser wirken sanft reinigend und stimulierend. Milder Ingwertee ist ein gutes Anregungsmittel für eine langsame Verdauung und reduziert Gasansammlungen im Darm. Die angemessene Kombination von Nahrungsmitteln und unterstützenden Kräutern kann eine stark verbesserte Verdauung bewirken. Beispielsweise gemahlener Kreuzkümmel (Cumin), Koriander und Fenchel wirken zusammen langfristig stimulierend und tonisierend.

Die Verdauungsorgane

Die Organe des Verdauungssystems haben verschiedene Funktionen. Die Verdauung selbst beginnt im Mund. Wir zerkleinern kauend das Essen, und das Enzym Ptyalin, das im Speichel enthalten ist, fängt mit der Zersetzung der Nahrung an. Die ersten Einflüsse auf die Verdauung werden durch die Art, wie gut wir unsere Nahrung kauen, und ihren pH-Wert — alkalisch oder sauer — ausgeübt.

Das Enzym Ptyalin braucht ein leicht alkalisches Umfeld, um seine Aufgabe, Stärke aufzulösen, erfüllen zu können. Falls etwas Saures, wie Orangensaft, zusammen mit Stärke, wie Toast oder Getreideflocken (Müsli), gegessen werden, wird die Auflösung und Aufnahme der Stärke verhindert. Das kann zu Blähungen, heftigen Störungen des Magens oder unmerklichen, subtilen Wirkungen führen. Wenn man dem Essen nur ein wenig Säure beifügt, wie etwas Zitrone zu Bohnen, wird das allgemein nicht diese Wirkungen haben, sondern die Verdauung sogar anregen.

Große Mengen saurer Nahrung, die man aus diesem Grund einer stärkehaltigen Speise zufügt, können für manche Verdauungssysteme schwierig zu handhaben sein. Außer Orangensaft und Toast kann man noch Nudelgerichte mit Tomatensauce oder Salsa mit Chips als typische Beispiele dieser Art nennen. Eine schwangere Klientin von mir, die auf ihre geliebten Tomaten-Sandwiches verzichtete, stellte völlig erstaunt fest, daß sich ihre Magenverstimmungen legten!

Kauen ist ein wichtiges Signal, das die Peristaltik in Gang setzt. Wenn Sie die Gewohnheit haben, in Eile zu essen, könnte es dazu kommen, daß Sie das Kauen verlernen. Auf der anderen Seite ist soviel Aufhebens darüber gemacht worden, daß manche Menschen Magenverstimmungen bekommen, nur weil sie sich durch das Bemühen um richtiges Kauen so verspannen. Das ist nicht nötig. Entspannung macht die Muskeln des Magens weich, steigert somit den Blutzufluß und -zirkulation der Verdauungsorgane und regt dadurch die Verdauungssäfte und -energie an.

Indem Sie sich vor dem Essen einen Moment der Ruhe gönnen und sich darauf konzentrieren, daß Sie jetzt anschließend essen werden, können Sie für eine entspannte Verdauung sorgen.

Der Magen ist der Hauptsitz der Eiweißverdauung und sterilisiert die aufgenommene Nahrung. Beide Prozesse werden durch die sehr starke Magensäure eingeleitet, die große Proteinketten auflöst (auf ähnliche Weise wirken auch die Fleischzartmacher) und Bakterien und andere Mikroben abtötet. Interessanterweise haben Menschen, die magensäurereduzierende Präparate nehmen und damit die natürlichen Funktionen der Magenenergie zu stoppen versuchen, langfristig mehr Verdauungsprobleme, besonders wenn sie reisen.

Auf Reisen gibt es mehr Magenprobleme, da die reduzierte Magensäure nicht in der Lage ist, die Bakterien wie gewöhnlich zu töten. Bitterer oder saurer Geschmack als Vorbeugung ist in diesem Fall nützlicher als ein säurebindendes Medikament. Zitrone oder Umeboshi-Pflaumen sind dabei hilfreich. Sie stimulieren das Magenfeuer und die Magensäure und eliminieren damit unverträgliche Mikroben.

Als Reaktion auf verschiedene Proteine kann der Magen erstaunlich präzise die jeweils nötige Menge seiner Magensäureproduktion anpassen. Die ayurvedische Lehre empfahl bereits vor Jahrhunderten, nicht Fisch und Milchprodukte zu kombinieren. Der Verhaltensforscher Pawlow unterstrich diese Empfehlung, als er bei seinen Experimenten über konditionierte Reflexe beobachtete, daß Fisch, Milchprodukte und Fleisch einer verschiedenartigen Zusammensetzung und Konzentration von Magensäure zur Verdauung bedürfen. Sie werden am besten verdaut, wenn sie für sich allein gegessen werden.

Der Ausgleich der verschiedenen Typen der ayurvedischen Lehre wird eindrucksvoll durch die Funktion des Magens demonstriert. Zuviel Kapha und übermäßiger Schleim verzögert die Verdauung und macht damit den gesamten Verdauungsprozeß unvollständig und träge. Zuwenig Kapha und/oder zuviel Pitta kann die Magenschleimheit so stark verschließen, daß der Magen von seiner eigenen Säure nicht mehr erreicht wird und nichts umsetzen kann. Die ausgeschüttete Säure wird ziemlich brennend und erreicht einen pH-Wert von 1 bis 2. Ein Magengeschwür kann durch eine Verbrennung mit der Säure entstehen, wenn die Magenschleimhaut nicht genügend Schleim hat. Ein oft wirksames

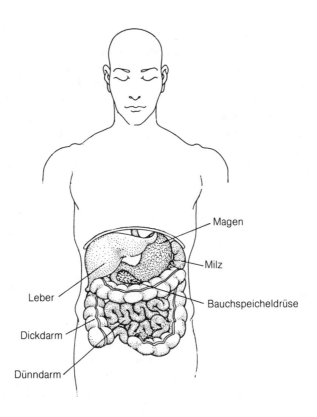

Magen

Milz

Leber

Bauchspeicheldrüse

Dickdarm

Dünndarm

altes westliches Mittel dagegen war eine Kur mit Sahne und stark fetthaltiger Milch, womit man unwissentlich ein ayurvedisches Prinzip anwendete. Als eine andere, wirksame Therapie kann hier oft und viel gekochtes, volles Korn genannt werden. Es kann den Magen wirksam beruhigen und für eine geringe Sekretion von Magensäure sorgen. Alkohol, stark salzhaltige und stark gewürzte Speisen sind in diesem Fall natürlich ganz zu meiden.

Entgegen einer weitverbreiteten Ansicht kann der Magen nicht alles zersetzen. Nur wenige der Kohlenhydrate und Fette werden im Magen verdaut. Mit Hilfe der Leber und der Bauchspeicheldrüse wird dies hauptsächlich vom Dünndarm übernommen.

Die Aufgabe des Dünndarms ist die Produktion von Enzymen zur Verdauung von Kohlenhydraten, Fetten und Eiweiß. Außerdem integriert er die Enzyme und Galle, die er von Leber und Bauchspeicheldrüse erhält. Aus ayurvedischer Sicht ist es besonders der Dünndarm, der von übermäßigem Essen betroffen wird, das seine Funktion lähmt und ihn so träge macht, daß sich die Nahrung in ihm staut.

Bauchspeicheldrüse und Leber übernehmen eine wichtige, unterstützende Rolle bei diesem Prozeß. Die Bauchspeicheldrüse produziert große Mengen doppelt kohlensaures Natrium (Natron), um die vom Magen in den Dünndarm tropfende Säuresekretion alkalisch zu machen. Das versetzt die pH-sensitiven Enzyme des oberen Dünndarms (Duodenum/Zwölffingerdarm) in die Lage, ihre katabolische Arbeit zu verrichten. Die Bauchspeicheldrüse produziert die gleichen Enzyme wie der Dünndarm, die zur Verdauung von Fetten, Eiweiß und Kohlenhydraten benötigt werden. Ihre dritte Funktion hat gar nichts mit der Verdauung zu tun: sie reguliert den Blutzuckergehalt.

Ein gelegentliches Verlangen nach Süßem deutet darauf hin, daß die Bauchspeicheldrüse einen Ausgleich durch zusätzliches Chrom, Zink oder eiweißreiche Snacks braucht.

Der Hauptbestandteil der Enzyme von Bauchspeicheldrüse und Dünndarm ist Eiweiß. Klienten berichteten mir, daß sie nach dem Absetzen stark eiweißhaltiger Nahrungsmittel wie Bohnen oder Nüsse eine Weile Probleme hatten, Protein zu verdauen. Deshalb sollte man nicht ohne wichtige therapeutische Gründe empfehlen, Eiweiß ganz wegzulassen, oder stark einzuschränken.

Man nimmt oft an, daß Verdauungsprobleme ein Zeichen dafür sind, daß die Nahrung zu schwer ist und zukünftig vermieden werden sollte. Das ist aber nicht immer richtig. Es kann sein, daß die Verdauungsenzyme durch geringe Eiweißversorgung nicht mehr wie sonst im Überfluß vorhanden sind. Ein klassisches Beispiel dafür ist, mit wenigen Zweigen ein großes Feuer entfachen zu wollen — in diesem Fall das Feuer des Magens. Hier wird eine graduell ansteigende Proteinaufnahme in Form leicht assimilierbarer Nahrungsmittel wie Kichadi, Misosuppe, klare Hühnerbrühe oder wenig blaugrüne Algen die Verdauung stärken.

Die Leber hat viele Aufgaben. Für die Verdauung liefert sie die Galle, die unseren Ausscheidungen ihre gelbe bis braune Farbe gibt. Im Fall von Hepatitis (Gelbsucht) wird die Energie der Leber sehr schwach, damit die Verdauung gestört und die sonst ausgeschiedene, jetzt unverbrauchte Galle staut sich zurück und gelangt ins Blut. Dadurch färbt sich die Haut gelb, der Urin wird braun und der Stuhl wird hell — typische Zeichen für Hepatitis. Leberleiden wie die Hepatitis sind eigentlich gute Gelegenheiten, das Organ zu stärken, denn sie zeigen die Notwendigkeit zusätzlicher Unterstützung an.

In der Ayurveda gibt es das Gleichnis des Wassers, das den Boden wässert. Sind im Boden die Samen von Un-Kraut (Un-Gesundheit), können Exzesse des Lebensstils oder der Ernährung diesen zum Sprießen verhelfen. Ein Weg, die Entstehung von Krankheiten zu vermeiden, heißt, ihnen keine Nahrung zu gehen, in diesem Fall keine stark fetthaltigen, süßen, ballaststoffarmen Gerichte zu essen.

Solche Ernährungsweisen erzeugen nicht nur in der Leber, sondern auch im Darm Probleme. Es ist nachgewiesen, daß ballaststoffreiche Ernährung zu den gesündesten und am wenigsten krebsgefährdeten Darmkonstitutionen führt. Diese Ernährungsweise ermöglicht es dem Darm, sich selbst rein zu halten und nicht mit zuviel überflüssigem Schleim oder ungünstigen Bakterien (beides unterstützt sich gegenseitig) zu belasten. Der Darm ist in erster Linie für die Resorption von Flüssigkeiten und Elektrolyten sowie die Eliminierung von Abfallstoffen verantwortlich.

Interessanterweise betrachtet man in der westlichen Ernährungskunde Kalium als wichtig für die Verwertung von Kalzium. Kalium muß wirksam durch den Darm, den Sitz des Vata, absorbiert werden, bevor es die Knochen, ein anderer Bereich des Vata, mit Kalzium versorgen kann. Das ist eine moderne Version einer alten ayurvedischen Beobachtung: Für belastbare, starke Knochen muß der Darm rein sein und effizient arbeiten. Übermäßiger Schleim und Bakterien schränken seine Funktion ein, bringen Vata aus dem Gleichgewicht und verhindern die Absorption. Wenn Vata ausgeglichen ist, geschieht die Elimination reibungslos, ansonsten treten Durchfall, Verstopfung, Blähungen und/oder trockener Stuhlgang auf.

Die Wichtigkeit eines gesunden Verdauungssystems und wie sehr sein Wohlbefinden in unseren Händen liegt, sollte durch diese kurze Betrachtung jedem klar sein.

Mit den Jahreszeiten essen

Aus ayurvedischer Sicht verändert sich mit dem Wechsel der Jahreszeiten auch die Ausgewogenheit der Konstitution. Diese Wechsel können durch kluge Veränderungen der Ernährungsweise und des Lebensstils erleichtert werden. Wenn wir zum Beispiel von der brütenden Hitze des Sommers in die kühlen, frischen Nächte und Morgen des Frühherbstes überwechseln, bewegen wir uns von der Pitta-Saison zur Jahreszeit, die Vata ankündigt. Vata mit seinen Elementen Luft und Äther repräsentiert in uns, was kühl, leicht, trocken und beweglich ist.

Jede Jahreszeit hat ein oder mehrere Elemente und Energien, die dominierend sind, und der Herbst ist die Zeit aufkeimenden Vatas, ein wichtiger Teil von uns allen. Für den Vata-dominierten Menschen werden die Qualitäten und Merkmale dieser Energie im Herbst oder Winter spürbarer sein, als in irgendeiner anderen Jahreszeit. Vata zeigt seine Unausgeglichenheit etwa durch trockene Haut, schmerzende oder steife Gelenke, Verdauungsgase oder nervöse Störungen mit zunehmend kälteren Temperaturen. Weniger Mückenstiche, Hautausschläge und Pitta-typischer Sonnenbrand treten auf.

Dafür könnten wir uns mit subtileren Störungen wie Nervosität oder Furcht über den Herbstbeginn, auch mit dem Gefühl einer Neuorientierung durch die Enge des Herbstes nach der Weite und Offenheit des Sommers, konfrontiert sehen.

Der Sitz von Vata ist das Becken. Energetisch gesehen das Zentrum von Sicherheit und Überlebenswillen — zwei unserer Grundbedürfnisse. Jemand mit einer Vata-Veranlagung wird sich ganz besonders dessen bewußt sein, was ihm hilft, sich innerlich sicher zu fühlen oder was er dazu tun muß. Die Zeit der Herbstsonnenwende wird als besonders kritisch für die Gesundheit, Gegenwart und Zukunft betrachtet. Während dieser Übergangsperiode vom Sommer in den Winter können verschiedene körperliche oder mentale Krisen auftreten.

Die Pitta- oder Kapha-Typen atmen wahrscheinlich erleichtert auf, denn sie schlimmste Hitze und Luftfeuchtigkeit sind nun überstanden. Jedoch der Vata-Typ wird bedauern, daß diese Jahreszeit vorüber ist. Es ist die Zeit, die Nahrung zu ernten, deren Samen wir während des Jahres in den Boden gaben ...

Ernährungswissenschaftlich gesehen, ist es eine gute Zeit, zu überprüfen, ob die von uns zugeführte Nahrung auch wirklich geholfen hat. Ungeachtet der individuellen Konstitution sind wärmere, feuchtere Gerichte in dieser Zeit angebracht, die etwas mehr Betonung auf süße, saure und salzige Geschmacksrichtungen legen.

Glücklicherweise erwacht im Herbst unsere Lust, zu kochen, zu neuem Leben, nachdem man den Sommer in Eile verbracht hat. Diese natürliche Regung ist lebenswichtig zur Stabilisierung des Vata, mit seiner Abhängigkeit von gekochtem Getreide, Gemüse und leichtem Eiweiß in seiner Nahrung. Der süße, warme und doch aktivierende Kardamom ist ein schönes Gewürz für diese Jahreszeit.

Wenn wir uns dem Winter nähern, da Kapha sehr stark dominiert, müssen alle Energien zusammenarbeiten, um die Gesundheit zu erhalten. Kapha ist die Durchhaltekraft, die es uns ermöglicht, gut durch diese Jahreszeit zu kommen, aber wir brauchen dafür auch die Leichtigkeit und Bewegung von Vata und die Initiative von Pitta, sonst verkriechen wir uns in unsere Betten und schlafen bis zum Frühling!

Kapha fördert das Wachstum, stärkt und verbessert die natürliche Immunität und Widerstandskraft. Es schmiert die Gelenke, ist die Essenz des Bindegewebes, fördert die Gesundheit, sorgt für die Feuchtigkeit der Haut und des Verdauungssystems, stärkt das Gedächtnis und gibt der Lunge und dem Herzen Vitalität. Die nahe dem Sitz des Kapha gelagerte Thymusdrüse ist verantwortlich für das Auslösen vieler Immunfunktionen durch seine TL-Zellen und die Herstellung von Wachstumshormonen. Wie Kapha selbst, ist diese Drüse besonders während des Wachstums aktiv und fördert die Aktivität in der Jugend. Kapha baut Gewebe auf, während Pitta es erhält und Vata seinen Abbau unterstützt.

Im Winter ist die Verdauung stärker, solange man gesund ist. Tatsächlich konzentriert die zusammenziehende Eigenschaft der Kälte das Verdauungsfeuer und verstärkt es dadurch. Jetzt können wir schwerere Speisen und auch mehr davon vertragen. Oft spüren wir in dieser Jahreszeit ein Verlangen nach mehr Essen — das ist kein ungesundes Zeichen, da Vata gereizt werden kann, wenn man im Winter nicht genügend Nahrung zuführt. Bei kalter Witterung sollte keine Fastenkur begonnen werden! Kalte Getränke und Gefrorenes werden ebenso wenig empfohlen. Selbsteingemachtes oder -konserviertes sind ein guter Ersatz für Tiefgefrorenes im Winter und die chemisch behandelte käufliche Ware.

Es ist die Zeit der warmen Getreidegerichte, speziell aus Reis und Hafer, der Suppen und eiweißreichen Bohneneintöpfe, der heißen Tees, Honig und warmer Milch. Ungeachtet der Veranlagung werden viele bemerken, daß sie etwas zunehmen, quasi als Isolation gegen die fallenden Temperaturen. Diese Tendenz muß mit Bewußtsein ausgeglichen werden, damit nicht zuviel Gewicht (speziell an Weihnachten) zugelegt wird.

Eine andere Begleiterscheinung ist das Auftreten von viel Schleim in der Gestalt von Erkältungen, Grippen und Husten, besonders bei Kindern. Doch diese unbequeme Erscheinung hat auch eine lebenswichtige, schützende Funktion für die Lunge, denn mit dem Schleim werden Viren und Bakterien eingekapselt, vom gesunden Lungengewebe ferngehalten und hinausbefördert.

Echinacea ist ein wertvolles Kraut für diese Zeit, da es die Funktion der weißen Blutzellen stärkt, ihre Fähigkeiten, neu aufgetretene Krankheitskeime zu erkennen, verbessert und die Eigenschaft des Bindegewebes, sich selbst zu erhalten und zu erneuern, stärkt. Ein bitteres, scharfes und adstringierendes Kraut, das für Kapha angebracht ist.

Kinder verstehen, ganz natürlich mit dieser Energie umzugehen. Sie umgeben sich nicht mit einem Schutzwall dagegen, sondern spielen damit: Sie toben im Schnee, machen Schneeballschlachten, bauen Schneemänner usw. Wir Erwachsene haben auch die Möglichkeit, mitzumachen: Überwinden wir unsere Trägheit, Zurückhaltung oder gar Neid und stürzen und ebenfalls ins Vergnügen!

Der Frühling ist die Zeit des Neubeginns und läßt die im Winter ange-
sammelte Energie des Herzens frei. Es ist die Zeit, Samen für die Gesundheit des kommenden Jahres zu legen. Das in den Systemen akku-
mulierte Kapha wird von der Wärme der Sonne geschmolzen und damit (hoffentlich) auch der angegessene Ballast. Diese Freisetzung von
überschüssigem Kapha in den Körper kann die Verdauungskräfte stören und die verschiedensten Unausgeglichenheiten herbeiführen: Heuschnupfen, Frühlingsgrippen und Erkältungen.

Jetzt ist es Zeit, sich um die Reduzierung von Kapha zu kümmern, indem man leicht bittere, frische Nahrung wählt. Ideal ist eine klassische
Frühlingskur zur Tonisierung mit dunklen Salatblättern, was viele Kulturen machen. Brennesseln oder Löwenzahn (sie sind speziell gut für
die Nieren und die Leber) als Beispiel dafür haben eine leicht bittere,
trockene, scharfe Wirkung für diese sonst psychologisch so feuchte
Zeit. So ein Tonikum wirkt wie ein Frühjahrsputz und löst die angesammelten Überreste der kalten, nassen Monate aus dem Körper.

Es ist auch eine gute Zeit sich viel zu bewegen, auf alle Arten zu reinigen und nicht zuviel zu schlafen. Um sich auf die Erneuerung vorzu-
bereiten, sollte man schwere, fettige, süße und saure Speisen vermeiden.
Ingwertee ist ein ausgezeichnetes Getränk für sowohl Frühling als auch
Herbst; er wärmt den Körper und stärkt die Verdauungskräfte.

Wenn im Sommer die Sonne voll strahlt, verdunstet zuerst die Feuchtigkeit des Frühlings, dann folgen Hitze und Trockenheit, Hitze und Verdauung werden zum zentralen Thema. Interessant ist, daß die zunehmende Hitze des Sommers die Verdauungsenergie verlangsamt, auch
wenn Pitta oft mit starker Verdauung assoziiert wird. Deswegen ist es am
besten, leichte, süße, feuchte und kühle Speisen und Getränke zu sich
zu nehmen. Flüssige oder feuchte Nahrung wie Milch, Tofu, Reis und
Früchte sind Balsam für Pitta. Aloe-Vera-Saft ist ein ausgezeichnetes
Kräutertherapeutikum für den Sommer, er tonisiert die Leber und
kühlt den ganzen Körper.

Die Ayurveda rät außerdem, während des Sommers den Umgang mit
Alkohol in Grenzen zu halten und großzügig mit Wasser zu strek-
ken, falls Sie welchen zu sich nehmen wollen. Er kann Pitta in der Hitze des Sommers nachteilig reizen. Scharfe, stark gewürzte, saure, ölige,

heiße oder salzige Speisen haben ähnlich irritierende Wirkungen auf Pitta.

Bei anhaltend starkem Regen können alle Veranlagungen aus dem Gleichgewicht geraten. Das war für die alten Weisen während der Zeit des Monsuns in Indien natürlich besonders gut zu beobachten. Die Kühle des Regens reizt Vata und Kapha, während die Säure des Regenwassers dafür bekannt war, Pitta und Kapha zu destabilisieren. Diese Betrachtung der Einflüsse sauren Regens wurde uns Jahrhunderte vor dem Auftreten solchen Regens durch industrielle Ursachen offenbart! Man mag sich fragen, um wieviel schwerwiegender die Auswirkungen sauren Regens heute in Industrieregionen mit ihrer Umweltbelastung sind. Selbst ohne die belastenden Einflüsse bedarf es einiger Geschicklichkeit, mit den Regenfällen des Spätsommers und Frühherbstes umzugehen. Man muß Vata und Pitta beachten.

Honig ist ein gutes Süßmittel für diese Zeit, denn seine wärmenden und trocknenden Eigenschaften helfen bei der Bewältigung der Feuchtigkeit, ohne Pitta ernsthaft zu irritieren. Die klassische Tasse Tee mit Honig an einem Regentag hat also durchaus einen Sinn. Getreide wird ebenfalls sehr empfohlen, um die Verdauung zu stärken. Gerste, Weizen und Reis sind insbesondere angebracht, ebenso sättigende Gemüsesuppen.

Dann steht der Herbst mit seiner frischen Kühle wieder vor der Tür, und der Kreislauf beginnt von vorne.

Viele haben in der Hetze und Oberflächlichkeit unserer Zeit den natürlichen Sinn für den Wechsel und die Wirkungen der Jahreszeiten verloren. Sich elementar mit Jahreszeiten und Veranlagung zu befassen, mag befremdend sein; der Aufwand macht sich aber im Hinblick auf die Gesundheit bezahlt. Im Laufe der Zeit wird der heiße Gemüsekuchen im Herbst und der kühle Minztee im Sommer zur Selbstverständlichkeit. Es ist eine schöne und angenehme Art und Weise, mit der Erde zu leben und sich der Weisheit der erneuernden Jahreszeiten zu öffnen.

Vorbereitungen zum Kochen

Kochen ist ein heiliger und heilender Akt. Wenn Sie kochen, haben Sie am Wohlbefinden, der Sättigung und der Vitalität von sich selbst und Ihren Mitmenschen teil. Es lohnt sich also, diesem kreativen Prozeß zu folgen. Je mehr Aufmerksamkeit Sie ihm schenken, desto mehr Heilresultate werden Sie haben.

Auf praktischer Ebene bedeutet das, Sie brauchen einen sauberen Arbeitsbereich und eine entsprechende Ausstattung. Zum ayurvedischen Kochen benötigt man nicht viele oder komplizierte Gegenstände. Die folgende Liste zeigt Ihnen, was Sie am notwenigsten brauchen:

- 1–2 schwere Bratpfannen mit Deckel; gut sind Pfannen aus Eisen.
- 1 kleine Bratpfanne mit Deckel; gleichfalls aus Eisen.
- 2–3 mittelgroße Kasserollen mit Deckel (Edelstahl, Eisen, emailliert).
- 1 großer Topf (für 6–8 Liter) mit Deckel.
- 1 Dampfdrucktopf (für 4–6 Liter).
- 1 Dämpftopf aus rostfreiem Stahl.
- 1–2 Schüsseln zum Mischen.
- 1–2 Meßbecher (für 1½ Liter).
- 2 Meßlöffel aus rostfreiem Stahl.
- 2–3 große Löffel aus rostfreiem Stahl/Holz zum Mischen und Servieren.
- 1 große Suppenkelle.
- 1 beschichtete Pfanne. Wichtig für Kaphas und hilfreich für die Zubereitung von *Masala Dosa*.
- 1 Mixer.

Es macht nichts, wenn Sie nur eine Kasserolle und eine Warmhalteplatte haben, denn mit diesen beiden Gegenständen können Sie bereits viele Gerichte zaubern. Sie brauchen für die ayurvedische Zubereitung keine reichhaltige, stilvolle Ausstattung — weit wichtiger ist es, bewußt zu kochen und zu wissen, wie man reine Zutaten anwendet.

Egal, welches unserer Rezepte Sie zubereiten wollen — Sie brauchen lediglich alle Zutaten bereitzulegen und die notwendige Zeit zu haben, die bei jedem Rezept angegeben ist. Für die Zubereitung der meisten Gerichte brauchen Sie höchstens 30 Minuten; nur einige Speisen benötigen mehrere Stunden. Den Bohnengerichten tut es gut, wenn die Bohnen eine Nacht zuvor eingeweicht werden.

Die folgende Liste enthält die Grundausstattung für die Zubereitung ayurvedischer Rezepte. Wenn Sie häufig danach kochen wollen, gibt Ihnen ein Vorrat dieser Zutaten größere Flexibilität, ohne jedesmal extra einkaufen gehen zu müssen.

- ½ Pfund schwarze Senfsamen oder ca. 30 Gramm, wenn Sie nur für Pitta kochen.
- ½ Pfund ganze Cuminkörner (Kreuzkümmel).
- ¼ Pfund frische Ingwerwurzeln.
- 1 Bund frischer Koriander.
- 1 Becher Joghurt.
- ⅛ Pfund gemahlener Koriander. (Lieber weniger, aber dafür frisch.)
- 30 Gramm gemahlener Kreuzkümmel (Cumin).
- 30 Gramm Fenchelsamen.
- 30 Gramm gemahlener Bockshornkleesamen.
- 30 Gramm gemahlener Zimt.
- 30 Gramm Kardamom. (Grüne Schoten haben mehr Aroma.)
- ¼ Pfund ungesüßte Kokosraspeln.
- 30 Gramm Gelbwurz (Turmeric).
- 30 Gramm Madras-Curry bester Qualität, mild bis scharf, je nach Geschmack.
- 1 Pfund Mungobohnen, am besten halbierte.
- 1 Pfund Basmati-Reis.
- 30 Gramm (kleines Glas) Asafoetida oder Hing.
- 30 Gramm Cayennepfeffer oder roter Chili.
- 2–3 kleine, scharfe Chillies.
- ½ Liter Soja-, Ziegen- oder Kuhmilch.
- 1 Flasche Sonnenblumenöl, am besten kaltgepreßt.
- 1 Pfund ungesalzene Butter oder Ghee.
- ¼ Pfund Meersalz.

- Für Vatas: ¼ l Sesamöl und 60 Gramm Sesamsamen; schwarzer Samen ist besonders gut.
- Für Kapha: ⅛–¼ Liter Senföl.
- Frisches Gemüse.
- Getreide.
- Bohnen.

Einige der außergewöhnlichen Zutaten werden Sie nur in Asiengeschäften finden. Wenn Sie alles beisammen haben, geht es an die Arbeit — oder ans Spielen — je nachdem, wie Sie es sehen. Lassen Sie sich nicht von der vorgenannten langen Liste erschrecken; einmal alles eingekauft, können Sie bequem alles kochen und Ihre Familie oder Freunde mit Ihren Künsten überraschen. Sogar Kinder mögen die meisten der Gerichte, was mich anfangs überraschte. Sie scheinen die Ausgewogenheit der Geschmacksrichtungen und das sehr geschmacksintensive Essen zu schätzen, was ihnen schließlich auch sehr gut tut.

Die einzelnen Schritte der Zubereitung sind bei den meisten Rezepten grundsätzlich gleich: Sie erhitzen etwas Öl in einer Pfanne und fügen die Gewürze, sehr oft schwarzen Senfsamen, zu. Jetzt kommt der einzige trickreiche Teil: Sie erhitzen die Senfsamen, ohne die Pfanne abzudecken, bis sie aufplatzen. Sie springen sprichwörtlich aus der Pfanne. Fügen Sie nun so schnell wie möglich die nächsten Zutaten bei, damit sie sich beruhigen. Wenn sie zu schnell zu springen beginnen, können Sie die Pfanne mit einem Deckel verschließen und die Hitze zurückdrehen. Seien Sie aber vorgewarnt: die Senfsamen verbrennen innerhalb von höchstens zwei Minuten und werden pechschwarz, wenn das Öl sehr heiß ist. Sie können diese aber immer noch aus der Pfanne fischen und neu anfangen, denn nach diesem Schritt geht es einfacher weiter.

Geben Sie nun die nächsten Zutaten in die Pfanne. Oft wird das Gelbwurz oder Hing sein. Dann folgen das Gemüse oder Getreide. Unter Rühren mischen Sie nun gründlich Gewürze und die anderen Zutaten, damit alles gleichmäßig gewürzt wird. Das ist wichtig für die Verbesserung der Verdauung. Schließlich folgen die Flüssigkeiten, falls solche zum Rezept gehören, und es wird wieder umgerührt. Ab hier variieren

1. Öl erhitzen.

4. Sofort nächste Zutaten einrühren.

2. Gewürze zufügen.

5. Flüssigkeit bei Bedarf zufügen.

3. Körner springen/platzen.

6. Zudecken und kochen.

die Rezepte. Manchmal folgt eine lange Liste von Gewürzen. Geraten Sie nicht in Panik — Sie können sie nacheinander in Ruhe zufügen, denn sie werden sich in den Säften oder dem Wasser auflösen.

Heben Sie die Speisen gut auf, am besten im Kühlschrank oder einem kühlen Platz, es sei denn, es ist etwas anderes beim Rezept angegeben. Sie können die Reste später, eventuell nachgewürzt, noch einmal servieren.

Nun sind Sie auf das Kochen vorbereitet. Wählen Sie ein Rezept aus, das Sie interessiert. Wir werden Ihnen darin die restlichen Orientierungshilfen geben.

Bei den Rezepten erfahren Sie jeweils, zu welcher Jahreszeit Sie das betreffende Gericht — hinsichtlich der Heilwirkung — vorzugsweise zubereiten sollten. Natürlich können Sie alles auch jederzeit kochen, jedoch erhalten Sie eine saisonale Richtlinie, wenn Sie bewußt ayurvedisch kochen und essen wollen. Ebenfalls angegeben ist zu Beginn die Anzahl der Portionen sowie die gesamte Zubereitungszeit und wie die Speise auf die Veranlagungen wirkt:

− = beruhigend, hilfreich
+ = steigernd, reizend
o = neutral

Bei den Zutaten werden Sie öfter den Hinweis »wahlweise« finden. Das bedeutet, daß das Gericht auch ohne diese Zutat gut schmeckt und Sie sie nach Belieben zufügen können. Diese Wahlmöglichkeiten sind gewöhnlich Knoblauch, Zwiebeln, Pfeffer u. a., die am besten von Pittas vermieden werden. Ja, liebe Pittas, es klingt unwahrscheinlich, aber Essen kann auch ohne anregende Hitze gut schmecken. Versuchen Sie es!

Das Auslassen von Chillies, Zwiebeln und Knoblauch ist auch gut für empfindsame Mägen, stillende Mütter und Kinder.

Schließlich folgt die Beschreibung der Zubereitung, die Sie am besten erst einmal ganz lesen, damit Sie wissen, was auf Sie zukommt. Danach folgt unter »Bemerkungen« ein Hinweis über Kombinationen mit anderen Speisen. Das müssen Sie auch nicht strikt einhalten, es soll Ihnen nur sagen, was gut zusammen schmeckt. So, jetzt wissen Sie alles und können sich dem Genuß hingeben!

Einfache Planung
ausgewogener Gerichte

Ein ausgewogenes Mahl zu planen, ist nicht so imponierend, wie Sie vielleicht annehmen. Eine Anzahl anthroposophischer und biologischer Studien haben belegt, daß eine ausgewogene Ernährung am meisten für die Gesundheit und ein langes Leben beiträgt. Dabei überrascht nicht, daß viele Menschen sich seit Jahrhunderten danach richten. Innerhalb der verschiedenen Kulturen variieren zwar die Nahrungsmittel für dieses Gleichgewicht in der Ernährung, aber das übergeordnete Muster zur Gesunderhaltung ist gleich. Es sieht vor:

40–60% volles Korn
10–20% hochwertiges Eiweiß und
30–50% frische Früchte und Gemüse.

Ein guter Speiseplan für einen Tag könnte — je nach Typ — ungefähr so wie Seite 83 aussehen.

Ein ausgewogenes Mahl enthält Eiweiß, Kohlenhydrate und verschiedene Gemüse. *Kichadi,* als gutes Beispiel, enthält all das und wird in einem Topf zubereitet. Eine Gemüse-Gersten-Suppe könnte ein anderes Beispiel sein, wenn Sie beim Kochen etwas Tofu oder Bohnen zufügen. Beilagen geben dem Gericht zusätzliche Würze und lassen es attraktiver aussehen. Wie man diese als Garnierungen anwenden kann, ist unter »Beilagen« auf Seite 187 ff. beschrieben. Durch sie kann man mit wenig Zeitaufwand aus einem gewöhnlichen Essen einen lukullischen Genuß machen.

Ebenso wie jede Veranlagung ihre dominante Jahreszeit und im Laufe des Lebens ihre Höhen und Tiefen hat, befindet sie sich auch zu bestimmten Tages- und Nachtzeiten auf einem energetischen Höhepunkt.

Zwischen 6 und 10 Uhr morgens ist Kapha besonders stark. In dieser Zeit sollte man relativ leichte Kost zu sich nehmen, besonders wenn man ein Kapha-Typ ist. Deswegen ist auch das Frühstück in unserem Beispiel die leichteste Mahlzeit. Kaphas fühlen sich mit etwas Leich-

VATA

5–6 Portionen volles Korn
1–2 Portionen hochwertiges Eiweiß
2–3 Portionen frisch zubereitetes Gemüse
1 oder mehr Portionen frisches Obst

Was bedeutet das? Ein Beispiel:

Frühstück:
75 g Haferschrot mit Ghee und Süßstoff
Chapati

Mittagessen:
¼ l Dal
1½ Tassen Basmati-Reis
1 Tasse gedünsteter Spargel
Koriander-Chutney

Snack:
Frische Früchte

Abendessen:
2 Tassen Currygemüse
(2 Gemüsearten – ½ Eiweiß)
1½ Tassen Reis oder Bulgur
Süßsaure Zitronen oder Umeboshi-
Pflaume

Später Abendsnack (wahlweise):
Heiße Milch mit Ingwer

PITTA

4–5 Portionen volles Korn
1½–2 Portionen hochwertiges Eiweiß
3–4 Portionen frisches Gemüse
1–1½ oder mehr Portionen frische
Früchte

Was bedeutet das? Ein Beispiel:

Frühstück:
Haferschrot mit Ahornsirup

Mittagessen:
250 g Dal
1½ Tassen Basmati-Reis
1–2 Tassen gedünsteter Spargel
Koriander-Chutney

Snack:
Frische Früchte oder Sonnenblumenkerne

Abendessen:
2 Tassen Currygemüse
1½ Tassen Reis oder Bulgur
1–2 Chapatis
1 mittlere Portion Salat

Später Abendsnack (wahlweise):
Einige Stücke frische Früchte

KAPHA

3–4 Portionen ganzes Getreide
2 Portionen hochwertiges, fettarmes
Eiweiß
4–5 Portionen frisches Gemüse
1 Portion frisches Obst

Was bedeutet das? Ein Beispiel:

Frühstück:
Frische Früchte (Beeren, Aprikosen usw.)
Tee

Mittagessen:
¼ l Dal
1½ Tassen Basmati-Reis oder Gerste
2 Tassen gedünsteter Spargel
Koriander-Chutney oder trockener Ingwer

Abendessen:
1½ Tassen Currygemüse
1½ Tassen Gerste oder Hirse
1 Roggen-Chapati
1 große Portion Salat

tem während dieser Zeit am besten, doch Vatas lieben die Variation und gönnen sich eher etwas Deftigeres zum Frühstück.

Gegen 10 Uhr verstärkt sich Pitta. Viele Pittas spüren jetzt erst wirklich ihren Hunger. Zwischen 10 und 11 Uhr sollte nach ayurvedischer Ansicht ein frühes Mittagessen eingenommen werden. Das kann schon recht kräftig sein, wie unser Beispiel verdeutlicht.

Einige Vatas und Pittas brauchen gegen 15 und 16 Uhr einen Nachmittagssnack, der ihnen Stabilität und Energie bis zum Abendessen gibt. Für den Kapha-Typen wäre ein solcher Snack überflüssig. Vata dominiert etwa zwischen 14 und 18 Uhr, und anschließend nimmt Kapha wieder zu. Kapha ist nicht unbedingt die beste Zeit für die Verdauung, so daß Sie etwa gegen 18 Uhr essen sollten. Durch späteres Essen kommt es zur Ansammlung von Kapha, insbesondere bei dieser Konstitution. Vatas tendieren dazu, eher ein kleines Mahl bei Einbruch der Dunkelheit zu sich zu nehmen als am frühen Morgen. Pittas haben sowieso einen gesegneten Appetit und können jetzt ihr sättigendes Abendessen zu sich nehmen. Kaphas sind gut beraten, wenn sie leichte Kost am Abend bevorzugen, wie der große Salat in unserem Beispiel.

Von 22 bis 2 Uhr dominiert wieder Pitta, wenn das Verdauungssystem die Nahrung des Tages verwertet.

Wie Sie an unserem Beispiel bemerkt haben werden, gibt es immer eine mindestens dreistündige Pause zwischen den Mahlzeiten. Damit gibt man dem Körper Zeit zum Verdauen. Wenn Sie also am Nachmittag einen kräftigen Snack zu sich genommen haben, könnte Ihre Verdauungsenergie für das Abendessen blockiert sein. Alles das sind Richtlinien für die Menge und den Zeitpunkt des Essens, die auf dem maximalen Einfluß der Energien basieren.

TEIL 2

Rezepte

Hauptgerichte

CURRIES

Curries sind ausgewogene Kombinationen von Gewürzen, die den Speisen als Hilfe für die Verdauung und Tonisierung des Körpers zugefügt werden. Sie können schon aus drei bis vier oder aus bis zu einem Dutzend oder mehr Gewürzen hergestellt werden und geben dem Essen einen ganz besonderen Geschmack. Und auch Gerichte, die so spezifisch danach schmecken, nennt man Curries, wobei wir hier »das Curry« sagen und bei der Gewürzmischung »der Curry«.

Selbstgemachter Curry ist viel frischer im Geschmack als das Fertiggewürz, das wir in unseren Rezepten gelegentlich erwähnen, um einen bestimmten Geschmack zu erzielen. Wenn Sie lernen, Ihren eigenen Curry herzustellen, können Sie eine größere Vielfalt von Geschmacksrichtungen und Gerichten zubereiten sowie medizinische Wirkungen erzielen.

Der erste Schritt bei der Zubereitung aller Curries ist das gemeinsame Erhitzen einiger schwarzer Senfsamen und ganzer Kreuzkümmelsamen in warmem Öl. Das aktiviert das ätherische Öl in den Samen, die ihr Aroma und ihre Heilkräfte dem Pflanzenöl mitteilen, dem später die Zutaten zugefügt werden. Kreuzkümmel und Senf sind beides wärmende Gewürze, die ideal für Vata und Kapha sind.

Speziell die schwarzen Senfsamen sind scharf, regen die Verdauung auf milde Weise an und sind recht gut für Kapha. Ihre Wärme stimuliert die Verdauungsenergie, das ganze Verdauungssystem und lindert Blähungen. Die Ayurveda schätzt sie bei Gicht, Arthritis und Fieber. Senf soll in geringen Mengen bei Pitta-Konstitution genommen und vorzugsweise mit dem kühlenden Koriander ausgeglichen werden.

Kreuzkümmel oder Cumin schmeckt frisch am besten. Selbst wenn man ihn luftdicht verpackt, verlieren nicht nur seine meisten heilenden und verdauungsanregenden Wirkstoffe an Kraft, sondern er wird auch recht bitter schmecken, wenn man ihn länger als ein Jahr aufbewahrt.

Kreuzkümmel beschleunigt die Auflösung angesammelter innerer Gifte, die aus einem unvollständigen Verdauungs- und Ausscheidungsprozeß oder aktueller Ernährung resultieren. Daneben ist er ein ausgezeichnetes, mildes Tonikum für das Verdauungssystem.

Auch wenn einige anerkannte ayurvedische Autoren Kreuzkümmel als kühlend betrachten, so ist dies doch nicht meine Erfahrung. Seine Schärfe gibt ihm eine ganz bestimmte Wärme, die für die Anregung der vorgenannten Funktionen wertvoll sind. Seine Kombination mit Koriander und Fenchel, zwei sehr kühlende Kräuter, kann bei starker Verdauungsenergie (= -feuer) zur Erleichterung und Abkühlung genommen werden.

Gelbwurz (Kurkuma, Turmerik) ist ein anderer wichtiger Bestandteil des Curry. Sein Geschmack ist bitter, scharf und leicht adstringierend. Er ist ein ausgezeichneter Blutreiniger und wirkt entzündungshemmend. Gelbwurz ist nach Ansicht von Dr. Vasant Lad eine ideale Beigabe zu stark eiweißhaltiger Kost.

Er regt die gesamte Verdauung der Proteine an, verhindert die Bildung von Giftstoffen, ist gut für die Auflösung von Blähungen und wirkt auch heilend auf die Leber. Seine gelbe Farbe gibt dem Curry die charakteristische Tönung und dadurch allen vegetarischen Kombinationen eine attraktive Farbnuance.

Koriander ist eines der ältesten Gewürze des klassischen Curry und wird seit 5000 v. Chr. als Samen oder Pulver benutzt. Er hilft gegen Blähungen und tonisiert den Verdauungstrakt. Er ist scharf, aber kühlend und eines der besten Gewürze zur Beruhigung von Pitta. Korianderblätter werden oft als kühlende Beilage oder Garnierung indischer Gerichte genommen. Normale Petersilie sollte in diesen Rezepten nicht als Ersatz von Koriander genommen werden, da es weder wie dieser schmeckt noch wirkt.

Trockener oder frischer Ingwer wird auch gelegentlich dem Curry zugefügt. Er schmeckt scharf und stechend, stimuliert sowohl Verdauung als auch Kreislauf und wird von der Ayurveda deswegen hoch geschätzt. Die frische Wurzel wird am besten für Vata genommen, während das trockene Pulver sehr heilsam für Kapha ist. Besonders der trockene Ingwer lindert Blähungen, zusammen mit Pfefferschoten ist er in diesem Fall noch wirksamer. Frischer Ingwer wirkt abführend (Verstopfung), und als Saft mildert er Erkältungen und Husten. Das Pulver und die frische Wurzel regen den Appetit an und helfen bei Verdauungsstörungen. Bei chronischen Herzbeschwerden ist Ingwer nur in geringen Mengen empfehlenswert.

Fenchel kühlt, süßt und gibt dem Curry Körper. Er ist gut für die Dämpfung von Pitta und Vata. Sein ätherisches Öl regt die Verdauung an und kann als mildes Abführmittel bei Verstopfungen und Blähungen genommen werden (in Verbindung mit Ingwer sehr hilfreich). Fenchel muß sorgsam dosiert werden, da sein Geschmack sehr dominant ist. Er regt die Schweißabsonderung und Milchproduktion an. Oft wird er als Verdauungsmittel nach dem Essen genommen.

Schwarzer Pfeffer gibt dem Curry Wärme und Schärfe; damit werden die Verdauungskräfte angeregt. Er ist auch wertvoll zur Anregung des Appetits und vermindert Blähungen. Man nimmt normalerweise sehr wenig von den ganzen Körnern oder dem Pulver. Pfeffer enthält viel Chrom, das zur Vorbeugung altersbedingter Diabetes nützlich ist.

Andere Pfeffersorten, wie Cayenne, Pippali und Chili werden ebenfalls in indischen Curries verwendet und machen sie recht scharf. Sie stimulieren die Verdauungsenergie und sind am wertvollsten für Kapha, in kleinen Mengen gut für Vata, aber gänzlich ungeeignet für Pitta. Pippali, das man in Asien-Läden finden kann, ist ein großartiges Pfefferkraut, das die Verdauung unterstützt und erleichternd bei Verstopfung und Blähungen wirkt. Wenn Sie Pfefferschoten benutzen, sollten Sie wissen, daß die größte Schärfe in und um die Körner zu finden ist, die Sie entfernen können, wenn Sie es nicht so scharf mögen.

Salz hält den Curry zusammen und gibt ihm ein Fundament. Ayurveda sagt, daß es die Delikatesse im Essen zum Leben erweckt. Als man noch keine Kühlschränke kannte, wurde es als Konservierungsmittel genommen, da es das Wachstum der Bakterien vermindert. Die traditionellen indischen Rezepte enthalten oft weit mehr konservierendes Salz als heute notwendig ist. Wir bemühen uns, es zu reduzieren, aber nicht gänzlich wegzulassen, da es bei angemessener Anwendung ein wertvolles Würzmittel ist. Salz wirkt stärkend, gibt Energie und stabilisiert.

Vom Bockshornklee benutzt man normalerweise die Samenkörner. Er ist bitter, scharf, süß, wärmend und ein gutes Verjüngungsmittel, vor allem für Frauen, da er reich an Vitamin B und Folsäure ist. Das Kraut stimuliert die Blut- und Haarzellenbildung und reduziert das Gewicht. In der Ayurveda wird es als Stärkungsmittel für Männer und Frauen genommen. Kleine Mengen sind sehr gut für die Verdauung und erleichtern chronischen Husten. Wegen seines stark bitteren Geschmacks sollten Sie ihn behutsam als Gewürz dosieren!

Asafoetida, auch Hing (Heeng), Asant oder Teufelsdreck genannt, ist eines der besten Gewürze, um Vata auszugleichen. Dieser Konstitution hilft es sehr bei der Verdauung und beruhigt Blähungen. Es ist scharf und sollte vor dem Verzehr erwärmt werden.

Gemüse-Curry Nr. 1

(Universalgericht für alle Veranlagungen)

Zubereitungszeit: 1 Stunde
Portionen: 9—10
Wirkung: -Vata/-Pitta/-Kapha
Jahreszeit: F/S/H/W

> *250 g frische, grüne Erbsen (evtl. tiefgefroren)*
> *250 g Karotten, gewürfelt · 250 g Kartoffeln, gewürfelt*
> *500 g grüne Bohnen oder Spargel, geschnitten · 2 EL Sonnenblumenöl oder Ghee · 2 TL Kreuzkümmelsamen · 2 TL schwarze Senfsamen · 1 TL Meersalz · ⅛ l Wasser · 2 TL Gelbwurz*
> *1 TL Korianderpulver · 1 Tasse Joghurt*

Öl oder Ghee in einer großen Pfanne erhitzen, Senfsamen und Kreuzkümmel zufügen. Wenn die Senfsamen platzen, zuerst Gelbwurz und schließlich Gemüse und Wasser zugeben. Tiefgefrorene Erbsen erst zufügen, wenn das Gemüse fast fertig gekocht ist. Etwa 15—20 Minuten bedeckt kochen, bis das Gemüse gar ist. Joghurt und die restlichen Zutaten einrühren. Weitere 15—20 Minuten unbedeckt bei kleiner Hitze köcheln lassen.

Bemerkungen: Gut mit Gurken-Raita (Seite 193) und Zitronen-Pickles für Vata. Auf Reis oder Getreide servieren. Dieses einfache Currygericht kann viel Anklang finden. Die kühlenden Qualitäten der Erbsen und Kartoffeln werden durch das andere Gemüse und die Currygemüse ausgeglichen. Die geringe Menge Joghurt, mit Wasser verdünnt, wird gewöhnlich von allen vertragen und hilft der Verdauung. Wenn möglich, nehmen Sie feste, frische Erbsen statt tiefgefrorene, da diese ausgleichender auf Kapha und Vata wirken.

Gemüse-Curry Nr. 2

(Für alle Veranlagungen) Zubereitungszeit: 35 Minuten
Portionen: 8—10
Wirkung: -Vata/-Pitta/-Kapha
Jahreszeit: F/H/W

250 g grüne Bohnen oder Spargel, geschnitten
1 Tasse reife Tomaten, gewürfelt (wahlweise, nicht für Pitta)
3 Tassen Kartoffeln, gewürfelt · 2 Tassen kleine Lima-Bohnen
(wahlweise) · 1 Tasse Karotten, in Scheiben geschnitten
250 g Spinat oder anderes Grünzeug, geschnitten · 1—3 TL Sonnen-
blumenöl (weniger bei Kapha) · 1 TL schwarze Senfsamen
1 TL Kreuzkümmelsamen · 1 TL Gelbwurz · 1 TL milder Curry
¾ l Wasser · 1 TL Korianderpulver · 1 TL Meersalz · 1 grüne
Pfefferschote, fein geschnitten (als Garnierung nur für Kapha)
frische Korianderblätter

Gemüse waschen, trocknen und schneiden. Öl in einer großen, tiefen Pfanne erhitzen, Kreuzkümmel und Senfsamen zufügen. Wenn die Senfsamen platzen, Tomaten, Curry und Gelbwurz zugeben. 3—4 Minuten bei mittlerer Hitze kochen. Restliche Zutaten und Wasser in die Pfanne geben, gut umrühren. 20—25 Minuten bei mittlerer Hitze kochen, bis alles gar ist. Mit dem frischen, feingeschnittenen Korianderblättern garnieren.

Bemerkung: Kann gut mit Reis, Gerste, Bulgur, Hirse und einem Spinat-Pilz-Salat kombiniert werden.

Schnelles Gemüsecurry

Zubereitungszeit: 15 Minuten
Portionen: 5—6
Wirkung: -Vata/-Pitta/0 Kapha
Jahreszeit: F/S/H/W

250 g rohe Karotten, gewürfelt · 250 g grüne Erbsen;
frisch oder tiefgefroren · 1 EL Sonnenblumenöl · ¼ TL Hing
½ TL schwarze Senfsamen · 1 TL Kreuzkümmel · ½ TL Meersalz
250—500 g Tofu (wahlweise, nicht für Kapha) · 1 TL Currypulver
1 TL Korianderpulver · ¼ Tasse Wasser · 2 TL brauner
Reissirup (½ TL für Kapha) · ¼ grüne Pfefferschote, geschnitten
(wahlweise, nicht für Pitta) · 2 Tassen Joghurt (nur ½ Tasse
für Pitta und Kapha)

Öl erhitzen, Senfsamen und Kreuzkümmel zufügen. Wenn die Senfsamen platzen, Curry, Salz, in Stücke geschnittenen Tofu und Gemüse einrühren. 5 Minuten unbedeckt bei mittlerer Hitze kochen, gelegentlich umrühren. Wasser zufügen und bedecken. Noch einmal 5 Minuten, oder bis alles gar ist, auf kleiner Hitze köcheln lassen. Inhalt gelegentlich schütteln, damit nichts anklebt. Restliche Zutaten gut unterrühren und servieren.

Bemerkungen: Mit Pfefferschoten und trockenem Ingwer für Kapha garnieren. Gut in Kombination mit einfachem indischem Reis (Seite 126) oder Brot.

Spinat-Kartoffel-Curry

Zubereitungszeit: 30 Minuten
Portionen: 4—6
Wirkung: mild -Vata/-Pitta/-Kapha
(mit Pastinaken)
0 Vata/-Pitta/0 Kapha (mit Kartoffeln)
Jahreszeit: F/S/H/W

*3 mittelgroße Kartoffeln oder Pastinaken · 80—100 g frischer
Spinat · 1½ EL Sonnenblumenöl · ½ TL Senfsamen · ⅛ TL Hing
½ TL Gelbwurz · ½ l Wasser · 1 TL Meersalz · 2 TL Koriander
2 TL Zitronensaft · ¼ grüne Paprika, geschnitten (nicht für Pitta)
2 Zehen frischer Knoblauch, gestoßen (wahlweise; nicht für Pitta)*

Den gewaschenen Spinat zerkleinern, die Kartoffeln in kleine Würfel
schneiden. Öl in einer Kasserolle oder Bratpfanne erhitzen, Senfsamen
und Hing zufügen. Wenn die Senfsamen platzen, Gelbwurz, Kartoffelwürfel und Wasser einrühren. Bedecken und bei mittlerer Hitze 5—8 Minuten kochen. Dann Spinat und alle anderen Zutaten gut unterrühren.
Weitere 10—15 Minuten bedeckt köcheln lassen, dann servieren.

Bemerkungen: Gurken-Raita, Joghurt oder Rotalis (= Chapati) passen
gut zu diesem Gericht. Der bittere und adstringierende Geschmack des
Spinats wirkt ausgleichend auf Pitta und Kapha. Der kühlende Effekt
der Kartoffeln gleicht die scharfe Qualität des Spinats für Pitta aus und
macht diese beiden Gemüse zu einer ausgezeichneten Kombination.

Buttermilch-Curry (Kadhi)

Zubereitungszeit: 30 Minuten
Portionen: 6—8
Wirkung: -Vata/leicht +Pitta/
+Kapha
Jahreszeit: H/W

*5 Tassen frische Buttermilch oder Joghurt · 7 Tassen
Wasser · ½ Tasse Kichererbsenmehl · 3 EL flüssige Butter*

oder Ghee · 1 TL Kreuzkümmel · 3–4 ganze Gewürznelken
1 Zimtstange (3 cm) bzw. ¼ TL gemahlener Zimt · 1 TL Meersalz
3 EL Sirup aus Gerste oder Reis · 4 EL Zitronensaft
¼ EL grüne Pfefferkörner, klein gestoßen (wahlweise)

Buttermilch oder Joghurt, Wasser und Kichererbsenmehl in einer großen Schüssel mit einem Rührbesen gut mischen, bis alles eine weiche
Konsistenz hat. Butter oder Ghee in einer kleinen Pfanne erhitzen,
Kreuzkümmel, Nelken und Zimt zufügen. Wenn sich die Gewürze
dunkel färben (nicht verbrennen lassen!), den Inhalt der Pfanne in die
Schüssel mit Buttermilch usw. geben und die restlichen Zutaten zufügen. In einer großen Pfanne oder feuerfesten Schüssel bei mittlerer Hitze bis zum Siedepunkt erhitzen und dabei ständig rühren, um ein
Überkochen zu vermeiden. Die Mischung dickt leicht ein. Warm servieren.

Bemerkungen: Dazu passen Tofu und Gemüse oder Reis und Gemüse.
Das Gericht wärmt und kann mit kühleren Nahrungsmitteln wie Tofu,
kühlenden Gemüsearten oder Gerste kombiniert werden, um für Pitta
und Kapha ausgleichender zu wirken. Ein ausgezeichnetes Gericht für
Vata.

MILCHPRODUKTE

Eier, Milch, Joghurt und andere Milchprodukte sind natürliche Le-
bensmittel. Um sie zu verdauen, braucht man etwas mehr Energie als
bei Nahrungsmitteln, die eine Wasserbasis haben. Die folgenden Rezepte zählen zu den am leichtesten und einfachsten verdaulichen Gerichten, die Milchprodukte enthalten.
Hartkäsesorten sind am schwersten verdaulich, auch wenn sie sehr delikat schmecken. Sie sind zu salzig und fetthaltig für die meisten Verdauungssysteme. Natürlich wird es Ihnen schwer fallen, wegen seines guten Geschmacks auf Ihren geliebten Hartkäse zu verzichten, aber solange Sie nicht durch Generationen von Käseessern erblich bevorteilt sind,

sollten Sie solchen Käse nur gelegentlich zu sich nehmen. Dabei ist es von Vorteil, eine Prise wärmender Gewürze wie frisches Basilikum, schwarzen Pfeffer oder Chili mitzuverwenden. Vielleicht wird deshalb so vielen delikaten Sandwiches rohe Zwiebel zugefügt. Sie brauchen etwas sehr Feuriges, um Ihre Verdauung so anzuregen, daß sie den Hartkäse handhaben kann.

Ayurveda kennt das Konzept Okasatmya. Es ist ein Begriff für Ernährungsweisen und Lebensstile, die durch Regelmäßigkeit und Gewohnheit den Körper nicht mehr gefährden. Wie das Gift einer Schlange sind sie Teil eines Körpers geworden, das zwar nicht diesen, aber einen anderen durchaus gefährden könnte. Wenn Sie also von Vorfahren abstammen, die durch Gewöhnung große Mengen Milchprodukte verdauen konnten, werden Sie von dieser Fähigkeit etwas profitieren.

Hartkäse kommt normalerweise nicht in indischen Gerichten vor, deshalb: sparen Sie sich den Hartkäse für hungrige Kinder und Vatas, wenn sie etwas Nahrhaftes brauchen!

Sauerrahm ist feurig, sauer und schwer. Er ist gut, um für Vata gelegentlich eine gebackene Kartoffel in beruhigender Art zu ergänzen, obwohl Joghurt oder angemachter Hüttenkäse hier auch gut täten.

Kondensmilch oder behandelte Milch wird von der Ayurveda nicht empfohlen. Eiscreme kann Pitta nicht schaden, wirkt kühl auf Vata und ist grundsätzlich nicht gut für Kapha. Für gefrorene Joghurt-Eiscreme und Sorbet gilt dasselbe.

Buttermilch ist leicht, süß und sauer. Der regelmäßige Genuß von frischer Buttermilch tonisiert den Dünndarm und kann hilfreich bei der Beseitigung von Hämorrhoiden sein. Sie wirkt beruhigend und stabilisierend auf Vatas; Pittas sollten sie am besten verdünnt und gesüßt nehmen, Kapha nur gelegentlich und mit Wasser verdünnt. Sie sollte nicht gekocht werden, da sie dadurch nicht mehr gesund ist.

Sollten Sie keine frische Buttermilch finden, können Sie als Ersatz Joghurt mit Wasser mischen (1:1). Diese Mischung hat den gleichen tonisierenden Effekt auf das Verdauungssystem und kann in unseren Rezepten gut als Ersatz genommen werden.

Ghee wird in der ayurvedischen Heilung als Verjüngungsmittel und Lebenselixier hoch geschätzt. Allein oder mit Milch wirkt es besonders auf Pitta und Vata regenerierend. Es ist süß, kühl, leicht und ölig. Kaphas können von geringen Mengen ebenfalls profitieren. Ghee kann leichter als gewöhnliche Butter verdaut werden und hilft besser bei der Absorption anderer Nährstoffe.

Inwieweit Ghee den Cholesterinspiegel negativ beeinflußt oder zur Ansammlung von Chemikalien, wie in handelsüblicher Butter kürzlich gefunden, führt, ist momentan nicht bekannt, aber man kann sich vorstellen, daß Ghee Cholesterin enthält. Es wurde jedoch seit Jahrhunderten erfolgreich in der ayurvedischen Heilkunst verwendet.

Sie können Ghee zwar in Asien-Geschäften erhalten, doch ist seine Zubereitung einfach und preiswerter. Das Rezept dazu finden Sie auf Seite 97.

JOGHURT

Joghurt ist ein faszinierendes und nützliches Nahrungsmittel. Es beruhigt besonders das Verdauungssystem und kann bei leichtem Durchfall oder Verstopfung hilfreich sein. Wenn man ihm wärmende Gewürze wie Pfeffer oder Ingwer zufügt, wird dieser Effekt noch verstärkt. Das regelmäßige Essen von Joghurt wird gelegentlich für die Auflösung langanhaltender Blähungen sorgen und das Gleichgewicht des Bakterienhaushalts Ihres Darms wiederherstellen helfen. Anfänglich wirkt er kühlend, aber langfristig wird er als wärmend eingestuft. Joghurt ist schwer und feucht, sein Geschmack sauer und adstringierend.

Er wirkt besonders beruhigend auf Vatas und kann von diesen als Hauptspeise oder Beilage großzügig genommen werden. Pittas müssen bei der Zubereitung von Joghurt etwas vorsichtiger sein, um seinen Ausgleich zu gewährleisten, denn der Joghurt in seiner reinen Form ist zu sauer und feurig für diese Veranlagung. Sie verdünnen ihn besser 1:1 oder mehr mit Wasser und süßen ihn mit Sirup oder Früchten. Ein Spritzer Zitrone, eine Prise Koriander oder Zimt sind gut für das feurige Verdauungssystem von Pitta.

Auch eine Prise Gelbwurz kann bei der Verdauung helfen, speziell dem Pitta-Typen. Der Kapha-Typ meidet am besten alle Gerichte, Saucen und Getränke mit viel Joghurt. Dazu zählen auch die Lassies in diesem Buch. Sie können aber den mit Honig gesüßten *Kapha Lassi* auf Seite 214 genießen.

Grundsätzlich können Kaphas Joghurt besser und leichter mit Honig, Zimt, Ingwer, schwarzem Pfeffer und Kardamom aufnehmen. Dabei steigert Honig die adstringierende Qualität, während die Gewürze ihm Schärfe geben.

Allgemein kann Joghurt mit Wasser einfach und schnell zubereitet zu vielen indischen Gemüsebeilagen, Hauptgerichten und zu Reis gereicht werden.

Frischer Joghurt

Zubereitungszeit: 1 ½—2 Tage
Portionen: 4—6
Wirkung: -Vata/0 Pitta/+Kapha
Jahreszeit: F/S/H/W

¾ l Milch · ⅛ l Joghurt

Milch in einem Topf aufkochen. Dann den Topf vom Herd nehmen und die Milch bei Raumtemperatur abkühlen lassen. Joghurt gut einrühren und den geschlossenen Topf an einem warmen Platz (Heizkörper, nahe dem Herd ...) für etwa 1½—2 Tage stehenlassen.

Ghee (Geklärte Butter)

Zubereitungszeit: 30 Minuten
Ergibt: 500 g
Wirkung: -Vata/-Pitta/-Kapha
Jahreszeit: F/S/H/W

500 g ungesalzene Butter

Butter in einer schweren Kasserolle erhitzen und auf kleiner Flamme so lange kochen, bis sich Blasen bilden, die geräuschvoll zerplatzen. Nach etwa 15–20 Minuten setzt sich das Eiweiß auf dem Boden der Pfanne ab, das Ghee wird klar und zeigt keine Bewegung mehr. In diesem Moment die Pfanne sofort vom Herd nehmen, sonst brennt das Ghee an. Das kann sehr schnell passieren und zeigt sich in erneutem Schäumen und Bräunung der Butter. Das Ghee etwas abkühlen lassen.

Das richtige Ghee ist nun flüssig, klar und goldfarben. Anschließend durch ein Metallsieb filtern, in einem Vorratsbehälter bei Zimmertemperatur aufbewahren.

Bemerkungen: Wenn das Ghee nicht lang genug gekocht wurde, wird es leicht ranzig. Wenn Sie es zu lange kochen, wird es anbrennen. Eine leichte Bräunung kann ihm aber nicht schaden, sondern einen interessanten Geschmack geben. Manche Köche nehmen den Schaum nicht ab, da sie seine Heilkräfte schätzen. Ghee ist eine ausgezeichnete Hilfe für Verdauung und Absorption.

Brunnenkresse-Soufflé

Zubereitungszeit: 1 Stunde
Portionen: 4—6
Wirkung: 0 Vata/-Pitta/-Kapha
(bei Ziegenmilch und Gerstenmehl)
-Vata/-Pitta/+Kapha (bei Soja-/
Kuhmilch und Vollkornmehl)
Jahreszeit: F/S/H/W

2 Tassen Soja-, Ziegen- oder Kuhmilch · 3 EL Ghee
3 EL Vollkorn- oder Gerstenmehl · 6 getrocknete Shiitake Pilze,
eingeweicht, fein geschnitten · 1 Eigelb · 4 Eiweiß · ¼ TL Meersalz
¼ TL Paprika · ¼ TL Muskat · ⅛ TL Weinstein
schwarzer Pfeffer zum Abschmecken

Die gewaschene, kleingeschnittene Brunnenkresse wird etwa 5 Minuten
gedünstet und anschließend im Mixer zu einem Brei verarbeitet.
Ghee in einer mittelgroßen Kasserolle schmelzen, Mehl unter langsa-
mem Rühren dazugeben, bis eine Paste entstanden ist. Unter ständigem
Rühren bei mittlerer Hitze die Milch zugeben. Wenn der Inhalt der
Pfanne zu kochen beginnt, Brunnenkresse und Pilze einrühren. Auf
kleine Flamme zurückschalten, Eigelb einrühren, 1—2 Minuten köcheln.
Gewürze und Kräuter zufügen, kurz umrühren, abkühlen lassen.
Eiweiß mit Weinstein schaumig schlagen. Das Eiweiß sollte Zimmer-
temperatur und keine Eigelbreste in sich haben. Schaum vorsichtig unter die abgekühlte Gemüsemischung heben und die Masse in eine fett-
freie Back- oder Souffléform geben, die nicht sehr tief, aber weit ist.
Bei etwa 170 Grad 30—45 Minuten (oder bis das Soufflé fest ist) backen.
Am besten ißt man es sofort, denn es hält seine Form nur etwa 10 Minuten, nachdem es aus dem Backofen genommen ist.

Bemerkungen: Dazu paßt Reis oder Brot und ein Salat.

Spargelcreme-Sauce

Zubereitungszeit: 20 Minuten
Portionen: 4
Wirkung: -Vata/leicht +Pitta/+Kapha
(akzeptabel für Kapha bei mäßigem
Genuß)
Jahreszeit: F/H

*250 g frischer Spargel · 3 EL Ghee · 2 EL Gerstenmehl
¼ l Buttermilch · ½ TL Meersalz*

GARNIERUNG: *Paprikapulver*

Geschälten Spargel in etwa 1–2 cm lange Stücke schneiden. Ghee in einer Kasserolle erwärmen, Spargelstücke zufügen und braten, bis sie gar sind. Spargel zum Pfannenrand schieben und Gerstenmehl einrühren. Unter kräftigem Rühren die Buttermilch langsam zufügen. Beachten Sie, daß sich keine Klumpen bilden. Auf kleiner Flamme kochen, bis die Masse eingedickt ist. Salz zufügen, Paprika über die Sauce streuen und servieren.

Bemerkungen: Empfiehlt sich wie Sauce hollandaise zu Reis, Toast oder Eiern. Gerstenmehl und Buttermilch sind alte Mittel, um die Verdauung zu beruhigen und zu stärken. Beide Zutaten ergeben einen leicht scharfen, zitronenartigen Geschmack.

PILZE

Pilze sind leicht, trocken und kühl, außer sie werden mit einer schweren, dicken Sauce serviert. Warm und gewürzt, sind sie akzeptabel für Vatas. Ohne Sauce, Gewürze und kalt sind sie gut für Pitta und Kapha.
Die in unseren Rezepten empfohlenen Shiitake-Pilze sind salziger und schärfer in ihrem Geschmack als andere Pilze, wärmen daher mehr und wirken stark stimulierend auf das Immunsystem. Man kann sie preiswerter als Trockenpilze erhalten und damit problemlos aufbewahren.

Eingeweicht haben sie eine heilsame Wirkung auf alle Veranlagungen, besonders auf Kapha. Vatas sollten sie mäßig genießen, denn sie können durch große Mengen getrockneter Shiitake-Pilze gereizt werden.

Pilze in Joghurt

Zubereitungszeit: 15 Minuten
Portionen: 3—4
Wirkung: -Vata/+Pitta/+Kapha
Jahreszeit: H/W

250 g Pilze · ⅛ l Joghurt · 2 EL Ghee oder geschmolzene Butter · ½ TL Kreuzkümmelsamen · ¼ TL Meersalz ¼ TL schwarzer Pfeffer · ¼ TL Muskat

Pilze waschen und in feine Scheiben schneiden. Ghee oder Butter in einer mittelgroßen Pfanne erhitzen. Kreuzkümmelsamen zufügen und, sobald sie braun werden, Pilze zugeben, bei kleiner Hitze 5—7 Minuten anbraten. Pilze abkühlen lassen, Joghurt und die übrigen Zutaten gründlich einrühren.

Bemerkungen: Paßt gut zu Brot oder Reis.

Variation:

Pilze in Joghurt mit Nudeln

Wirkung: -Vata/-Pitta/mäßig +Kapha

Wie im vorgenannten Rezept werden das Ghee oder die Butter in einer Pfanne erhitzt, Kreuzkümmelsamen und 500 g Pilze zugefügt. Während des Bratens 2 EL Kichererbsenmehl unterrühren und anschließend 1 Tasse Wasser und 1 Tasse Joghurt zufügen, die gut miteinander verrührt sein sollen.
5 Minuten auf kleiner Hitze köcheln, bis es eindickt. Die Gewürze laut o. g. Rezept und 1 TL Reissirup sowie 1 TL Koriander zufügen.

BOHNEN

Bohnen mit Getreide werden Sie als Hauptnahrungsmittel in vielen Gerichten überall auf der Welt finden. Sie werden in der Ayurveda zur Reinigung und zum Aufbau genommen. Diese Hülsenfrüchte haben nicht nur viel Ballaststoffe und wenig Fett, sondern versorgen uns auch mit hohen Mengen an Eiweiß, Vitamin B und andere Spurenelementen. Sie rauben dem Boden keine wertvollen Nährstoffe, sondern tun ihm gut, da sie Nitrogen binden. Die nitrogenbindenden Bakterien der Bohnen können über 50 kg Nitrogen pro 0,5 ha im Laufe eines Jahres der Atmosphäre entziehen, die dem Boden in aufnahmefähiger Form gegeben werden. Bohnen sind somit eine wertvolle Alternative zu den synthetischen Nitrogen-Düngemitteln, die dem Boden schaden und deren Angebot immer geringer wird.

Das Problem bei den Bohnen ist ihre Verdauung. Wenn Sie gerade anfangen Bohnen zu essen, dann ist es ratsam, sie nicht öfter als 1–2mal pro Woche während der ersten Zeit zu sich zu nehmen. Durchschnittlich kann man mit ausgeglichener Verdauung 3–4mal wöchentlich Bohnen essen. Mehr können nur diejenigen vertragen, die mit Bohnengerichten aufgewachsen sind, ansonsten wird man zum größten Methanproduzenten seiner Umgebung, d. h. es stellen sich gewaltige Blähungen ein, die sich lautstark entladen.

Der Schlüssel zum Genuß von Bohnen liegt also in der Verringerung ihrer blähungsverursachenden Eigenschaften. Die folgenden Rezepte sind darauf ausgerichtet.

Halbierte Mungobohnen (gelbe Dal) sind eines der populärsten Grundnahrungsmittel Indiens und werden von der Ayurveda hoch geschätzt. Sie sind leichter und besser zu verdauen als die meisten anderen Bohnen und werden häufig zur Heilung, speziell in *Kichadi* und *Dal* zur Wiederherstellung der Gesundheit und Reinigung, genommen. Sie neigen dazu, etwas kühl auf den Körper zu wirken, was für Vatas und Kaphas mit wärmenden Gewürzen wie Ingwer, Pfeffer, Kreuzkümmel und Senfsamen ausgeglichen werden kann. Pittas können Bohnen in ihrem Naturzustand ohne weiteres genießen, aber auch mit den vorgenannten Gewürzen in Maßen und mit einer gesunden Menge Koriander in Form von Pulver oder Blättern.

Wenn man keine halbierten Mungobohnen findet, kann man ganze Mungobohnen nehmen, die aber schwer verdaulich sind. Damit sie sich eventuell halbieren, können Sie die Bohnen über Nacht einweichen, aber nicht vergessen, sie gelegentlich zu spülen! Oder Sie lassen sie liegen, dabei wieder zweimal täglich spülen, bis sie zu keimen beginnen (etwa 3—4 Tage). Die Schale kann dann abgenommen werden und Sie haben die halbierte Bohne. Sie sind eine ausgezeichnete Hülsenfrucht, die man das ganze Jahr über essen kann, besonders aber im Frühling und Herbst.

Gujarati Dal

(Universalgericht für alle Veranlagungen)

Zubereitungszeit: 40 Minuten
(+ 2 Stunden fürs Einweichen)
Portionen: 6—8
Wirkung: -Pitta / -Vata / -Kapha
Jahreszeit: F / S / H / W

450 g Mungobohnen (halbierte oder ganze) · 1½ l Wasser
1 EL Sonnenblumenöl oder Ghee · ½ TL Senfsamen
¼ TL Gelbwurz · ⅛ TL Hing · 1 TL Meersalz · 1½ TL Sirup
1½ TL Zitronensaft · 1 TL Koriander · ½ TL Zimt
¼ TL milder Curry · ¼ TL grüner Pfeffer, klein gestoßen
(wahlweise/nicht für Pitta) · 1 Zehe Knoblauch, klein gestoßen
(wahlweise/nicht für Pitta)

Die Bohnen für 2 Stunden (oder am Abend zuvor) einweichen und anschließend abtropfen lassen. In einer großen Pfanne das Öl oder das Ghee erhitzen und die Senfsamen zufügen. Wenn die Senfsamen platzen, alle anderen Zutaten zufügen und gut vermischen. Die Pfanne abdecken und 30 Minuten bei halbierten Bohnen oder 60 Minuten bei ganzen Bohnen, bzw. bis diese gar sind, kochen.

Bemerkungen: Dieses Gericht empfiehlt sich mit Chapatis, Buttermilch-Curry (Seite 92), Reis und Gemüse. Das Einweichen ist wichtig, da es eventuelle spätere Blähungen vermindert. Für das Wohlbefinden und die Beruhigung der Verdauung von Kaphas sollte das Gericht mit Pfefferschoten und trockenem Ingwer garniert werden.

Entgiftendes Dal (Bohnensuppe)

Zubereitungszeit: 30 Minuten bis
1 Stunde für die Suppe
3 Tage für das Sprießen der Bohnen
Portionen: 5—6
Wirkung: -Vata/-Pitta/-Kapha
(ohne Knoblauch)
-Vata/+Pitta/-Kapha (mit Knoblauch)
Jahreszeit: F/S/H/W

500—750 g Mungobohnensprossen · 500—750 g Gemüse,
fein geschnitten (Broccoli, Karotten, grüne Bohnen, Spargel usw.)
1½ EL Ghee oder Olivenöl · 2 Knoblauchzehen oder 5 cm frische
Ingwerwurzel, fein geschnitten oder gestoßen · 1—2 Nelken-
blüten, klein gestoßen (nicht bei starker Pitta-Veranlagung)
½—1 TL Kreuzkümmelsamen · 1 TL Koriandersamen
½—1 TL Gelbwurz · ½ TL schwarzer Pfeffer, frisch gemahlen
2—3 Lorbeerblätter · je ⅛ TL Fenchel, Hing, Zimt und Kardamom
1 Tasse frische Korianderblätter, fein geschnitten

GARNIERUNG: *Kokosraspeln und feingeschnittene Korianderblätter*

In einem Dampfkochtopf die Mungobohnen 2 Minuten, oder in einer tiefen Pfanne mit Wasser kochen, bis sie gar sind. Bohnen und Wasser im Mixer zu einem Püree verarbeiten.

In einem Topf Öl oder Ghee erhitzen, Gewürze zufügen und gut verrühren. Dann das Gemüse zugeben. Etwa 2 Minuten mischen, dann 1—1½ l Wasser zufügen, wieder gut verrühren, aufkochen und auf kleiner Hitze bedeckt köcheln lassen, bis das Ganze gar ist.

Das Bohnenpüree in den Topf zu dem Gemüse geben, gut umrühren, die Suppe zum Kochen bringen, auf kleiner Hitze 5 Minuten köcheln und eventuell Wasser zufügen, wenn die Suppe zu stark eindickt. Etwa ½ TL Salz zum Abrunden des Geschmacks zufügen.

Bemerkungen: Diese Bohnensuppe ist speziell zur allgemeinen Entgiftung entwickelt und gibt dem Verdauungstrakt bei Krankheit oder bei Wiedergenesung Ruhe. Die Mungobohnen sind von Natur aus kühlend, doch wirken sie durch die beigefügten Gewürze und den Ingwer wärmend. Die Menge der Gewürze kann individuell abgestimmt werden.

Die Suppe kann als Hauptgericht mehrmals in einer Woche gegessen werden, um dem Verdauungssystem eine Erholungspause zu geben.

DUNKLE LINSEN

Die bei uns erhältlichen dunkelbraunen Linsen (Urud Dal) sind besonders wertvoll für die Wiederherstellung der Vata-Energie. Man nimmt sie auch in geringen Mengen für die letzte Phase der Rekonvaleszenz nach einer Krankheit. Da sie schwer verdaulich sind, braucht man eine Verdauungshilfe.

Kreuzkümmel und Hing sind empfehlenswert, da sie wärmen und verdauungsanregend sind. Hing stimuliert die Verdauungsenergie und kann zu Beginn der Zubereitung fast allen Bohnengerichten zugegeben werden, um sie verdaulicher und Vata-ausgleichender zu machen.

Dunkle Linsen mit Joghurt

Zubereitungszeit: 1 Stunde
Portionen: 4—5
Wirkung: -Vata/+Pitta/leicht +Kapha
Jahreszeit: H/W

*1 Tasse trockene dunkle Linsen · ¾ l Wasser · ½ TL Meersalz
1 TL Kreuzkümmel · ⅛ TL Hing · 1 Zehe Knoblauch,
klein gestoßen · 1 TL Reissirup*

GARNIERUNG: *Joghurt*

Linsen waschen und mit Hing bei mittlerer Hitze etwa 25—30 Minuten kochen, bis sie gar sind. Salz, Kreuzkümmel, Knoblauch und Sirup zufügen und weitere 20 Minuten kochen.

Bemerkungen: Das Gericht ergänzt sich gut mit Brot und Gemüse oder Reis. Es ist ein vorzügliches Mahl für Vata und wirkt besonders stärkend. Man sollte es anfänglich in kleinen Mengen zu sich nehmen, da es ein konzentriertes Nahrungsmittel ist. Es kann auch gelegentlich von Kapha und Pitta gegessen werden, jedoch nicht regelmäßig. Für Kapha sollte es mit Joghurt oder Blumenkohl-Kahdi serviert werden (Seite 174).

Urud Dal (Dal mit dunklen Linsen)

Zubereitungszeit: 1 ½—2 Stunden
Portionen: 5—6
Wirkung: -Vata / + Pitta / + Kapha
Jahreszeit: H / W

*1½ Tassen halbierte dunkle Linsen · 1½—2 l Wasser
⅛ TL Hing · 1 Stange Kombu (Seetang) · 750 g Gemüse (Karotten und Zucchini eignen sich gut) · 2 TL Sonnenblumenöl oder Ghee
1 TL schwarze Senfsamen · 1 TL Kreuzkümmelsamen
1 TL Zitronensaft · 3 Zehen Knoblauch, gestoßen oder fein geschnitten · 1 TL Gelbwurz · 1 TL Sesamsamen (wahlweise — verstärkt beruhigende Wirkung auf Vata) · 1 TL Meersalz
1 EL frischer Ingwer, fein geschnitten · 3 EL Korianderblätter, fein geschnitten · einige grüne Chillies/Pfefferkörner (wahlweise)*

GARNIERUNG: *feingeschnittene Korianderblätter, Ingwer sowie Joghurt*

Linsen gut waschen und abtropfen lassen. Linsen, Hing und Kombu mit 1½ l Wasser in einem großen Topf zum Kochen bringen. Auf mittlerer Hitze bedeckt etwa 1 Stunde kochen, bis die Linsen weich sind. Währenddessen Gemüse und Zwiebel schneiden. Karotten sehen ansprechend aus, wenn sie erst halbiert, dann über Kreuz in kurze Stücke geschnitten werden. Zucchini in Scheiben schneiden.

Kurz bevor die Linsen gar sind, Öl oder Ghee in einer mittelgroßen Pfanne erhitzen und Kreuzkümmel- und Senfsamen zufügen. Wenn die Senfsamen platzen, Zitronensaft, Zwiebel, Knoblauch, Sesamkörner und Gelbwurz zufügen. Gut verrühren und köcheln lassen, bis die Zwiebeln gar sind.

Wenn die Linsen gar sind, Gewürze, Zwiebeln, Salz und Gemüse zufügen. Bedeckt bei mittlerer Hitze etwa 20 Minuten köcheln lassen.

Zwischendurch 1 Tasse Wasser, Ingwer, Koriander und Pfefferschoten/ Chillies in einen Mixer geben. Die Mischung etwa 10 Minuten vor dem Servieren der Linsen-Gemüse-Mischung zufügen. Etwas Wasser zugeben, falls die Suppe zu sehr eindickt. Sie sollte die Konsistenz einer sehr dicken Erbsensuppe haben.

Süße Kichererbsen

Zubereitungszeit: 20 Minuten bei vorgekochten Kichererbsen
Portionen: 4
Wirkung: mittel + Vata / - Pitta / 0 Kapha
Jahreszeit: F / S / W

2 Tassen gekochte Kichererbsen · 2 Tassen geriebene Pastinaken (etwa 2 mittelgroße Pastinaken) · 1 große, geriebene Zwiebel 2 EL Sonnenblumenöl (für Kapha 1 EL Öl) · ½ TL Ajawan ⅛ TL Hing · ½ TL Gelbwurz · 12 TL Meersalz 12 Tassen Wasser

GARNIERUNG: *frische, gehackte Korianderblätter*

Das Öl in einer großen Pfanne erhitzen, Ajwan und Hing zufügen, leicht bräunen. Pastinaken, Kichererbsen, Gelbwurz und Zwiebel zufügen, umrühren und etwa 5 Minuten sautieren. Jetzt die restlichen Zutaten einrühren und weitere 10 Minuten kochen, bis die Pastinaken und Zwiebeln süß und gar sind. Mit den frischen Korianderblättern garnieren.

Bemerkungen: Diese Zubereitung könnte einige Vatas leicht aus dem Gleichgewicht bringen. Das wird um so weniger eintreten, je länger die

Kichererbsen gekocht werden. Ein wirklich einfaches und ansprechendes Gericht. Werden rohe Kichererbsen mit einem Dampfkochtopf zubereitet, braucht man weitere 40 Minuten Zubereitungszeit. Dazu 1 Tasse trockene Kichererbsen, 4½ Tassen Wasser, 1 Stange Kombu und ⅛ TL Hing zusammen in den Dampfkochtopf geben und 30 Minuten kochen.

Würzige Kichererbsen

Zubereitungszeit: 40 Minuten im
Dampfkochtopf; 5 Stunden ohne
Dampfkochtopf
Portionen: 6—7
Wirkung: +Vata/-Pitta/-Kapha
Jahreszeit: S/W

3 Tassen Kichererbsen · ⅝ l Wasser · 2 EL Sonnenblumenöl
½ TL schwarze Senfsamen · 1 reife Tomate, geschnitten (wahlweise,
delikat) · 1 TL milder Curry · 2 EL Sesamsamen · 1 TL Meersalz
1 TL Korianderpulver · ½ TL Gelbwurz

Kichererbsen möglichst über Nacht einweichen. Auf Mittelstufe im Dampfkochtopf etwa 25—30 Minuten kochen.

Alternative: In 4 Tassen Wasser 2 Minuten kochen und in diesem Wasser für 3—4 Stunden einweichen. Wasser abgießen, 2½ Tassen frisches Wasser zugeben, zum Kochen bringen und bei mittlerer Hitze etwa 50 Minuten bzw. bis die Kichererbsen gar sind, kochen.
Wenn die Kichererbsen gekocht sind, Öl in einer Pfanne erhitzen und dem warmen Öl die Senfsamen zufügen. Wenn die Senfsamen platzen, Tomatenwürfel und Curry zugeben. 2—3 Minuten kochen. Dann Sesamsamen, Kichererbsen, Salz, Koriander und Gelbwurz zufügen. Gut vermischen und 2—3 Minuten erhitzen.

Bemerkungen: Die würzigen Kichererbsen ergänzen sich gut mit Chapatis und schmecken sehr gut mit Reis. Kichererbsen sind die am meisten innerlich trocknenden Hülsenfrüchte und daher sehr empfehlenswert für den »feuchten« Kapha-Typen.

Da sie kühl und trocken sind, brauchen Sie die Hilfe von Knoblauch oder Senfkörnern, um sie anzuwärmen; die lange Kochzeit tut ihr übriges.

Indische Erbsen

Zubereitungszeit: 80 Minuten
(und über Nacht einweichen)
Portionen: 8—10
Wirkung: +Vata/-Pitta/-Kapha
Jahreszeit: F/H/W

500 g grüne (halbierte) Schälerbsen · 2—2½ l Wasser
2 EL Sonnenblumenöl (Kapha: 1 EL) · ½ TL Senfsamen
1 mittelgroße Tomate, geschnitten (wahlweise – nicht bei gereiztem
Pitta) · ½ TL milder Curry · 2 EL Zitronensaft · 2 EL Kokos-
raspeln · 1 TL Meersalz · ½ TL Gelbwurz · 1½ TL Koriander
1 TL Ingwerwurzel, gerieben (oder ½ TL Ingwerpulver)
etwas grüner Pfeffer, gestoßen

GARNIERUNG: *feingeschnittene Korianderblätter*

Erbsen eine Nacht zuvor einweichen (das reduziert die Kochzeit und nimmt ihnen die blähungsbildenden Eigenschaften weitgehend). Waschen und 1 Stunde kochen.

In einer kleinen Pfanne Öl und Senfsamen erhitzen. Wenn die Senfsamen platzen, Tomatenviertel, Curry und Gelbwurz zufügen. Gut verrühren und dann den Erbsen zufügen. Restliche Zutaten ebenfalls zu den Erbsen geben und alles bei mittlerer Hitze 15 Minuten kochen.

Bemerkungen: Dazu Basmati-Reis, Gerste und Chapatis servieren.

Würzige Mungobohnen

Zubereitungszeit: 45 Minuten im
Dampfkochtopf (und über Nacht
einweichen)
Portionen: 8—9
Wirkung: 0 Vata/-Pitta/-Kapha
Jahreszeit: F/S/H/W

*3 Tassen ganze Mungobohnen · 2¼ l Wasser · 1 TL Meersalz
1 mittelgroße Zwiebel, geschnitten · 1 Karotte, fein geschnitten
2½ EL Zitronensaft · ½ TL milder Curry · 2 TL Koriander
1 TL Ingwerwurzel, gerieben · 2 EL Sonnenblumenöl (Kapha: 1 EL)
½ TL Senfsamen · ½ TL Senfsamen · ½ TL Kreuzkümmelsamen
1 TL Gelbwurz · ⅛ TL schwarzer Pfeffer · ½ grüne Pfefferschote, fein geschnitten (wahlweise, nicht für Pitta)*

Bohnen über Nacht einweichen. Waschen und mit 1½ l Wasser in einem
Dampfkochtopf 20 Minuten bzw. bis sie fast gar sind, kochen.
In einer kleinen Pfanne Öl erhitzen, Senf- und Kreuzkümmelsamen
zufügen. Wenn die Senfsamen platzen, Gelbwurz zufügen, kurz verrühren und den Inhalt der Pfanne zu den gekochten Bohnen geben.
Schließlich die restlichen Zutaten einrühren und bei mittlerer Hitze
15 Minuten kochen.

Bemerkungen: Zu diesen Bohnen passen gedünstetes Gemüse und Gerste oder Rotalis (= Chapatis) und Reis. Sie können auch als Suppe serviert werden. Zum Garnieren eignen sich Cayennepfeffer (für Vata und
Kapha), Joghurt (für Vata) oder viel Kokosraspel und feingeschnittene
Korianderblätter (für Pitta).
Vatas können Schwierigkeiten bei der Verdauung ganzer Mungobohnen
haben und sollten daher besser halbierte Bohnen verwenden.

KIDNEYBOHNEN

Die roten Kidneybohnen sind besonders für den Pitta-Typ geeignet. Sie sind nicht empfehlenswert für Kapha oder Vata, die sie höchstens scharf gewürzt im Cajun-Stil, der Küche Louisanas, USA, vertragen könnten. Hier dazu ein Rezept aus der Cajun-Küche.

Rote Cajun-Bohnen

Zubereitungszeit: 60 Minuten im Dampfkochtopf, ansonsten 4—5 Stunden
Portionen: 4—6
Wirkung: +Vata/-Pitta/+Kapha
Jahreszeit: S/H/W

500 g Kidneybohnen · 2 l Wasser · ¼ TL Hing · 2 Lorbeerblätter 1 Stange Seetang (Kombu) · 2 EL Sonnenblumen- oder Walnußöl · ½ mittelgroße Zwiebel, gehackt · ½ TL Kreuzkümmelsamen · 1 TL frischer Thymian (½ TL trockener Thymian), gehackt · 1 EL Korianderpulver · 1 kleine grüne Pfefferschote, fein gehackt (wahlweise)

Bohnen, Wasser, 1 Lorbeerblatt, Seetang und Hing in den Dampfkochtopf geben und 30 Minuten kochen. Wenn Sie keinen Dampfkochtopf haben, die Zutaten in einen großen Topf geben, zum Kochen bringen, dann auf mittlerer Hitze etwa 3—4 Stunden köcheln lassen, bis die Bohnen gar sind.

Öl in einem großen Topf erhitzen. Zwiebel, Kreuzkümmel, Thymian und 1 Lorbeerblatt zufügen und 2 Minuten anbraten. Dann Bohnen mit ihren Zutaten und Salz, Pfefferschote und Korianderpulver einrühren und weitere 20—30 Minuten kochen.

Bemerkungen: Mit einfachem Reis servieren. Zur besseren Verdauung ißt man geröstete Fenchelsamen nach dem Essen. Pittas sollten auf die

Pfefferschote verzichten, um ihre Verdauung nicht übermäßig zu reizen. Kombu, Hing, Kreuzkümmel, Koriander und Lorbeer erleichtern die Verdauung, so daß Kaphas und Vatas dieses Gericht gelegentlich genießen können. Der Thymian gibt den Bohnen einen eigenwilligen, für die Cajun-Küche von New Orleans typischen Geschmack.

Rajma-Bohnen

Zubereitungszeit: 1½ Stunden im Dampfkochtopf; 3 Stunden ohne Dampfkochtopf
Portionen: 6
Wirkung: +Vata/-Pitta/+Kapha
Jahreszeit: F/H/W

2 Tassen Kidneybohnen · 1¼ l Wasser · ½ Stange Kombu (Seetang) · ¼₆ TL Hing · 1 mittelgroße Zwiebel, grob gehackt 1 TL Ingwerwurzel, gerieben (nicht bei starkem Pitta) · 1 TL Ghee 1 TL Kreuzkümmelsamen · ¼ TL Fenchelsamen · ½ TL Gelbwurz ⅛ l Ingwerpulver · ½ TL Meersalz · 1 EL Orangenschale, gerieben (von einer unbehandelten Frucht) · 1 TL Korianderpulver

Wasser, Kombu, Bohnen und Hing in einem Dampfkochtopf 15 Minuten kochen. Wenn Sie keinen Dampfkochtopf haben, die Bohnen in einem großen Topf zum Kochen bringen und dann bei mittlerer Hitze bedeckt etwa 90 Minuten gar kochen. Hier braucht man mehr als 1¼ l Wasser.
Ghee, Kreuzkümmel und Fenchel in einer mittelgroßen Pfanne erhitzen, bis der Kreuzkümmel leicht braun geworden ist (2–3 Minuten). Gelbwurz, Zwiebel und Ingwer zufügen, gut verrühren und bei kleiner Hitze anbraten, bis die Zwiebelwürfel glasig sind (etwa 5 Minuten). Jetzt die Bohnen einrühren und unbedeckt so lange weiterkochen, bis fast alles Wasser verdampft ist. Restliche Zutaten einrühren und nochmals 5–10 Minuten bei mittlerer Hitze schmoren.

Bemerkungen: Dieses ungewöhnliche Rezept ist speziell für Pittas gedacht, denen diese Hülsenfrüchte als einzige gut tun. Wenn es als

Hauptspeise serviert wird, sollte man wenig davon essen und etwas Kreuzkümmel, Koriander und Fenchel als Beilage servieren. Eine Prise Nelken kann auch nicht schaden, es gibt dem Gericht eine noch interessantere Note.

TOFU

Tofu und Sojamilch neigen dazu, kühl und schwer zu sein, doch fetter als andere Bohnenprodukte. Der ölige Charakter und die strukturelle Verwandlung durch die vorherige Verarbeitung der Sojabohnen helfen bei der Verdauung. Ähnlich den halbierten Mungobohnen wird Tofu relativ gut von allen Menschen, egal welcher Veranlagung vertragen. Die Kapha-Energie wird durch das Essen von sehr viel Tofu gesteigert, also ist für Kapha-Typen hier Vorsicht geboten.

Grundsätzlich wird durch das Erwärmen oder Zufügen von wärmenden Gewürzen wie Ingwer, Tamari, Kreuzkümmel, Zimt oder Senfsamen eine gesunde Auflösung des Tofus im Verdauungssystem unterstützt. Bohnenprodukte können aber immer auch eine besondere Empfindlichkeit hervorrufen und anders als unsere Beschreibungen wirken. Deshalb sollten Sie lieber Ihren eigenen Erfahrungen vertrauen. Manche Menschen können Tofu in jeglicher Form nur sehr schwer verdauen. Es gibt sogar Tofu-Allergien. Vor 20 Jahren war es üblich, den Tofu kalt und roh zu servieren. Das ist wohl die schlechteste Art, ein stark kühlendes Nahrungsmittel zu sich zu nehmen. Versuchen Sie einmal marinierten Tofu, der gekocht und gewürzt wurde, und spüren Sie selbst, wie Sie ihn vertragen.

Miso-Tofu

Zubereitungszeit: 15—20 Minuten
Portionen: 2—3
Wirkung: -Vata/-Pitta/-Kapha
Jahreszeit: S/H/W

500 g Tofu · 1 EL Sonnenblumenöl · ½ mittlere Zwiebel,
grob gehackt (wahlweise) · ¼ TL schwarzer Pfeffer · 1 EL Miso
1 EL Tamari · 1½ Tassen Wasser · 3 getrocknete Shiitake-
Pilze (wahlweise, geschmacksverstärkend)

Pilze einweichen. Öl in einer Pfanne erhitzen und Zwiebelstückchen etwa 5 Minuten darin braten, bis sie gar sind. Den Tofu abtropfen lassen und in 2–3 cm große Würfel schneiden. Tofu den Zwiebeln zufügen, 5 Minuten braten und anschließend schwarzen Pfeffer darüberstreuen. Pilze abtropfen lassen und das Wasser aufheben. Pilze zum Tofu geben. Miso und Tamari mit dem Wasser mischen und über den Tofu gießen. Abschließend alles zusammen 3 Minuten erhitzen.

Bemerkungen: Für Vata muß dieses Gericht mit frisch geraspeltem Ingwer garniert werden, damit ein Gleichgewicht erhalten bleibt. Kapha sollte es mit einer Prise Ingwerpulver ergänzen. Miso, Tamari und das Kochen wärmen den ansonsten »kalten« Tofu. Wenn überhaupt, dann sparsam salzen.
Die Shiitake-Pilze geben dem Gericht einen interessanten Geschmack und stärken das Immunsystem.

Orientalischer Tofukohl

Zubereitungszeit: 45 Minuten (und
1 Nacht einfrieren und auftauen)
Portionen: 4
Wirkung: leicht + Vata / - Pitta / - Kapha
Jahreszeit: S / H / W

500 g gefrorener Tofu (oder 4 Tassen gekochte Kichererbsen)
1 große Zwiebel, grob gehackt · 2 EL Sonnenblumenöl oder Ghee
¼ TL Piment · ¼ TL Fenchelsamen · ½ TL Gelbwurz
1 Pastinake, geschnitten · 1 kleiner Weißkohl (etwa 750 g, geschnitten)
1 große Tomate oder 1 Tasse Tomatenpüree (wahlweise, nicht bei
starker Pitta-Veranlagung) · ¾ TL Meersalz · 2 EL Sonnen-
blumenkerne · 1 EL Pinienkerne (wahlweise)
½ EL Pfefferminzblätter, fein gehackt

Tofu am Abend zuvor in das Gefrierfach legen. Das gibt ihm eine festere Konsistenz.

Pastinake in etwa 1,5 cm große Stücke und Weißkohl in 2 cm breite Streifen schneiden.

Ghee oder Öl, Zwiebel und Piment in eine große Pfanne geben und 1 Minute braten. Pastinakenstücke, Gelbwurz und Fenchel zufügen, gut verrühren und braten, bis die Zwiebelstücke glasig sind. Tomate und den in kleine Stücke geschnittenen Tofu in die Pfanne geben, verrühren, abdecken und 20 Minuten kochen.

Kohl zufügen und weitere 10 Minuten kochen. Abschließend die restlichen Zutaten einrühren und nochmals 2—3 Minuten leicht köcheln.

Bemerkungen: Diese Speise schmeckt besonders mit Reis sehr gut. Für Kaphas nur 1 TL Öl oder Ghee nehmen, statt dessen 1 Tasse Wasser zufügen und keine Pinienkerne, dafür großzügig mit schwarzem Pfeffer würzen.

Vatas sollten etwas mehr Ghee und zusätzlich schwarzen Pfeffer oder trockenen Ingwer zum Ausgleich nehmen.

Tofu mit Pilzen

Zubereitungszeit: 50 Minuten
Portionen: 3—4
Wirkung: -Vata/-Pitta/-Kapha (falls mit Ingwer zubereitet)
Jahreszeit: F/S/H/W

*500 g Tofu · 6 getrocknete Shiitake-Pilze · ½ l Wasser
¼ TL schwarzer Pfeffer · 1 EL Tamari*

Pilze 20 Minuten einweichen (Wasser aufbewahren). Inzwischen Tofu in 2 cm große Würfel schneiden. Tofu, Pilze und deren Einweichwasser in eine große Pfanne geben, bedeckt bei mittlerer Hitze etwa 25 Minuten kochen. Tamari (oder eine andere Sojasauce) sowie schwarzen Pfeffer zufügen und gut verrühren.

Bemerkungen: Paßt gut zu Reis, Hirse oder Gerste mit Gemüsebeilage. Shiitake-Pilze stärken das Immunsystem und die Konzentrationsfähigkeit. Vatas sollten nicht zuviel dieser Pilze essen.

KICHADIS

Kichadis sind das Herzstück ayurvedischer Heilung durch Ernährung. Es handelt sich um einen relativ einfachen Eintopf, der aus Basmati-Reis und halbierten Mungobohnen besteht und jeder Veranlagung gut tut. Kichadis werden hauptsächlich zur inneren Reinigung gegessen und sind leicht verdaulich.

Ihre Variationsmöglichkeiten sind unbegrenzt, da sie mit sehr vielen verschiedenen Gewürzen, Kräutern und Gemüsen zubereitet werden können. Ihr therapeutischer Effekt ist am größten, wenn sie frisch gegessen werden.

Lassen Sie sich bei der folgenden Auswahl von Kräutern und Gewürzen speziell zur Heilung und Stimulation Ihres Körpers leiten. Ghee wird grundsätzlich für die bessere Aufnahme und die Feuchtigkeit genommen, während die Gewürze der inneren Wärmung dienen.

Gewürze:

Asafoetida/Hing
Wirkt beruhigend auf Vata, fördert Nahrungsaufnahme, blähungswidrig.

Bockshornkleesamen
Wärmend, verdauungsfördernd, tonisierend, gewichtsverringernd.

Fenchel
Kühlend, süßend, verdauungsfördernd, tonisiert den Magen.

Gelbwurz
Ausgleich aller Konstitutionen, verdauungsfördernd, besonders für die Verdauung von Eiweiß.

Ingwer
Wärmend, regt die Eiweiß-Verdauung an.

Kardamom
Allgemein beruhigend, verdauungsanregend.

Knoblauch
Wärmend, stärkend, entgiftend.

Kombu (Seetang)
Verdauungsfördernd, hilft bei der Ausscheidung von Schwermetallen.

Koriander
Kühlend, lindernd, beruhigend, verdauungsfördernd, blähungswidrig.

Kreuzkümmel
Blähungswidrig, verdauungsfördernd, Ausgleich aller Konstitutionen.

Lorbeerblätter
Wärmend, verdauungsfördernd.

Nelken
Sehr wärmend, verdauungsfördernd.

Pfefferkörner (schwarz)
Verdauungsfördernd, wärmend, blähungswidrig.

Safran
Kühlend, tonisierend, verdauungsfördernd, ausgleichend.

Senfsamen (schwarz)
Verdauungsfördernd, ausgesprochen wärmend.

Zimt
Wärmend, süßend, verdauungsfördernd.

Kühlendes Kichadi

Zubereitungszeit: Etwa 2 Stunden
Portionen: 5—6
Wirkung: 0 Vata / -Pitta / -Kapha
Jahreszeit: F / S

1 Tasse Basmati-Reis · ½ Tasse halbierte Mungobohnen
½ Klettenwurzel (etwa 20 cm) · 3 Tassen grüne Bohnen · 2 EL Ghee
½ TL Fenchelsamen · 1 TL Kreuzkümmelsamen · 1 EL Amaranth
(wahlweise) · 1 Stange Kombu (Seetang) · ca. 2 l Wasser
½ TL Meersalz · 1 EL Korianderpulver

GARNIERUNG: *feingehackte Korianderblätter*

Klettenwurzeln waschen und schälen. Bohnen waschen und beide Gemüse in 2—3 cm lange Stücke schneiden.

Ghee in einer Kasserolle erhitzen, Fenchel und Kreuzkümmel einrühren und 1—2 Minuten anrösten. Reis und Mungobohnen zufügen, einige Minuten braten. Klettenwurzeln und grüne Bohnen zugeben und unter ständigem Rühren 1 Minute anbraten. Das Wasser zufügen, einmal aufkochen, Kombu, Amaranth und Salz zufügen, dann bei mittlerer Hitze bedeckt etwa 1—1½ Stunden kochen. Eventuell Wasser nachgießen, damit das Kichadi nicht zu trocken wird.

Vor dem Servieren das Korianderpulver einrühren und mit Korianderblättern garnieren.

Bemerkungen: Wirkt stark blutreinigend. Insbesondere die Klettenwurzel reinigt Nieren und Blut und wirkt abführend. Dieses Kichadi ist deswegen auch bei unreiner Haut und starkem Wasserstau im Gewebe hilfreich. Es ist auch bei Diabetes und starker Pitta-Energie empfehlenswert.

Wärmendes Kichadi

Zubereitungszeit: 2 Stunden
Portionen: 2—3
Wirkung: -Vata / + Pitta / -Kapha
Jahreszeit: F / H / W

1 Tasse Basmati-Reis · ½ Tasse halbierte Mungobohnen
1½ l Wasser · 1 EL Ghee · 1 TL Kreuzkümmelsamen · ⅛ TL Hing
1 TL Koriandersamen · ¾ TL Kardamomsamen · 1 TL schwarze
Pfefferkörner · 1 Lorbeerblatt · 2 weitere EL Ghee · ¼ TL Zimt
¼ TL Nelkenpulver · 1 TL Gelbwurz · ¾ TL Meersalz
1 EL Ingwerwurzel, gerieben · ½ kleine Zwiebel, fein geschnitten
1—2 Zehen Knoblauch (wahlweise) · ½ TL Kreuzkümmelpulver
ca. 800 g frisches, geschnittenes Gemüse (Karotten, Stangen-
bohnen, Zucchini …) · ca. ½ l oder mehr Wasser

Lassen Sie sich nicht von der langen Liste der Zutaten abschrecken — die Zubereitung ist so einfach wie alle anderen Kichadis.

Reis und Bohnen waschen, bis das Wasser ganz klar ist. 1 EL Ghee in einem mittelgroßen Topf erhitzen, Kreuzkümmelsamen und Hing zufügen und leicht anbräunen, dann Reis, Bohnen und 1½ l Wasser unterrühren, kurz aufkochen und 45 Minuten köcheln lassen.

2 EL Ghee in einer kleinen Pfanne erhitzen, Koriander, Pfefferkörner und Lorbeerblatt darin 2–3 Minuten anbraten. Dann restliche Gewürze, Zwiebel und Knoblauch einrühren, kurz anbraten und mit etwas Wasser in einem Mixer sehr fein zerkleinern. Die Mischung unter den Reis und die Bohnen rühren. ½ l Wasser in den Mixer geben, um die Restbestände an Gewürzen aufzufangen und in das Kichadi gießen. Zum Schluß wird das Gemüse zugefügt und etwa 20 Minuten mitgekocht.

Bemerkungen: Dieses Kichadi hat gute Heilwirkungen. Es regt die Verdauung und den Kreislauf an.

Kichadi für die Fortpflanzungsorgane

Zubereitungszeit: 1½ Stunden
Portionen: 4
Wirkung: -Vata / -Pitta / -Kapha
Jahreszeit: F / S / H / W

⅛ TL Safran · 2 EL Ghee · ½ TL Kreuzkümmelsamen
¼ TL Bockshornkleesamen · 3–4 Curryblätter (Neem)
1 EL Zwiebel, fein gehackt · ⅛ TL Hing · 1 Tasse halbierte
Mungobohnen · 1½ Tassen Basmati-Reis · 500 g Spargel
1 TL Meersalz · 1½ l Wasser · ¼ TL Kreuzkümmelpulver

Safran in einer Pfanne anrösten. Ghee, Kreuzkümmelsamen und Bockshornkleesamen zufügen, bei mittlerer Hitze erwärmen, bis der Kreuzkümmel braun geworden ist. Curryblätter, Zwiebel und Hing einrühren. Etwa 1–2 Minuten braten, bis die Zwiebeln glasig sind.

Bohnen, Reis, Wasser und Salz zufügen. Etwa 1 Stunde kochen, bis alles gar ist. Währenddessen Spargel in 2–3 cm lange Stücke schneiden und 15 Minuten vor dem Servieren dämpfen (siehe »Gedämpfter Spargel«, Seite 140). Spargel und Kreuzkümmelpulver in das Kichadi einrühren.

Für Vatas kann der Spargel mit 1 zusätzlichen TL Ghee angebraten und dann dem Kichadi zugefügt werden.

Bemerkungen: Dieses einfache Gericht ist speziell dazu geeignet, männliche und weibliche Fortpflanzungsorgane zu stärken (Fruchtbarkeit, Potenz) und hilft bei Menstruationsproblemen. Es eignet sich besonders für den Sommer.

Kichadi für Milz und Pankreas

Zubereitungszeit: 2 Stunden
Portionen: 4—5
Wirkung: -Vata / 0 Pitta / leicht -Kapha
Jahreszeit: F / S / H / W

1 TL Sonnenblumenöl · ¼ TL schwarze Senfsamen
¼ TL Kreuzkümmelsamen · ¼ TL Gelbwurz · ¼ TL Meersalz
3 Curryblätter (Neem) · 1 TL Ingwerwurzel, gerieben (je nach Geschmack mehr) · ½ Tasse halbierte Mungobohnen
1 Tasse Basmati-Reis oder Bulgur · ½ Zwiebel, fein gehackt
3 Karotten, geschnitten · 1½ l Wasser

GARNIERUNG: *Gehackte Korianderblätter (wahlweise)*

Öl in einer mittelgroßen Pfanne erhitzen, Senfsamen und Kreuzkümmel zufügen. Wenn die Senfsamen platzen, Gelbwurz, Zwiebel, Salz, Curryblätter, Ingwer einrühren und anbraten, bis die Zwiebeln gar sind. Die gewaschenen Bohnen zugeben, gut verrühren, das Wasser zufügen und aufkochen. Bei mittlerer Hitze bedeckt etwa 1 Stunde kochen. Karotten zufügen und weitere 15 Minuten kochen. Garniert mit gehackten Korianderblättern zur Stärkung der Verdauung servieren.

Bemerkungen: Tonisiert Bauchspeicheldrüse und Milz.

Kichadi für die Lunge (1)

Zubereitungszeit: Ca. 2 Stunden
Portionen: 2—3
Wirkung: -Vata/+Pitta/-Kapha
Jahreszeit: F/H/W

Wie »Wärmendes Kichadi« (siehe Seite 117), aber zusätzlich

*2 mittelgroße Süßkartoffeln (Bataten) · ½ TL Ajawan
(Selleriesamen) · 1 Stange Seetang (Kombu)*

Wie »Wärmendes Kichadi« mit folgenden Änderungen: Kartoffeln in
1—2 cm große Würfel schneiden. ½ TL Ajawan mit dem Kreuzkümmel
und Hing des Originalrezepts anbraten. Kartoffeln, Seetang, Bohnen,
Reis und Wasser zufügen, etwa 45 Minuten kochen.
Kein Lorbeerblatt und Ingwer nehmen, nur ¼ TL Kardamom. Ghee des
zweiten Kochgangs auf 1 EL beschränken, erhitzen, Koriander, Kardamom, Pfefferkörner und ¼ TL Ingwerpulver für 2—3 Minuten anbraten.
Restliche Gewürze, Zwiebel und 4 Knoblauchzehen einrühren.
Dann weiter wie bei »Wärmendes Kichadi«. Nach Belieben 1 EL lungen-
klärenden Leinsamen 15 Minuten vor Ende der Kochzeit einrühren.

Bemerkungen: Kichadi hilft besonders bei Erkältung, Bronchitis und
Grippe. Es ist relativ scharf, würzig und schmackhaft genug, um es neben einem anderen Gericht zusätzlich zu essen.
Ajawan und Ingwer befreien die Atemwege, Knoblauch und Zwiebel
stärken das Immunsystem und den Kreislauf. Süßkartoffeln, die reich
an Vitamin A sind, beruhigen die Lungenmembrane und Bronchien,
helfen aber auch dem Immunsystem. Der Seetang unterstützt die Ausscheidung von Schwermetallen wie Blei, das sich in der Atemluft von
Industriegebieten und Städten befindet.

Kichadi für die Lunge (2)

Zubereitungszeit: Ca. 1½ Stunden
Portionen: 4—5
Wirkung: 0 Vata/0 Pitta/-Kapha
Jahreszeit: F/H/W

1 Tasse Kichererbsen · 1½ l Wasser · ¼ TL Hing · 1—2 EL Ghee
½ TL schwarze Senfsamen · 1 TL Kreuzkümmelsamen
1 TL Gelbwurz · 1 große Zwiebel, gehackt · 2 Zehen Knoblauch,
gestoßen (nicht für Pitta) · 1 TL Salbei, kleingerieben
2 Tassen Basmati-Reis · ½—1 l zusätzliches Wasser (nach
Bedarf) · ¼ Stange Kombu (Seetang) · 1 Pastinake, geschnitten
(wahlweise) · 1 Karotte, geschnitten · 2 Tassen Kohl oder
Broccoli, geschnitten (nicht für Vata) · ¾ TL Meersalz
1 TL Korianderpulver · 1 TL Sesamsamen

Kichererbsen, 1½ l Wasser und Hing in einem Dampfkochtopf bei mittlerer Hitze 30 Minuten kochen. Zwischenzeitlich Ghee in einer mittelgroßen Pfanne erhitzen, Senfsamen und Kreuzkümmel zufügen. Wenn die Senfsamen platzen, Gelbwurz, Zwiebel, Knoblauch und Salbei einrühren und 2—3 Minuten bei kleiner Hitze köcheln lassen. Den Reis einrühren und beiseite stellen, bis die Kichererbsen gar sind.

Den gewürzten Reis, Seetang, Pastinake und ½—1 l Wasser zu den Kichererbsen geben, ca. 45 Minuten oder so lange kochen, bis der Reis weich ist. Restliches Gemüse und Gewürze einrühren, bedeckt weitere 15 Minuten köcheln lassen.

Bemerkungen: Kichererbsen kühlen und trocknen eine entzündete und irritierte Lunge. Mit seiner leichten Wärme reduziert der Salbei die gesteigerte Schleimproduktion der Lunge, während Karotten, Broccoli und Kohl dem Körper Vitamin A und C zuführen.

Dieses Kichadi ist gut für Lungen, die atemwegereizenden Chemikalien oder starker Luftverschmutzung ausgesetzt sind, oder sich von einer Erkältung bzw. Husten erholen sollen. Besonders geeignet für Kinder!

Kichadi für die Nieren

Zubereitungszeit: Ca. 1½ Stunden
(im Dampfkochtopf)
Portionen: 5—6
Wirkung: -Vata/-Pitta/-Kapha
Jahreszeit: H/W

1 Klettenwurzel (ca. 30 cm) · 1 Tasse Adzuki-Bohnen
½ Stange Seetang (Kombu) · 1½ l Wasser · 2 EL Ghee
1 TL Kreuzkümmelsamen · ¼ TL Fenchelsamen · 1 große Zwiebel,
gehackt · 1 TL Gelbwurz · 2 Lorbeerblätter · ⅛ TL Hing
3 Curryblätter/Neem (wahlweise) · ⅛ TL Zimt · 2 Karotten,
geschnitten · 2 Tassen Basmati-Reis · ¾ TL Meersalz
½ l Wasser zusätzlich (nach Bedarf)

Die Klettenwurzel waschen, schälen und in 2—3 cm lange Stücke schneiden. Bohnen, Klettenwurzel, 1½ l Wasser und Seetang im Dampfkochtopf 25—30 Wasser kochen (ohne Dampfkochtopf 2½—3 Stunden).
Ghee in einer kleinen Pfanne erhitzen, Kreuzkümmel, Fenchel, Zwiebel, Gelbwurz, Lorbeerblätter, Hing, Curryblätter und Zimt zufügen. Anbraten, bis die Zwiebel gar ist. Die in 1 cm lange Stücke geschnittenen Karotten und den Reis einrühren und 1—2 Minuten anbraten.
Reis, Gemüse, Gewürze und ½ l Wasser an die fertigen Bohnen geben, mit geschlossenem Deckel (nicht Dampfdruck) 20—30 Minuten köcheln lassen. Abschließend Salz zufügen, verrühren und servieren.

Bemerkungen: Für Vata mit trockenem Ingwer und Joghurt, für Pitta mit Korianderblättern und/oder Sojamilch servieren. Für Kapha nur 1 EL Ghee nehmen.

Kichadi für Leber und Gallenblase

Zubereitungszeit: 1 ½ Stunden
Portionen: 5—6
Wirkung: 0 Vata/-Pitta/-Kapha
Jahreszeit: F/S/H

*1 EL Sonnenblumenöl oder Ghee · 1 TL Kreuzkümmelsamen
½ TL schwarze Senfsamen · ½ TL ganze Koriandersamen
1 TL Gelbwurz · 80 g halbierte Mungobohnen · 2 Tassen Gerste
1 Klettenwurzel, etwa 18 cm, geschnitten · 1 Pastinake,
geschnitten (wahlweise) · 1 EL Löwenzahnwurzel, gehackt
1 TL Ingwerwurzel, gerieben · ½ Stange Seetang (Kombu)
250 g Broccoli und/oder 1 Bund Blattgrün (z. B. Löwenzahn)
¾ TL Meersalz · 1 EL Korianderpulver*

Ghee in einer großen Kasserolle erhitzen, Kreuzkümmel, Koriander
und Senfsamen einrühren und erhitzen, bis die Senfsamen platzen.
Gelbwurz und Bohnen zufügen, 30 Sekunden anbraten. 1¼ l Wasser,
Gerste, Klettenwurzel (geschält), Löwenzahnwurzel, Ingwer und Seetang dazugeben, aufkochen und bedeckt auf kleiner Flamme etwa 50 Minuten bzw. bis die Gerste gar ist, kochen. Gelegentlich umrühren und
eventuell Wasser zufügen, damit das Kichadi nicht zu trocken wird
und anklebt. Broccoli und/oder Blattgrün waschen, schneiden und mit
Salz und Koriander etwa 15 Minuten vor Ende der Kochzeit einrühren.

Bemerkungen: Dieses Kichadi ist leicht abführend, entwässernd und
regt den Gallenfluß an. Wenn Sie auf Fett gänzlich verzichten wollen,
können Sie die Gewürze und Bohnen in einer Pfanne anrösten, bevor
Sie Wasser und die anderen Zutaten zufügen. Shiitake-Pilze können
zusätzlich genommen werden, wenn Sie sich von einer Infektion erholen.
Die Pastinaken werden hauptsächlich verwendet, um das Gericht zu
süßen und zu kühlen.

Getreide

Getreide ist für die meisten Menschen der Erde ein Hauptnahrungsmittel. Aus westlicher Sicht benötigt man zusätzlich wenigstens eine kleine Menge Eiweiß, um daraus ein abgerundetes Hauptgericht zu machen. Doch in den meisten Teilen der Welt betrachtet man Getreide als völlig ausreichend und sättigend, wenn man nur soviel davon bekommt, um seinen Hunger zu stillen. Gewöhnlich fügt man Bohnen oder Milchprodukte zur Eiweißergänzung bei. Es können aber auch Nüsse oder Samen, Gemüse oder Fleisch sein. Aus ayurvedischer Sicht hängt das, was für Sie angebracht ist, von Ihrer Veranlagung, Ihren Bedürfnissen und Ihren Vorlieben ab.

In früheren Zeiten war das Getreide die Basis einer Vielzahl heilender ayurvedischer Schleimsuppen. Reis wurde als dünner Eintopf mit speziellen Gewürzen zubereitet, um Krankheiten in ihrer Entstehung zu behandeln. Auch getrocknete Getreide nahm man zur Heilung. Ein ayurvedischer Klassiker empfiehlt geröstetes Maismehl, Wasser, Honig und Ghee mit Gewürzen bei maßlosem Essen, schlechtem Erinnerungsvermögen und Intellekt oder schwacher Verdauung. Eine andere Variante war ein Gerstenschleim mit Buttermilch gegen Magenschmerzen.

Grundsätzlich hat das volle Korn einen süßen Geschmack, was man beim langsamen Kauen fast jedes ungesüßten gekochten Getreides selbst feststellen kann. Beim Kauen wird das, was den einfachen Zucker des Getreides zusammenhält, aufgelöst, und man erschmeckt seine ursprüngliche Süße. Seine Wirkung auf die Verdauung (auch langfristig) entspricht ebenfalls der süßen Nahrungsmittel. Aus diesen Gründen ist volles Korn auch wertvoll für die Stabilisierung. Und deswegen nehmen wir auch gelegentlich Getreide zu uns.

Westliche Forscher haben herausgefunden, daß beim Essen von viel Getreide die Aminosäure Tryptophan im Gehirn 1—2 Stunden später zunimmt. Das Gehirn nutzt Tryptophan, um unter anderem die Neurochemikalie Serotonin herzustellen, die für Wohlbefinden und Ausgeglichenheit im Körper sorgt.

Die Rezepte dieses Buches basieren auf vollem Korn, also nicht geschältem oder behandeltem, da dieses erheblich nahrhafter ist und ausgleichender wirkt. Volles, gekochtes Korn ist leicht stärkehaltig und enthält wenig Eiweiß. Es ist reich an B-Vitaminen, Spurenelementen und Ballaststoffen. Für Vatas und Pittas sind großzügige Portionen Getreide vorteilhaft, während Kaphas sich mit ihm etwas zurückhalten sollten. Jedoch tut allen Konstitutionen eine tägliche Portion warmes Getreide gut. Es wirkt ausgleichend und beruhigt den Stoffwechsel.

Jede Getreidesorte hat ihre speziellen Eigenschaften, die für Heilzwecke hilfreich sind. Weißer Basmati-Reis ist ein Getreide mit ausgleichender, beruhigender Wirkung auf alle Veranlagungen. Er ist leicht kühlend, süß, leicht und feucht. Man nimmt ihn zur Beruhigung des irritierten, gereizten oder entzündeten Darmes. In kleinen Mengen kann er auch von Kaphas genossen werden, da er leichter als anderes Getreide ist. Seine gute Verdaulichkeit machen ihn ebenfalls für Vatas und Pittas empfehlenswert. Wenn man beim Kochen zwei Gewürznelken zufügt, wirkt er nicht mehr kühlend, sondern leicht wärmend. Man enthält den Reis auch »parboiled«, was seinen Gehalt an B-Vitaminen im Vergleich zum Naturreis zwar verringert, aber leicht verdaulich macht und am wenigsten Blähungen verursachen wird. Bei diesem Verfahren werden die Vitamine im Reiskorn konzentriert, so daß sie nicht zur Gänze beim Polieren verloren gehen, wie das bei den Ballaststoffen der Fall ist.

Naturreis, auch Brauner Reis oder Vollreis genannt, besitzt noch Silberhäutchen und Keim, wodurch er vollwertig ist, aber auch schneller ranzig wird. Deshalb auf das Verfallsdatum achten! Brauner Basmati-Reis ist eine Variante des handelsüblichen braunen Reises und kommt Naturreis in seinen Eigenschaften am nächsten. Ungeschälter oder Naturreis ist wärmend, schwer, feucht und wirkt süß und adstringierend. Das macht ihn wertvoll für Vatas, die durch ihn stabilisiert, gewärmt und mit Feuchtigkeit versorgt werden. Diese Eigenschaften empfehlen ihn aber nur bedingt für Pittas und Kaphas, denn seine Grobheit und Härte kann den Darm irritieren. Während einige ayurvedische Heiler Naturreis selten, aber statt dessen Basmati-Reis empfehlen, nehme ich ihn recht oft. Nach meiner Erfahrung ist er besonders in unserer Kultur wertvoll wegen seinem reichen Angebot an B-Vitaminen und dem hohen Anteil von Ballaststoffen, die wir bei unserer normalen Ernährungsweise möglicherweise nur sporadisch zu uns nehmen, was Abhilfe bei Verstopfungen schafft. Er ist auch einer der besten stabilisierenden Reissorten ohne die intensive Schwere des Weizens. Wenn man ihn zur Hälfte mit Gerste zubereitet, kann brauner Reis das angemessene Getreide für Pittas sein. Beide Getreide haben in der ayurvedischen Medizin den Ruf, bei Erschöpfungszuständen zu helfen.

Wilder Reis ist dem braunen Reis in seinen Qualitäten und Wirkungen ähnlich. Er hat aber 50% mehr Eiweiß und wirkt dadurch etwas wärmender.

Einfacher indischer Reis

Zubereitungszeit: 20 Minuten mit Basmati-Reis; 45 Minuten mit Naturreis
Portionen: 3—4
Wirkung: -Vata/leicht +Pitta/+Kapha (Naturreis); -Vata/-Pitta/+Kapha (Basmati-Reis)
Jahreszeit: F/S/H/W

2 Tassen Basmati- oder Naturreis · 1 TL Sonnenblumenöl
¼ TL Senfsamen · ½ TL Kreuzkümmelsamen · 7 Tassen Wasser
1 TL Meersalz · ¼ TL gemahlener schwarzer Pfeffer

In einem mittelgroßen Topf Öl erhitzen, Senfsamen und Kreuzkümmel zufügen. Wenn die Senfsamen platzen, Wasser, Reis und Salz zufügen, zum Kochen bringen. Bedeckt auf kleiner Flamme 15 Minuten bei Basmati-Reis oder 35—40 Minuten bei Naturreis köcheln lassen. Zum Schluß schwarzen Pfeffer einrühren.

Safran-Reis

Zubereitungszeit: 30 Minuten
Portionen: 4
Wirkung: -Vata/-Pitta/ bei normalen
Mengen 0 Kapha
Jahreszeit: F/S/H/W

*⅛ TL Safran · 1 TL Kreuzkümmelsamen · 2 Tassen Basmati-Reis
6 Tassen Wasser · ½ TL Meersalz*

Safran und Kreuzkümmel in einer mittelgroßen Kasserolle 2–3 Minuten anrösten, so entfaltet sich der Geschmack am besten. Reis, Wasser und Salz zufügen, zum Kochen bringen, bedeckt auf kleiner Flamme etwa 15 Minuten köcheln.

Bemerkungen: Ein etwas kostspieliger, einfacher Reis, denn Safran ist recht teuer. Sein feiner Geschmack macht ihn geeignet als Beilage zu Dal und Gemüse. Falls sie die gelbe Farbe noch intensiver wollen, können Sie den Safran-Anteil *ruhig* verdoppeln!

Würziger Reis mit Joghurt

Zubereitungszeit: 10 Minuten
Portionen: 4—5
Wirkung: -Vata/+Pitta/+Kapha
(4 Tassen Joghurt)
-Vata/-Pitta/0 Kapha (Joghurt
und Sojamilch, Basmati-Reis)
Jahreszeit: S/H/W

*4 Tassen gekochter Natur- oder Basmati-Reis · 4 Tassen Joghurt
oder 1 Tasse Joghurt und 1 Tasse Sojamilch · 2 EL Sonnenblumenöl (1 EL für Kapha) · ½ TL Senfsamen · ½ TL Kreuzkümmelsamen · ⅛ TL Hing · 1 TL Meersalz · ½ TL schwarzer
Pfeffer · ½ TL Zimt · ¼ grüne Pfefferschote, gehackt (wahlweise)*

GARNIERUNG: *¼ Tasse Mandeln (wahlweise)*

Öl in einer mittelgroßen Kasserolle erhitzen, Senfsamen und Kreuzkümmel zufügen. Wenn die Senfsamen platzen, alle anderen Zutaten einrühren und kurz zum Kochen bringen, mit den Mandeln garnieren und heiß servieren.

Bemerkungen: Diese köstliche und einfache Speise kann immer schnell zubereitet werden, wenn man etwas gekochten Reis im Haus hat. Mit der ganzen Menge an Joghurt ist das Gericht bestens geeignet für Vata, mit Sojamilch — leichter und kühlender als Joghurt — ist es abgestimmt auf Pitta und Kapha.

Kartoffeln und Reis

Zubereitungszeit: 30 Minuten mit vorbereitetem Reis, ansonsten 45—75 Minuten
Portionen: 4—5
Wirkung: -Vata / 0 Pitta / +Kapha
Jahreszeit: F / W

1 Tasse ungekochter oder 3 Tassen gekochter Basmati- oder brauner Reis · 3 mittelgroße Kartoffeln · 3 EL Sonnenblumenöl 1 TL Senfsamen · 1 TL Gelbwurz · ½ Tasse Wasser 1 TL Meersalz · 1 Bund gehacktes, dunkles Blattgrün (wahlweise) 1½ TL Zitronensaft · ½ gehackte grüne Chilischote (wahlweise — nicht für Pitta) · 1 TL Honig

GARNIERUNG: *feingehackte, frische Korianderblätter*

Reis kochen und abkühlen lassen. Währenddessen Kartoffeln in kleine Stücke schneiden und zweimal waschen. In einer großen, tiefen Pfanne Öl erhitzen und Senfsamen zufügen. Wenn die Senfsamen springen, Gelbwurz, Kartoffelstücke, Blattgrün, ½ Tasse Wasser und ½ TL Salz zufügen. Gut verrühren und bei kleiner Hitze etwa 15 Minuten kochen, bis die Kartoffeln gar sind. Außer Honig alle anderen Zutaten zufügen, gut vermischen und weitere 3 Minuten kochen. Schließlich den Honig darüber tropfen, gut unterrühren und mit Korianderblättern garnieren.

Bemerkungen: Eignet sich gut als komplettes Mittag- oder leichtes Abendessen. Zusätzlich darüber getropfter Zitronensaft ist eine gute Garnierung für Vata. Auf diese Weise kann Vata problemlos weiße Kartoffeln genießen, da sie durch diese Art der Zubereitung warm und feucht werden.

GERSTE

Die Kennzeichen der Gerste sind Kühle, Leichtigkeit und Trockenheit. Sie wirkt entwässernd und laxativ. Einerseits zieht sie Feuchtigkeit im Körper an, andererseits sorgt sie dann für eine noch stärkere Entwässerung. Dadurch ist sie gut für Kapha-Typen, aber nicht so empfehlenswert für Vatas. Durch ihre kühlende Eigenschaft ist sie hilfreich für Pitta. Sie ist grundsätzlich gut, um Verstopfungen vorzubeugen und chronischen Durchfall mit Schleimausscheidung zu heilen.

Bei stark ausgeprägter Vata-Energie kann Gerste zur Linderung genommen werden, wenn sie mit medizinischen Kräutern (Fenchel, Kalmus) gut gewürzt und mit Öl und Essig angefeuchtet ist. Als Getreidetrunk (siehe Gerstentee, Seite 226) ist sie fiebersenkend und wirkt beruhigend auf infektiöse Harnwege. Darüber hinaus ist Gerste ein nahrhaftes Nahrungsmittel für Kleinkinder.

Gewürzte Gerste

Zubereitungszeit: 1 Stunde
Portionen: 4—5
Wirkung: leicht +Vata* / -Pitta / -Kapha
Jahreszeit: F / W

1 Tasse trockene Gerste · 6 Tassen Wasser · 1 Klettenwurzel (4—5 cm)
½ TL Meersalz · 1 gehackte Zwiebel (wahlweise) · ½ Stengel Kombu
1 TL Salbei · schwarzer Pfeffer und Ghee zum Abschmecken

Die geschälte Klettenwurzel fein hacken und mit allen anderen Zutaten (außer Salbei, Pfeffer und Ghee) in einer mittelgroßen, tiefen Pfanne zum Kochen bringen. Abdecken und bei mittlerer Hitze etwa 50 Minuten gar kochen. Salbei, Pfeffer und Ghee nach Geschmack zufügen und nochmals 5 Minuten köcheln lassen.

Bemerkungen: Das Gericht ist speziell hilfreich bei Entzündungen des Magens und Darms (Schleimhautentzündung, Magengeschwür, nervöser Magen etc.).

---

* +Vata, wenn häufig genossen (gelegentlich akzeptabel)

Einfache Gerste

Zubereitungszeit: 1 Stunde
Portionen: 4—5
Wirkung: leicht +Vata/-Pitta/-Kapha
Jahreszeit: F/H/W

1 Tasse ungekochte Gerste · 5 Tassen Wasser · ¼ TL Meersalz
2 EL feingehackte, frische Petersilie · 1 TL Cumin

Gerste, Salz und Wasser in einer mittelgroßen, tiefen Pfanne zum Kochen bringen. Abdecken und bei mittlerer bis kleiner Hitze etwa 50 Minuten köcheln lassen, bis die Gerste gar ist. Petersilie und Cumin unterrühren und servieren.

Bemerkungen: Mit zusätzlich Ghee wird das Gericht etwas ausgeglichener für Vata und kann gelegentlich gegessen werden. Ganzjährig geeignet für Kapha und Pitta.

Gerste mit Pilzen

Zubereitungszeit: 75 Minuten
Portionen: 4—5
Wirkung: leicht +Vata/-Pitta/-Kapha
Jahreszeit: F/W

2 Tassen Gerste · ¾ l Wasser · 1 Tasse Shiitake-Pilze
3 EL Butter oder Ghee (1 EL für Kapha) · 1 TL Senfsamen
1 TL Sesamsamen · 2 Nelken · 1 TL Meersalz · ¼ TL gemahlener
Pfeffer · 3 EL Petersilie, fein gehackt

GARNIERUNG: *Zusätzlich Ghee, Sesamsamen und Nelken*
zur Beruhigung von Vata.

Gerste in einem großen Topf zum Kochen bringen, dann abdecken und 50—60 Minuten köcheln lassen. Inzwischen Shiitake-Pilze für mindestens 15 Minuten einweichen, danach abtropfen und klein schneiden. Wenn die Gerste gar ist, Butter bzw. Ghee in einer kleinen Pfanne erhitzen und Senfsamen zufügen. Wenn die Senfsamen platzen, Sesamsamen, Nelken und Pilze zugeben. Bei kleiner Hitze 4—5 Minuten braten, anschließend mit allen anderen Zutaten in die Gerste gut einrühren. Nochmals 2—3 Minuten kochen.

ROGGEN, BUCHWEIZEN, HIRSE

Diese drei Getreidesorten sind warm, leicht und trocken. Deshalb sind sie ideal für die Kapha-Veranlagung. Insbesondere Roggen und Hirse, aber auch Gerste, sind ausgleichende Getreidesorten für diesen Typ. Der Vata-Typ sollte sie jedoch nicht allein essen, da sie zu trocken für ihn sind. Mit der Zugabe von zusätzlicher Feuchtigkeit auch für Pitta verträglich.

Jahrhundertelang wurden Buchweizen und Roggen mit Weizen gemischt zubereitet. Damit schuf man einen Ausgleich der schweren, kalten, feuchten Eigenschaften des Weizens durch die Trockenheit und Leichtigkeit der Hirse und des Buchweizens. Diese Kombination ist für Pitta und Vata hilfreich, die normalerweise ein reines Roggenbrot nicht gut verdauen können, wohl aber eine Roggen-Weizen-Mischung. Kapha dagegen verträgt alle Roggenprodukte, am besten getoastet oder geröstet. Roggen-Krackers sind besonders wertvoll für den Kapha, ebenso reine Soba-Nudeln (Buchweizennudeln), die ihn in den Genuß der sonst nicht empfohlenen Teigwaren kommen lassen.

Würzige Hirse mit Kartoffeln

Zubereitungszeit: 10 —15 Minuten
(mit vorgekochtem Getreide)
Portionen: 2—4
Wirkung: +Vata / 0 Pitta / - Kapha
Jahreszeit: F / W

*3 Tassen gekochte Hirse · 1 große Kartoffel · 2 EL Sonnenblumenöl
⅛ TL Hing · ½ TL Senfsamen · ¼ TL Curry · 1 TL frischer
Ingwer, gerieben oder ⅛ TL Ingwerpulver · ½ TL Meersalz*

GARNIERUNG: *feingehackte Korianderblätter*

Kartoffel gut waschen, schrubben, würfeln. Öl in einer mittelgroßen Pfanne erhitzen, Hing und Senfsamen anbraten. Wenn die Senfsamen platzen, Kartoffelwürfel und Curry einrühren. Bei kleiner Hitze 5—7 Minuten braten. Hirse und alle anderen Zutaten zufügen, gut verrühren.

Bemerkungen: Paßt gut zu Joghurt (Ziegenmilchjoghurt) und Gemüse-Curry.

Hirse mit Kräutern

Zubereitungszeit: 35 Minuten
Portionen: 4
Wirkung: +Vata/+Pitta/-Kapha
(kann gelegentlich von Vata und Pitta gegessen werden, dann aber mehr Wasser für Vata und kein Knoblauch für Pitta)
Jahreszeit: W

2 Tassen Hirse · ⅝ l Wasser (¾ l für Vata) · ¼ TL Meersalz
½ kleine Zwiebel, fein gehackt · 3 kleine Zehen Knoblauch,
ungeschält oder 1 kleine Zehe, geschält und gestoßen (nicht für Pitta)
1 TL Salbei

Alle Zutaten in einer Kasserolle zum Kochen bringen. Bedecken und bei kleiner Hitze etwa 20—30 Minuten bzw. bis die Hirse alle Flüssigkeit aufgenommen hat, köcheln.

Bemerkungen: Mit mehr Wasser wird die Speise cremiger und beruhigt Vata. Kann zu allen Tageszeiten gegessen werden.

WEIZEN

Weizen ist das schwerste und feuchteste Getreide. Das hat Vor- und Nachteile. Er gleicht ausgezeichnet trockene Bohnen wie Kichererbsen aus, gibt kühlenden und feuchten Nahrungsmitteln wie Käse Stabilität und fördert die Gewichtszunahme. Er ist sehr gut verträglich für Vata, wirkt ausgleichend auf Pitta (da kühl und schwer) und äußerst störend auf das Gleichgewicht von Kapha.

Viele Menschen haben eine Weizen-Allergie, was auf eine zu frühe Ernährung mit Weizen im Kleinkindalter beruhen kann. In diesem Alter ist das Verdauungssystem noch nicht bereit, Getreide zu verdauen. Dadurch wird es wie eine fremde Substanz vom Körper behandelt, Antikörper werden gebildet, und es kommt zu einer Allergie. Die Symptome einer Weizen-Allergie können Kopfschmerzen, Gelenkschmerzen, Verdauungsunfähigkeit, Trägheit und Stimmungsschwankungen sein. Dann sollte man Weizen oder andere Getreide völlig meiden, auch wenn die Ayurveda es als wertvoll empfiehlt. Manchmal kann diese Allergie geheilt werden, indem man zeitweilig auf die allergieauslösenden Nahrungsmittel verzichtet und mit geübter Hilfe die Verdauungskräfte und das Immunsystem stärkt.

BROTE

Rotalis oder Chapatis

Zubereitungszeit: 2 Stunden
Portionen: 20—25
Wirkung: -Vata/-Pitta/+Kapha
Jahreszeit: F/S/H/W

500 g Weizen-Vollkornmehl · 2 TL Sonnenblumenöl · ¼ l warmes Wasser · ca. 1 Tasse zusätzliches Weizen-Vollkornmehl · Ghee

Öl und Mehl in einer Schüssel vermischen, Wasser zufügen und einen Teig herstellen. Der Teig wird weicher als gewöhnlich sein. Bedecken und 1 Stunde gehen lassen. Nochmals 1 TL Öl gut einkneten und 20 bis 25 Bällchen formen. Bällchen mit Mehl bestäuben und in runde Fladen von etwa 10 cm Durchmesser ausrollen. Nochmals mit Mehl bestäuben und auf insgesamt ca. 15 cm Durchmesser ausrollen.

Rotalis/Chapatis in einer heißen Eisenpfanne bei mittlerer Hitze auf jeder Seite ½ Minute oder bis sich Blasen bilden, anrösten. Anschließend direkt auf die Herdplatte legen, bis sie sich wie ein Ballon aufblasen. Abschließend Ghee darüber verstreichen.

Bemerkungen: Rotalis/Chapatis sind das klassische indische Fladenbrot und eine gute Alternative für hefefreies Brot. 1 TL oder 1 EL Kreuzkümmelsamen und schwarze Pfefferkörner können dem Teig zugefügt werden, damit ein schärferer Geschmack erzielt und die Verdauung angeregt wird.

Kinder kann man mit Fladenbrot erfreuen, das mit Nußbutter, Mandel-, Apfelmus oder Sirup bestrichen und aufgerollt wird.

Sie eignen sich als Beilage zu Reis und Suppe oder jeglichen Gemüsegerichten.

Roggen-Chapatis

Zubereitungszeit: Ca. 30 Minuten
Portionen: 5
Wirkung: mittel + Vata / mittel + Pitta / - Kapha
Jahreszeit: F / S / H / W

1 Tasse Roggenmehl · ¼ TL Ghee · ¼ Tasse kaltes Wasser

Ghee mit den Fingerspitzen in das Mehl kneten. Wasser zufügen, gut durchkneten. 5 Bällchen aus dem Teig formen und mit Roggenmehl einstäuben. Auf einer reichlich mit Mehl bestäubten Unterlage und Rollholz auf etwa 14–15 cm Durchmesser ausrollen. Dann die Chapatis zweimal rösten.

1. Rösten: Auf beiden Seiten 15 Sekunden bis 1 Minute in einer trockenen, heißen Pfanne anrösten, bis die Chapatis Blasen an der Oberfläche bilden bzw. leicht gebräunt sind.

2. Rösten: Bei einem Gasherd kann man sie direkt auf der Flamme erhitzen. Die Chapatis werden sich bei direkter Hitze aufblasen. In diesem Moment sofort wenden und abschließend eine Seite mit Ghee einstreichen.

Bei einem Elektroherd ist es ratsam, eine leicht eingeölte zweite Pfanne bereitzuhalten, in der die Chapatis abschließend auf beiden Seiten leicht gebacken werden.

Maisbrot

Zubereitungszeit: 45 Minuten
Portionen: 1 Laib oder 9—12 Stücke
Wirkung: siehe unten
Jahreszeit: F / W

*1 Tasse Maismehl · 1 Tasse Gersten- oder Reismehl
1 TL Meersalz · 2½ TL Backpulver · 2 Eiweiß oder 1 Ei
1½—4 EL Sonnenblumenöl oder Ghee · 1 EL Süßstoff
(Ahornsirup, Reissirup, Apfelkonzentrat) · 1 Tasse Milch*

Ofen auf 200 °C vorheizen. Ein 20 x 20 cm großes Backblech leicht einfetten und 5 Minuten im Ofen vorwärmen. Alle trockenen Zutaten gut
miteinander vermengen (besonders wichtig bei Maisbrot für Kapha: ein
Minimum an Öl macht das Brot bekömmlicher). Eiweiß oder Ei leicht
verquirlen und die restlichen flüssigen Zutaten einrühren. Nun alles
mit einem Löffel kurz vermengen. Teig auf das heiße Blech gleichmäßig verteilen und etwa 25—30 Minuten backen. Heiß servieren.

Für die jeweilige Konstitution empfiehlt es sich, aus den Zutaten aus-
zuwählen bzw. Mengen zu verändern:

Vata: Reismehl, Kuhmilch (-Vata/-Pitta/leicht +Kapha).

Pitta: Gersten- oder Reismehl, Eiweiß, 2—4 EL Fett (-Pitta/o Vata/leicht
+Kapha).

Kapha: Gerstenmehl, minimale Menge Fett, Apfelkonzentrat, Ziegen-
oder Sojamilch.

Für alle Veranlagungen: Eiweiß, 3 EL Fett, Ahorn- oder Reissirup, Sojamilch oder ½ Tasse Kuhmilch mit ½ Tasse Wasser (-Pitta/-Vata/o Kapha).

Bemerkungen: Der Trick beim Zubereiten ist hier, genügend Fett zuzu-
fügen, um das Maisbrot delikat schmecken zu lassen, doch nicht zuviel
Fett, so daß es Kapha anregt. Wenn es aufgewärmt werden muß, soll es
nicht getoastet, sondern gedünstet werden, da es sonst zu stark aus-
trocknet! Vata und Pitta können es zur Beruhigung mit Butter oder
Ghee und Süßstoff genießen, um die trocken-warme Wirkung zu dämpfen.

HAFERKLEIE

Dieses Getreideprodukt enthält Ballaststoffe und reduziert den Cholesterinspiegel. Haferkleie ist wesentlich leichter und trockener als der gewöhnliche Hafer. Sie wirkt ausgesprochen ausgleichend auf Kapha, z.B. als kaltes Frühstück in Form eines Müslis, relativ neutral auf Pitta und überhaupt nicht ausgleichend auf Vata, es sei denn, sie wird mit viel Flüssigkeit zubereitet.

Haferkleie kann auch Backwaren (Semmeln, Broten) zugefügt werden, um sie in ihren Wirkungen leichter und ballaststoffreicher zu machen. Ergänzend ist noch zu bemerken, daß die Ayurveda rauhe, trockene Nahrungsmittel wie Haferkleie als Gegenmittel zu vielen schweren und/ oder süßen Nahrungsmitteln (Fleisch, Wein, Käse, Süßspeisen) sehr schätzt.

Haferkleie-Küchlein

Zubereitungszeit: 45—50 Minuten
Portionen: 12 Küchlein
Wirkung: +Vata/-Pitta/-Kapha
Jahreszeit: F/S/H/W

2 Tassen Haferkleie oder 8 Tassen Haferflocken · 1 TL Meersalz 2 TL Backpulver · ¼ TL Zimt · ¼ TL Nelken, gemahlen ½ l Ziegenmilch · 1 Tasse getrocknete Datteln oder 1 Tasse ungesüßtes Apfelmus · 1 Tasse Rosinen · ½ Tasse Ghee oder Sonnenblumenöl · 1 Ei oder 2 Eiweiß · 1 Tasse Sonnenblumenkerne (wahlweise)

Ofen auf 200—210 Grad vorheizen, die Kuchenförmchen einfetten. (Diese amerikanischen Küchlein haben eine konische Form und sind etwa 5 cm im Bodendurchmesser, 6—8 cm hoch. Anm.d.Ü.) Wenn Haferflocken genommen werden, sollten sie in einem Mixer soweit zerkleinert werden, daß sie ein grobkörniges Mehl ergeben. 8 Tassen Haferflocken ergeben 4 Tassen Mehl.

Haferkleie oder -mehl mit Salz, Backpulver, Gewürzen und Sonnenblumenkernen (wahlweise) gut vermischen. Ziegenmilch in einer kleinen Pfanne zum Kochen bringen. Milch, Datteln/Apfelmus, Ei/Eiweiß und Öl/Ghee in einem Mixer zu einem Brei verarbeiten, so daß die Datteln feingehackt sind. Diese Mischung kurz und schnell in die Haferkleie einrühren, wobei die Masse nicht fest werden soll. Rosinen einrühren und die Förmchen zu $^2/_3$ bis $^3/_4$ mit der Backmasse füllen, 20 bis 25 Minuten backen. Test: Die Küchlein sind fertig, wenn ein hineingestecktes Messer sauber aus ihnen herauskommt.

Bemerkungen: Die Küchlein schmecken gut mit Ghee zum Tee. Pittas können nach Belieben auch Soja- oder Kuhmilch nehmen. Der adstringierende Effekt der Ziegenmilch ist jedoch für Pitta und Kapha gut.

Variation: 4 Tassen Haferflocken mit 2 Tassen Vollweizenmehl, Kuhmilch durch Ziegenmilch ersetzen, 1 Tasse Süßmittel (Sirup, Fruchtdicksaft o.ä.) zusätzlich anstatt der Datteln oder des Apfelmus nehmen. (-Vata/-Pitta/+Kapha)

Weizenfreies Brot

Zubereitungszeit: 40 Minuten
Portionen: 6—8
Wirkung: leicht + Pitta/leicht + Vata/
-Kapha*
Jahreszeit: F/W

*3 Tassen Haferkleie · 1½ Tassen Maismehl · 1 TL Meersalz
2 TL Backpulver · ½ l Soja- oder Kuhmilch (Sojamilch für Kapha)
1—2 EL Ahornsirup (2 EL für Vata und Pitta, 1 EL für Kapha,
oder je nach Geschmack) · 1 großes Ei · 1 EL Sonnenblumenöl
oder Ghee · ½ Tasse Sonnenblumenkerne (wahlweise)*

Ofen auf 210—220 Grad vorheizen. Alle trockenen Zutaten in einer mittelgroßen Schüssel vermischen. In einer anderen Schüssel das Ei schlagen, dann Milch, Sirup und Öl unterrühren. Die flüssige Mischung kurz in die trockene Mischung einrühren. Der Teig sollte die Konsistenz einer dicken Suppe haben. In eine eingefettete Brot-Backform gießen. 20—25 Minuten backen. Nach Belieben in Scheiben schneiden.

Bemerkungen: Der Vorteil dieses Brotes liegt in seiner Feuchtigkeit. Es hält gut zusammen und schmeckt gut. Man kann aus ihm auch ein Früchtebrot mit gestampften Bananen, Aprikosen oder Datteln machen, dabei muß aber etwas weniger Flüssigkeit genommen werden.

Variation: Salbei-Zwiebel-Brot. In 1 EL des Öls 1 kleine, gehackte Zwiebel anbraten. Kein Süßmittel nehmen, aber 1 TL Salbei, fein gehackt oder trocken. Beides den flüssigen Zutaten zufügen. Dieses Brot ist leicht und sehr schmackhaft. (+ Vata/leicht + Pitta/-Kapha)

---

* Vata und Pitta können den Genuß dieses Brotes mit zusätzlich Butter und Marmelade oder Ghee und einem Süßmittel verbessern.

Gemüse

Gemüse ist gut dazu geeignet, ein Gericht schmackhaft, farbenfroh und leicht verdaulich zu machen. Nicht zuletzt kann man mit ihm den Geschmack auf alle verschiedenen Veranlagungen abstimmen. Es bietet viele Vitamine, wenig Kalorien und Sättigung ohne schwerverdauliche Masse — es ist eines der leichtesten Nahrungsmittel, wenn es richtig zubereitet wird. Gemüse läßt sich gut mit den meisten Nahrungsmitteln, einschließlich Eiweiß, Getreide und Fett, kombinieren.

Seine Geschmacksrichtungen sind vielfältig: süßlich (Rüben), bitter (dunkles Blattgrün), adstringierend (Spargel) und scharf (Brunnenkresse) oder salzig (Sellerie). Damit kann es für eine Vielzahl von Heilzwecken genutzt werden.

Wie die meisten Nahrungsmittel wird es von der Ayurveda in warm oder kalt und leicht oder schwer eingeteilt. Warmes Gemüse ist am vorteilhaftesten für Vata und Kapha, die kühlen Arten sind gut für Pitta. Schwere Wurzeln gleichen den leichten Vata-Typ aus und Blattgemüse wird oft als wichtig für Kapha empfohlen.

SPARGEL

Spargel ist eines der wenigen Gemüse, das von allen Typen ohne eine spezielle Zubereitung gegessen werden kann. Seine süße, adstringierende, bittere, kalte, leichte und feuchte Eigenschaft machen ihn zum idealen Gemüse für Pitta. Er stabilisiert Vata, da er leicht verdaulich ist, und stimuliert und gibt Kapha das Gefühl der Leichtigkeit. Spargel kann gedünstet oder gebraten werden und findet sich in einer großen Vielzahl von Curries, Kichadis und Hauptgerichten wieder. Ayurveda nutzt ihn zum Abführen, zur Beruhigung der Nerven, als Herztonikum, als Aphrodisiakum und zur allgemeinen Stärkung.

Gedämpfter Spargel

Zubereitungszeit: Maximal 15 Minuten
Portionen: 3–4
Wirkung: -Vata/-Pitta/-Kapha
Jahreszeit: F/S/H

500 g frischer Spargel · 2 Tassen Wasser · 1 EL Ghee oder Butter

Wasser in einen mittelgroßen Topf geben und erhitzen. Den geputzten, gewaschenen ganzen Spargel (ohne die holzigen Endstücke) in das kochende Wasser geben, bedecken, 5–8 Minuten kochen. Mit Ghee oder Butter servieren.

Spargel mit Pastinaken

Zubereitungszeit: 30 Minuten
Portionen: 4–5
Wirkung: -Vata/-Pitta/0 Kapha
Jahreszeit: F/S/H/W

500 g frischer Spargel · 3 mittelgroße Pastinaken
1–2 EL Sonnenblumenöl oder Ghee (2 EL für Vata und Pitta,
1 EL für Kapha) · 1 Tasse Wasser · ½ TL Bockshornkleesamen
¼ TL schwarze Pfeffersamen (nicht für Pitta) · ¼ TL Hing
½ TL Gelbwurz · ½ TL Meersalz · ½ TL Kreuzkümmelpulver
¼ TL gemahlener schwarzer Pfeffer · 1 EL Korianderpulver

GARNIERUNG: *kleine grüne Pfefferschoten, gehackt (für Kapha, ein wenig für Vata), Pfefferkörner, gehackt und trockener Ingwer, gehackt (für Kapha)*

Das gut gewaschene Gemüse trocknen. Spargel in 3 cm lange Stücke und Pastinaken in etwa 1,5 cm große Würfel schneiden. Die Hälfte des Öls in einem Topf erhitzen, Bockshornkleesamen und Senfsamen zugeben. Wenn die Senfsamen platzen, Hing, Pastinaken und Gelbwurz einrühren. Gut vermischen. Wasser zufügen, bei mittlerer Hitze etwa 4 Minuten kochen.

Das restliche Öl in einer Pfanne erhitzen, Spargel darin etwa 5–8 Minuten anbraten. Restliche Zutaten unter die Pastinaken rühren. Bedekken, bei kleiner Hitze weitere 5–10 Minuten kochen. Kurz vor dem Servieren Spargel und Pastinaken vermischen.

Bemerkungen: Kombinieren mit Buttermilch-Curry (Seite 92) und Reis. Das Gericht basiert auf einem alten, originalen Rezept der Region Gujarati, das aus Okra und Kartoffeln besteht.

Wenn Sie das Originalgericht probieren wollen, nehmen Sie 500 g frischen Okra (Bhindi) anstelle des Spargels und 2 kleine Kartoffeln anstelle der Pastinaken. Grüne Bohnen können auch anstatt des Spargels genommen werden.

Spargel und Pastinaken sind eine gute Kombination zur Tonisierung der männlichen und weiblichen Fortpflanzungsorgane.

ARTISCHOCKEN UND OKRA

Artischocken sind — ähnlich wie Spargel — für alle Veranlagungen ausgleichend wirksam. Sie sind ebenfalls kühl, leicht, feucht, süß und adstringierend. Ihnen fehlt zwar der feine, bittere Geschmack des Spargels, was sie nicht übermäßig heilsam für Kapha und Pitta macht, aber sie können von allen Typen gegessen werden, ohne deren Energie aus dem Gleichgewicht zu bringen. Für Vatas müssen sie aber gut gekocht und vorzugsweise warm gewürzt werden.

Okra als tropisches Gemüse findet sich häufig in Indien. Das gallertartige Gewächs, auch »eßbarer Hibiskus« genannt, wirkt wohltuend auf Pitta, neutral auf Kapha und leicht anregend auf Vata. Es ist kühl, abführend, beruhigend und besänftigend. Wenn es gekocht ist, wird es von allen Veranlagungen gut vertragen. Man nimmt Okra als infektionshemmendes Mittel bei Blasenentzündungen, Halsentzündungen, Fieber, Bronchitis und nervösem, gereiztem Darm.

Einfache Artischocken

Zubereitungszeit: 50 Minuten
(Dampfkochtopf: 15 Minuten)
Portionen: 2
Wirkung: -Vata/-Pitta/-Kapha
Jahreszeit: F/S/H/W

2 große Artischocken · 1½ l Wasser · 1 Lorbeerblatt
¼ TL Meersalz (wahlweise)

Artischocken waschen und Stiele abbrechen oder -schneiden. Wasser in einer großen Kasserolle zum Kochen bringen. Artischocken, Lorbeerblatt und Salz zufügen. Bei mittlerer Hitze bedeckt etwa 45 Minuten oder bis die Artischocken gar sind, kochen.

Bei Gebrauch eines Dampfkochtopfs alle Zutaten in den Topf geben und etwa 12 Minuten (bei kleinen Artischocken etwa 8 Minuten) kochen.

Bemerkungen: Dazu paßt Zitrone, Ghee, Mayonnaise oder Gurken-Raita (Seite 193). Das Lorbeerblatt wärmt und macht die Artischocken verdaulicher für Vata und Kapha. Wirkt gut bei einer trägen, verstopften Leber.

Sautierte Okraschoten

Zubereitungszeit: 30 Minuten
Portionen: 4—5
Wirkung: -Vata/-Pitta/+Kapha
Jahreszeit: S/H

500 g frische Okraschoten · 4 EL Sonnenblumenöl oder Ghee
½ TL Bockshornkleesamen · ¼ TL Gelbwurz · ⅛ TL Hing
½ TL Meersalz · 2 TL Korianderpulver · ¼ TL schwarzer
Pfeffer · ¼ TL Cumin

Die gewaschenen und gut getrockneten Okraschoten in 1—1,5 cm lange Stücke schneiden. Die Stielansätze nicht verwenden. In einer schweren Pfanne Öl erhitzen, Bockshornkleesamen zugeben. Sobald sie gebräunt sind, Gelbwurz, Hing, Salz und Okra zufügen. Gut verrühren und bei kleiner Hitze 10 Minuten zugedeckt kochen. Anschließend bei sehr geringer Hitze weitere 10 Minuten offen kochen. Gelegentlich umrühren, um ein Ankleben der Okraschoten zu vermeiden. Restliche Zutaten unterrühren und servieren.

Bemerkungen: Als Beilage empfehlen sich Indische Erbsen (Seite 108) und einfacher indischer Reis (Seite 126).

Grüne Bohnen »Bhaji«

Zubereitungszeit: 45 Minuten
Portionen: 4—6
Wirkung: -Vata/-Pitta/-Kapha
Jahreszeit: F/S/H/W

1 kg grüne Bohnen, geschnitten · 1 EL Sonnenblumenöl oder Ghee
½ TL schwarze Senfsamen · ⅛ TL Hing (wahlweise, gut für Vata)
1 TL Gelbwurz · 2—6 EL Wasser · ½ TL Meersalz
3 cm Ingwerwurzel, gehackt · 1 kleine grüne Pfefferschote (Chili)
1 Tasse Korianderblätter, gehackt

GARNIERUNG: *ungesüßte Kokosraspeln, gehackte Korianderblätter*

Öl in einem großen Topf erwärmen, Senfsamen zufügen. Wenn die Senfsamen platzen, Gelbwurz und Hing gut einrühren. Bohnen und 2—3 EL Wasser zufügen, gut verrühren. Bedeckt bei kleiner Hitze etwa 15—30 Minuten kochen, bis die Bohnen gar sind.
Restliches Wasser und Zutaten sowie Hälfte der Kokosraspeln in einem Mixer zu einem Püree verarbeiten. Püree gut in die Bohnen einrühren, 1—2 Minuten köcheln lassen. Mit Korianderblättern und restlichen Kokosraspeln garnieren.

Bemerkungen: Dazu passen Dal und Basmati-Reis. Je frischer die Bohnen sind, desto weniger Reizwirkung haben sie auf alle Veranlagungen. Für Pitta reichlich und Kapha sparsam mit Kokosraspeln und Korianderblättern garnieren, für Vata mehr Ghee nehmen.

BLATTGRÜN

Eine der angenehmsten Arten, Bitterstoffe zuzuführen ist die Verwendung von Blattgrün. Wir empfehlen bei unseren Rezepten gelegentlich dunkles Blattgrün, um den Mangel an Bitterstoffen in der üblichen westlichen Ernährung auszugleichen. Reich an Vitaminen und Mineralien, leicht und scharf sind dunkles Blattgrün wie Endivie, Senf, Löwenzahnblätter, Grünkohl, Mangold und Steckrübenblätter. Sie alle sind besonders heilsam für die Leber und das Immunsystem, und wirken unterstützend auf Augen, Haut und Schleimhäute.

Richtig zubereitet sind sie leicht verdaulich und regen die Ausscheidung an. Man kann sie bis zu drei- oder viermal pro Woche wegen ihrer Heilkräfte essen. Sie sind ein ausgezeichnetes Tonikum im Frühling. Da die meisten Blattgrünsorten eine scharfe Wirkung auf die Verdauung haben, ist es am besten, sie mit reichlich kühlendem Korianderpulver zuzubereiten.

Spinat kühlt, nährt und beruhigt durch seine leichten und trockenen Eigenschaften und seine starke Wirkung auf die Verdauung. In großen Mengen reizt er Pitta und Vata, dagegen kann Kapha gut damit umgehen. Kleine Mengen werden allgemein gut vertragen und sind nützlich bei der medizinischen Behandlung von Lungen- und Leberkrankheiten.

Einige Blattgrünsorten sind schärfer als die meisten anderen, so z.B. Senf. Besonders bei Pitta muß auf den Geschmack des Blattgrüns geachtet werden. Je schärfer es ist, desto einfacher verwertbar für die meisten Kaphas und Vatas, aber Pitta verträgt davon nur minimale Mengen. Vatas fühlen sich am wohlsten mit gut durchgekochtem Blattgrün. Die anderen Typen können es auch als Rohkost zu sich nehmen.

Beliebtes Blattgrün
(Standardrezept für Blattgrün)

Zubereitungszeit: 10—20 Minuten
Portionen: 2—4
Wirkung: -Vata/-Pitta/-Kapha
(-Vata, wenn nur gelegentlich
gegessen, sehr beruhigend für
Pitta und Kapha)
Jahreszeit: F/S/H/W

*250 g Blattgrün · 1—1½ Tassen Wasser · 1 TL Sonnenblumenöl
oder Ghee · ½ TL Kreuzkümmelsamen · 1 TL Korianderpulver*

Blattgrün waschen, schneiden, Stiele entfernen. Wasser in einem schweren Topf erhitzen. Blattgrün zufügen, bedeckt bei kleiner Hitze köcheln, bis die Blätter gar sind (7—10 Minuten). Wasser abgießen (kann für eine Gemüsesuppe aufbewahrt werden, falls nicht zu bitter).
Öl in einer Pfanne bei kleiner Hitze erwärmen, Kreuzkümmelsamen zugeben. Wenn der Kreuzkümmel braun ist, Koriander zufügen — nicht anbrennen lassen. Die Mischung gut in das Blattgrün einrühren. Sofort servieren.

Bemerkungen: Eine wohlschmeckende Zubereitung, um sich mit Blattgrün anzufreunden. Einfach zu kochen, nahrhaft und leicht verdaulich. Die Gewürze »entschärfen« das normalerweise bittere Blattgrün.

KARTOFFELN UND NACHTSCHATTENGEWÄCHSE

Es hat lange gedauert, bis sich die Nachtschattengewächse — Tomaten, weiße Kartoffeln, Paprika, Auberginen und Tabak — in der Neuen Welt durchsetzten und zu einem respektierten Nahrungsmittel oder — im Fall der Kartoffel — zu einem Grundnahrungsmittel wurden. Der Osten hatte lange Probleme, diese »todbringenden« Gewächse zu akzeptieren. Man mißtraute ihnen, da vor allem die Blätter der Kartoffel und Tomate giftige Alkaloide enthalten. Deswegen sollten die Blätter nie gekaut werden. Wir sind nicht ganz sicher, ob diese Gewächse wirklich giftig sind. Die giftige Substanz Solanin ist auf jeden Fall in ihnen enthalten. Im Osten hat man zum Beispiel die Blätter gemahlen und mit giftigen Pilzen gemischt, um Insekten abzuwehren. Es wird oft empfohlen, Nachtschattengewächse zu meiden, wenn man rheumatische Arthritis hat.

Weiße Kartoffeln sind kühl, leicht und trocken, daher beeinträchtigen sie das Gleichgewicht bei Vata, helfen Kapha und wirken neutral auf Pitta. Sie gehören zu den Nachtschattengewächsen, die genügend Giftstoffe akkumulieren können, um in normalen Portionen offensichtlich giftig zu sein. Glücklicherweise läßt sich das leicht feststellen. Zweifel sind angebracht, wenn die Schale eine grünliche Tönung hat. Das bedeutet, daß sich Gifte dicht unter der Schale gebildet haben. Wenn Kartoffeln hell oder sehr kalt oder recht warm gelagert werden, kann das passieren. Ein kühler, dunkler Platz schafft ideale Lagerbedingungen. Durch Kochen wird das Gift übrigens nicht eliminiert. Da hilft nur, die grünen Stellen gänzlich herauszuschneiden.

Die Zubereitung von Kartoffeln ist ausschlaggebend dafür, ob sie beruhigend oder irritierend auf eine bestimmte Veranlagung wirken. Während einfache Kartoffeln heilsam für Kapha sind, wirken Pommes frites, Kartoffelchips und gebackene Kartoffeln mit Sauerrahm gegenteilig. Jede dieser letztgenannten Zubereitungen enthält viel Fett und macht das ursprünglich leichte Gewächs schwer verdaulich. Vata kann gelegentlich eine gebackene Kartoffel mit reichlich Ghee, Joghurt oder Sauerrahm problemlos vertragen. Allerdings kann zuviel Sauerrahm im Verdauungstrakt des Vata starke Blähungen verursachen. Pittas und Kaphas verzehren die Kartoffel am besten gekocht oder gedämpft, nicht aber gebacken oder gebraten. Bratkartoffeln sind für Pittas nur dann empfehlenswert, wenn man mit Fett sparsam umgeht.

Vatas brauchen eine gut gewürzte und feuchte Kartoffel, wie in dem folgenden Rezept angegeben. Kartoffeln sind reich an Vitamin C und durch ihre leicht verdaulichen Ballaststoffe gut für Menschen mit nervöser Verdauung oder Verdauungsstörungen, verbunden mit einer Leberschwäche.

Kartoffelbrei (für alle Veranlagungen)

Zubereitungszeit: 45 Minuten
Portionen: 4
Wirkung: 0 Vata / - Pitta / - Kapha
Jahreszeit: F / S / H / W

*8 neue, ungeschälte Kartoffeln · 1 Tasse heiße Ziegenmilch
½ Tasse oder 4 EL Ghee · 1 TL Meersalz · 1 TL frische Petersilie,
gehackt (wahlweise) · 1 TL frischer Majoran, gehackt (wahlweise)*

FÜR VATA: *großzügig mit Ghee beträufeln*

Die gewaschenen und gut geschrubbten Kartoffeln in etwa 20 Minuten gar kochen. Dann schälen und in einer Schüssel stampfen, dabei Ziegenmilch und Ghee zufügen. Mit Salz und Kräutern abschmecken.

Bemerkungen: Ghee und Milch wärmen und befeuchten die trockenen Kartoffeln.

ERBSEN

Grüne Erbsen verhalten sich im wesentlichen wie die anderen Hülsenfrüchte. Sie sind kühl, schwer, süß und adstringierend. Sie wirken störend auf Kapha und Pitta. Für Vata sollten sie gut gewürzt sein, sonst
können sie Blähungen verursachen. Das folgende Rezept läßt sich
schnell zubereiten und ist besonders wohlschmeckend mit Shiitake-
Pilzen.

Erbsen mit Pilzen

Zubereitungszeit: 15 Minuten
Portionen: 3—4
Wirkung: leicht +Vata/-Pitta/0 Kapha
(je frischer die Erbsen, desto milder
die Wirkung auf Vata); +Vata/-Pitta/
+Kapha (tiefgefrorene Erbsen)
Jahreszeit: F/S/W

*250 g frische Pilze oder 6 große Shiitake-Pilze · 3 EL Ghee
oder Butter · ½ TL Kreuzkümmelsamen · ½ TL Kreuzkümmelpulver · ½ TL Meersalz · ½ TL gemahlener schwarzer Pfeffer
4 Tassen frische oder tiefgefrorene Erbsen*

Bei Verwendung von Shiitake-Pilzen, diese für 10 Minuten oder länger
einweichen, dann abgießen, abtrocknen und in Scheiben schneiden.
Frische Erbsen waschen, trocknen, dünsten und beiseite stellen. Ghee
in einem Topf erhitzen, Kreuzkümmelsamen zufügen. Wenn die Samen braun werden, die in Scheiben geschnittenen Pilze anbraten. Salz,
gemahlenen Kreuzkümmel und Pfeffer zufügen und gut verrühren.
Dann die Erbsen einrühren. Bei tiefgefrorenen Erbsen werden diese direkt in den Topf gegeben und etwa 3 Minuten mit den Pilzen gebraten,
so daß sie ihre frische grüne Farbe behalten.

Bemerkungen: Dazu passend Reis und Dal servieren.

Bunte Gartenmischung

Zubereitungszeit: 30 Minuten
Portionen: 6—8
Wirkung: -Vata/leicht +Pitta/-Kapha*
Jahreszeit: F/S/H/W

*1 TL (für Kapha), 2 TL (für Vata) Sonnenblumen- oder Olivenöl
1 mittelgroße Zwiebel · ½ TL Kreuzkümmelsamen · 1 Zweig frische
Oreganoblätter (½ TL getrocknete Blätter) · 1 Zweig frisches
Bohnenkraut (½ TL getrocknetes Kraut) · 1 EL Petersilie
1 frisches Minzblatt · 4 Tomaten (wahlweise) · 3 kleine Zucchini
1 kleine Aubergine · 1 mittelgroßer gelber Sommerkürbis
1 EL Instant-Gemüsebrühe · ¼ TL schwarzer Pfeffer
1 TL Korianderpulver*

Zwiebel in Würfel schneiden. Tomate, Zucchini, Aubergine und Kürbis in 1 cm dicke Scheiben schneiden.
In einer mittelgroßen Pfanne Öl erhitzen und Zwiebel, Kreuzkümmel, Oregano, Bohnenkraut und Petersilie auf kleiner Hitze 2—3 Minuten anbraten. Minze und Tomaten zufügen, nochmals 2—3 Minuten braten. Restliches Gemüse zufügen, bei mittlerer Hitze in etwa 15 Minuten garen. Abschließend die übrigen Gewürze unterrühren.

Bemerkungen: Falls Sie nicht strenger Vegetarier sind, paßt zu dieser Mischung Fisch oder Geflügel: Zusätzlich 250 g vorgekochtes Geflügel in kleinen Stücken dem Kürbis hinzufügen oder rohen, geschnittenen Fisch 8 Minuten vor Ende der Kochzeit zufügen — ein guter Eintopf!

---

* Mit Tomaten: stark +Vata und +Pitta
Mit Geflügel: -Vata/leicht +Pitta/o Kapha
Mit Meeresfisch: -Vata/+Pitta/+Kapha
Mit Süßwasserfisch: -Vata/leicht +Pitta/o Kapha

KÜRBISSE

Sommerkürbisse wie Zucchini sind frisch, kühl und leicht verdaulich — das perfekte Gemüse für eine gereizte Pitta-Energie, speziell an einem heißen Sommertag. Mit wärmenden Gewürzen wie Knoblauch, Senfsamen, Zwiebel oder Kreuzkümmel gleichen sie Kapha und Vata aus.

Dill-Zucchini

Zubereitungszeit: 20 Minuten
Portionen: 2—4
Wirkung: -Vata/-Pitta/leicht +Kapha
Jahreszeit: S

2 mittelgroße Zucchini, geschnitten · 1 Bund frischer Dill, fein gehackt · 2 EL Sonnenblumenöl · ¼ TL Gelbwurz · ⅛ TL Hing 1 Tasse Wasser · 1 EL Sirup · 2 EL Zitronensaft 1½ TL Korianderpulver

Dill fein hacken und Zucchini in 2 cm dicke Scheiben schneiden. Öl in einer mittelgroßen Kasserolle erhitzen, Gelbwurz, Hing, Zucchini und Wasser zufügen. Bedeckt 5 Minuten kochen. Restliche Zutaten einrühren, nochmals 5 Minuten kochen.
Auch mit Joghurt serviert empfehlenswert.

Sommerkürbis mit Petersilie und Dill

Zubereitungszeit: 20—30 Minuten
Portionen: 3—4
Wirkung: -Vata/-Pitta/0 Kapha*
Jahreszeit: S/H

---

* Man kann das Ghee auf 1 EL verringern, um Kapha zu beruhigen (-Kapha).

4 kleine oder 1 großer Sommerkürbis · ½ kleine Zwiebel · 1 Zehe
Knoblauch, ungeschält · 3 EL Ghee oder Butter · ¼ TL Meersalz
¼ TL frischer, schwarzer Pfeffer, gemahlen · 1 TL frischer
oder ½ TL trockener Dill · 1 EL frische Petersilie

Kürbis in feine Scheiben schneiden. Zwiebel, Dill und Petersilie fein hacken. Ghee oder Butter in einer tiefen Pfanne erhitzen, Zwiebel und ungeschälte Knoblauchzehe zufügen. 2—3 Minuten anbraten. Kürbisscheiben einrühren, unbedeckt bei mittlerer Hitze in 5—10 Minuten gar braten. Abschließend alle anderen Zutaten einrühren, nochmals 10 Minuten bedeckt schmoren. Knoblauchzehe vor dem Servieren entfernen.

KOHL

Kohl gehört zu den Gemüsen, die von den Vatas am besten gänzlich gemieden werden, da er kalt und schwer ist. Er verbraucht zur Verdauung ebenso wie Bohnen ein hohes Maß an Energie und Feuer. Zur Kohl-Familie gehören Grünkohl, Blaukraut, Weißkraut, Rosenkohl, Weißkohl, Broccoli, Kohlrabi und Rüben als entfernte Verwandte. Gedünsteter Broccoli ist davon noch am leichtesten verdaulich und enthält am meisten Vitamin A und C. Falls der Vata-Typ Kohl essen möchte, sollte er ihn kochen bzw. dünsten und sehr gut würzen, statt roh zuzubereiten. Die meisten Kaphas und Pittas werden Kohl als wohltuend empfinden, zudem man ihm nachsagt, krebsverhütend zu wirken.

Gebratener Broccoli

Zubereitungszeit: 20 Minuten
Portionen: 5—6
Wirkung: leicht +Vata/-Pitta/-Kapha*
Jahreszeit: F/S/H/W

*500 g Broccoli · 3 TL Ghee (1 TL für Kapha) · ½ TL Senfsamen
¼ TL Kreuzkümmelsamen · ⅛ TL Hing · 1 Zehe Knoblauch,
gestoßen (wahlweise, nicht für Pitta) · 1 TL Gelbwurz
2 TL Korianderpulver · ¾ TL Meersalz · 1 EL Zitronensaft*

Den gewaschenen Broccoli in etwa 1 cm große Stücke schneiden. Ghee
in einem mittelgroßen Topf erhitzen, Senfsamen, Kreuzkümmel, Hing
und Knoblauch zufügen. Wenn die Senfsamen platzen, Gelbwurz und
Broccoli gut einrühren. Unbedeckt unter gelegentlichem Umrühren
etwa 10—15 Minuten kochen, währenddessen die restlichen Zutaten zufügen. Der Broccoli sollte gar sein, aber auch noch sein sattes Grün haben.

Bemerkungen: Dazu passen Reis und Suppe.

Einfacher indischer Kohl

Zubereitungszeit: 15 Minuten
Portionen: 4—5
Wirkung: mittel +Vata/-Pitta/-Kapha
Jahreszeit: F/W

*1 mittelgroßer Weißkohl · 2 EL Sonnenblumenöl (1 EL für Kapha)
½ TL Senfsamen · ½ TL Kreuzkümmelsamen · ⅛ TL Hing
½ TL Gelbwurz · 1 TL Meersalz · 1¼ TL Korianderpulver
1 EL Zitronensaft · 1 EL Honig oder Ahornsirup
¼ grüne Pfefferschote, gehackt (wahlweise)*

GARNIERUNG: *feingehackte, frische Korianderblätter (wahlweise)*

---

* Mit zusätzlichem Ghee und/oder Saurem kann der stimulierende Effekt auf Vata
vermieden werden.

Kohl in etwa 1 cm große Stücke/Scheiben schneiden. Öl in einem Topf erhitzen, Senfsamen, Kreuzkümmel und Hing zufügen. Wenn die Senfsamen platzen, Gelbwurz, Kohl und alle anderen Zutaten einschließlich Sirup zufügen (aber nicht Honig). 5—10 Minuten kochen. Vom Herd nehmen und Honig einrühren.

Bemerkungen: Dazu paßt eine beliebige Suppe, Getreide und Rotali (Chapati). Auf diese Weise kann auch Vata Kohl essen, denn Hing beruhigt diese Energie und Senf sowie Kreuzkümmel wirken verdauungsfördernd. Es ist trotzdem keine Speise, die Vata ausgleicht, also eher geeignet für Pitta und Kapha.

Blumenkohl mit Kartoffeln

Zubereitungszeit: 15 Minuten
Portionen: 4—5
Wirkung: leicht + Vata / - Pitta / - Kapha
Jahreszeit: F / H / W

1 kleiner Blumenkohl · 2 mittelgroße Kartoffeln · 3 EL Sonnenblumenöl · ½ TL Senfsamen · ⅛ TL Hing · 1 TL Gelbwurz 1 TL Meersalz · 1½ EL Korianderpulver · ¼ TL Zimt ½ TL Currypulver · 1 EL Gerstenmalz- oder brauner Reissirup

Das gewaschene, abgetropfte Gemüse in etwa 1 cm große Stücke schneiden. Öl in einem mittelgroßen Topf erhitzen, Senfsamen zufügen. Wenn die Senfsamen platzen, Gelbwurz und Kartoffeln einrühren. Bei mittlerer Hitze etwa 8 Minuten kochen.
Blumenkohl und Salz zufügen, nochmals 5 Minuten kochen. Dann die restlichen Zutaten unterrühren und servieren.

TOMATEN

Die an Vitamin A und C reichen Tomaten haben eindeutig eine Reizwirkung, am stärksten auf Pitta und am geringsten auf Kapha, da sie leicht und warm sind. Durch ihre saure Wirkung auf die Verdauung empfehlen sie sich langfristig nicht, weder für Pitta noch für Kapha. Vatas empfinden besonders die Schale und die Samenkörner als zu stark anregend für ihre Energie, so daß sie geschälte Tomaten, Tomatensaft oder Tomatenkonzentrate in sehr gemäßigten Mengen noch am ehesten vertragen können. Schwaches Pitta kann man mit Tomaten sehr steigern.

Zucchini mit Tomaten

Zubereitungszeit: 15 Minuten
Portionen: 4—5
Wirkung: -Vata/+Pitta/-Kapha*
Jahreszeit: S/H

2 große Tomaten, gewürfelt · 800 g Zucchini, geschnitten
2 EL Sonnenblumenöl · 1 TL Oreganoblätter · 1 TL Koriander
pulver (bis zu 1 EL für Pitta) · 1 TL Meersalz · 2—4 EL Wasser
3—4 Lorbeerblätter

Öl in einem Topf oder einer tiefen Pfanne erhitzen. Tomaten, Lorbeerblätter, Koriander, Salz und Oregano zufügen. Bei kleiner Hitze 3—4 Minuten köcheln. Zucchini einrühren, 5 Minuten auf kleiner Flamme köcheln. Zum Schluß Wasser zugeben und bei mittlerer Hitze 10 Minuten kochen.

Bemerkungen: Schmeckt delikat mit Dal und Reis. Ein schnelles, wohlschmeckendes Sommergericht.

---

* Pittas können diese Speise mit frischen, feingehackten Korianderblättern garnieren. Trotzdem bleibt sie wärmend und empfiehlt sich nicht als regelmäßiges Gericht bei dieser Veranlagung.

ROTE BETE

Rote Bete sind süß, warm, feucht und geben dem menschlichen Körper Masse. Dadurch sind sie ein angenehmes Mittel, das Vata im Herbst beruhigt und heilsam auf die Leber wirkt, besonders bei einer Pitta-Konstitution. Im Übermaß genossen, stimuliert rote Bete die feurige Energie des Menschen. Sie paßt am besten zu Vata und Kapha und sollte nur gelegentlich von Pitta gegessen werden. In der Ayurveda wird die rote Bete als Medizin bei Gebärmutterproblemen, Verstopfungen und Hämorrhoiden genommen, wahrscheinlich aufgrund ihres hohen Anteils an Folsäure.

Rote Bete, gedämpft

Zubereitungszeit: 30 Minuten
Portionen: 4—6
Wirkung: -Vata / 0 Pitta / -Kapha*
Jahreszeit: F / H / W

*5—6 mittelgroße rote Bete · 2 EL Ghee oder Butter
2 EL Zitronensaft · 1 EL Korianderpulver*

Rote Bete in etwa ½ cm dicke Scheiben schneiden. Etwas Wasser in einen mittelgroßen Topf geben, Korb zum Dämpfen einsetzen und Wasser zum Kochen bringen. Die Bete-Stücke in den Korb geben und in etwa 20—25 Minuten gar dämpfen.
Ghee oder Butter in einer kleinen Pfanne schmelzen. Das abgetropfte Gemüse in eine Servierschüssel geben. Ghee bzw. Butter, Zitronensaft und Koriander darübergeben und gut miteinander vermischen.

---

* Sollte nur gelegentlich von Pitta gegessen werden.

Bemerkungen: Bei dieser Art der Zubereitung eignet sich rote Bete für jeden Typ. Normalerweise werden sie aufgrund ihrer wärmenden Eigenschaft nur für Kapha und Vata empfohlen, der beigefügte Koriander kühlt sie aber ab, so daß sie auch für Pitta geeignet sind. Durch das Dämpfen verlieren sie etwas von ihrer Schwere und werden leichter verdaulich.

AUBERGINEN

Auberginen, ein Nachtschattengewächs, sind süß, leicht, ölig und kühl. Ihre Zubereitungsweise entscheidet über ihre Wirkung auf die verschiedenen Veranlagungen. Vata verträgt sie gewärmt, gewürzt und mit etwas Öl. Gut gewürzt, warm und mit sehr wenig Öl sind sie heilsam für Kapha. Äußerst spärlich mit Öl zubereitet wirken sie ausgleichend auf Pitta. Da die im Westen erhältliche Aubergine anders als die indische ist (klein, grün, rund, wärmend), besteht verständlicherweise etwas Verwirrung bei den Ayurveda in Ost und West über ihre Wirkungen. Jedenfalls macht sie ihre Leichtigkeit und leicht adstringierende Eigenschaft nützlich für Kapha, wenn sie mit einem Minimum an Öl zubereitet wird.

Aubergine mit Dill

Zubereitungszeit: 25—30 Minuten
Portionen: 4—5
Wirkung: sehr leicht + Vata / - Pitta / 0 Kapha
Jahreszeit: F / S

1 Bund frischer Dill, fein gehackt · 1 mittlere Aubergine, gewürfelt
3 EL Sonnenblumenöl · ½ TL Gelbwurz · ¼ TL Hing · 2 Tassen
Wasser · ¾ TL Meersalz · 1 TL Currypulver · 2 EL Honig
2 EL Zitronensaft · ¼ grüne Pfefferschote, gehackt (wahlweise)
1 TL Korianderpulver

Aubergine schälen und in 1 cm große Würfel schneiden. Öl in einer mittelgroßen Pfanne erhitzen. Gelbwurz, Hing, Aubergine, Dill und Wasser zufügen. Bedeckt bei mittlerer Hitze 10 Minuten schmoren. Restliche Zutaten zufügen und weitere 5 Minuten köcheln.

Bemerkungen: Durch den Dill wirkt die Aubergine ausgleichend. Wenn sie in reichlich Öl gebacken und mit Tomatensauce serviert wird, wärmt sie und reizt Pitta. Mit sehr wenig Öl ist die Speise nützlich für Kapha.

KAROTTEN

Karotten sind leicht verdaulich, nahrhaft und haben viel Vitamin E. Sie reinigen das Blut und tonisieren die Nieren. Karotten werden oft für Vata und Kapha empfohlen. Auf den ersten Blick erscheinen sie ideal für Pitta: Sie sind süß, bitter und adstringierend im Geschmack und wirken langfristig kühl auf die Verdauung. Insgesamt ist ihre Wirkung jedoch scharf und wärmend. Dadurch werden Karotten langfristig gesehen Pitta reizen und auf Kapha und Vata erleichternd wirken.

Bei Karottensaftkuren kann man beobachten, daß der eigentlich kühlende Karottensaft nach einigen Tagen regelmäßigen Trinkens das Verdauungsfeuer steigert. Einige Karotten mit frischem Gemüse sind gut für Pitta, wenn sie mit viel kühlendem Sellerie, Salatgurke oder Salatblättern ausgeglichen werden. Hin und wieder eine Karotte im Essen wirkt nicht negativ auf Pitta. Vatas und Kaphas dagegen können davon soviel essen wie sie wollen.

Süße Karotten

Zubereitungszeit: 15 Minuten
Portionen: 3—4
Wirkung: -Vata/leicht +Pitta/-Kapha
Jahreszeit: F/H/W

4 mittelgroße Karotten, geschnitten · 1 EL Sonnenblumenöl
½ TL Senfsamen · ½ TL Gelbwurz · ⅛ TL Hing · ½ TL Meersalz
(evtl. weniger) · 1 TL Korianderpulver · ¼ grüne Pfefferschote,
gehackt (wahlweise, nicht für Pitta) · 3 EL Wasser
1 TL Ahornsirup

Öl in einem Topf erwärmen, die Senfsamen zufügen. Wenn die Senfsamen platzen, Gelbwurz, Hing, die in Scheiben geschnittenen Karotten, Salz, Koriander und Pfefferschote zugeben. Unbedeckt bei mittlerer Hitze 2—3 Minuten anbraten und gelegentlich umrühren. Wasser und Sirup zufügen und weitere 5 Minuten bei kleiner Hitze köcheln lassen.

Kartoffel-Karotten-Burger mit Curry

Zubereitungszeit: 1 Stunde
Portionen: 8
Wirkung: -Vata/+Pitta/-Kapha
Jahreszeit: F/H/W

6 große bzw. 8 kleine, rote Kartoffeln · 2 lange Karotten
(2 Tassen gerieben) · 1½ EL Sonnenblumenöl · 1 EL schwarze
Senfkörner · 1 EL Curry · 1½ TL Meersalz (für Geschmack und
Kapha 1 TL) · ⅔ Tassen feingehackte Zwiebeln · ½ Tasse
feingehackte, frische Korianderblätter (wahlweise)

Die gewaschenen, ungeschälten Kartoffeln etwa 30 Minuten kochen, bis sie gar sind. Währenddessen Karotten waschen, fein reiben und Zwiebeln fein hacken. In einer großen Pfanne die Senfkörner in Öl erhitzen, bis sie platzen. Karotten zufügen und braten, bis sie leicht aufgehellt sind. Curry und Salz einrühren.

Die garen, abgekühlten Kartoffeln, die rohen Zwiebeln und die Korianderblätter gut verkneten. Flache Burger formen und in einer Pfanne auf beiden Seiten 1—2 Minuten anbräunen. Für Kapha eine beschichtete Pfanne ohne Öl benutzen. Heiß servieren.

Bemerkungen: Zu den Burgern paßt Gurken-Raita (Seite 193) und eine Gemüsebeilage. Für Vata mit extra Ghee garnieren. Bei Zubereitung der Burger für verschiedene Typen zuerst die Burger für Kapha formen, ohne Öl braten und anschließend für Vata die Burger mit mehr Öl oder Ghee zubereiten.

SOMMERKÜRBIS

Der orangefarbene Sommerkürbis wird als süß, heiß und schwer betrachtet. Aus diesem Grund ist er aus ayurvedischer Sicht am besten für Vata geeignet. Manche meinen, daß er aufgrund seiner Schwere sogar Vata steigern kann. Wir bereiten ihn hier warm und gewürzt zu, was diese Wirkung ausschließt.

Sommerkürbis mit grünen Bohnen

Zubereitungszeit: 40 Minuten
Portionen: 6—8
Wirkung: -Vata/leicht +Pitta/
mittel +Kapha
Jahreszeit: H/W

250 g Stangenbohnen · 500 g Kürbis · 1 Tasse Wasser
3 EL Sonnenblumenöl · ½ TL Senfsamen · ½ TL Bockshornklee-
samen · ¼ TL Hing · 1 Zehe Knoblauch · ¾ TL Meersalz
2 TL Korianderpulver · 1 EL brauner Reissirup · ½ TL Currypulver

Die gewaschenen und abgetrockneten Bohnen in 3 cm lange Stücke
schneiden. Kürbis waschen, in 3 cm breite Scheiben schneiden, Schale
entfernen, dann in 1½ cm große Stücke schneiden.
Öl in einem großen Topf erhitzen, Senfsamen und Bockshornkleesamen zufügen. Wenn die Senfsamen platzen, Hing, ganze Knoblauchzehe und Bohnen in den Topf geben. Bedeckt bei mittlerer Hitze etwa
5 Minuten kochen. Dann Kürbis, Salz und Wasser einrühren. Weitere
15 Minuten bedeckt bei gleicher Temperatur köcheln lassen. Anschließend die restlichen Zutaten gut einrühren.

SÜSSKARTOFFELN

Man vermutet auf den ersten Blick aufgrund des Namens unter diesem
Gewächs ein Mitglied der Nachtschattengewächse. Die Süßkartoffel ist
aber überhaupt nicht vergleichbar mit der weißen Kartoffel. Sie gehört
zu den Yamswurzeln oder Bataten, ist warm, schwer und hat sehr viel
Vitamin A. Je strahlender ihre Farbe ist, desto mehr Nährstoffe enthält
sie. Süßkartoffeln können von denen gegessen werden, die Schwierigkeiten mit den weißen Kartoffeln haben. Sie sind auch hilfreich bei
Hämorrhoiden.

Mutter Oggs Süßkartoffeln

Zubereitungszeit: 45 Minuten
Portionen: 4—6
Wirkung: -Vata/-Pitta/+Kapha
Jahreszeit: H/W

*4 große Süßkartoffeln (Bataten) · 3—4 EL Ghee · 2 EL Gersten-
oder Weizenmehl · 2 Stangen Zimt · ½ TL frischer Ingwer, gerieben
½ l Ziegenmilch · ½ TL Meersalz · ¼ TL schwarzer Pfeffer*

Die gewaschenen und geschrubbten Süßkartoffeln jeweils in 4—5 Stük-
ke schneiden. In einem mittelgroßen Topf Wasser zum Kochen bringen, Süßkartoffeln darin bei mittlerer Hitze in etwa 20—30 Minuten gar
kochen. Wasser abgießen.
Ghee in einer großen Pfanne erhitzen, die in Stücke gebrochenen Zimtstangen und Ingwer zufügen. 2—3 Minuten unter ständigem Rühren
anrösten. Süßkartoffeln zufügen und etwas zerstampfen. Die Kartoffel-
masse gleichmäßig verteilt zur Außenseite der Pfanne schieben. In die
Mitte das Mehl geben und mit dem Ghee verrühren. Nun die Mehl-
Ghee-Mischung mit den zerstampften Kartoffeln mischen. Langsam
die Milch einrühren. Erhitzen und Salz und Pfeffer zufügen. Zimtstangen vor dem Servieren entfernen.

Bemerkungen: Als Beilage zu den »Roten Cajun-Bohnen« (Seite 110) gut
geeignet.
Die normalerweise leicht abführende und blähungsfreundliche Wirkung der Süßkartoffel wird durch den Zimt und den Ingwer weitestge-
hend aufgehoben. Wenn Bataten vor dem Würzen gekocht werden,
entfaltet sich ihre Süße stärker.

Gedünstete Pilze

Zubereitungszeit: 15 Minuten
Portionen: 3—4
Wirkung: +Vata/-Pitta/-Kapha
Jahreszeit: F/S/W

500 g frische Pilze

Pilze waschen und, falls nötig, Stengel entfernen. Einen Topf mit gut schließendem Deckel erwärmen, die Pilze zugeben und auf kleiner Flamme in ihrem eigenen Saft etwa 10 Minuten dünsten, bis sie gar sind.

Früchte

Früchte sollte man am besten vor der Hauptspeise oder für sich essen. Sie sind so schnell verdaulich, daß ihnen der Spitzenplatz auf der Liste des Magens zusteht. Ansonsten gären sie, indem sie im Speisebrei des Magens liegen. Was zuerst gegessen wird, bestimmt die Schnelligkeit der Verdauung, unabhängig davon, was später kommt. Fette und Proteine werden viel langsamer verdaut als die meisten Früchte und Gemüse. Wenn man zum Beispiel Früchte nach Brot, Butter und Bohnen zu sich nimmt, müssen sie so lange warten wie der Magen braucht, um die schweren Nahrungsmittel zu verdauen, bevor sie umgesetzt werden können. Die Verzögerung in einer warmen, nassen, sauren Umgebung verursacht unnötige Gärung und damit Blähungen und Aufstoßen.
Früchte gehören zu den Nahrungsmitteln, die am besten reinigen und am wertvollsten sind. In der richtigen Menge und zum angemessenen Zeitpunkt sind sie ein ausgezeichnetes Mittel, um die Energien zu harmonisieren und den Körper von Giften zu reinigen. Dazu müssen sie reif und unbelastet von Schadstoffen sein, sonst verursachen sie selbst Giftansammlungen im Körper.
Unglücklicherweise sind die meisten Früchte, die wir im Westen angeboten bekommen, weder reif noch frei von Chemie-Rückständen. Die Früchte werden unreif geerntet und haben oft starke Rückstände von

Pestiziden und anderen synthetischen Stoffen in oder an sich. Solche Nahrungsmittel kann man nicht zur inneren Reinigung des Körpers nehmen, tatsächlich sollten sie überhaupt nicht gegessen werden. Die Aufnahme von Chemikalien kann eine Vielzahl von Krankheiten verursachen, einschließlich Hautausschläge, Kopfschmerzen, Fieber und Durchfall.

Bevorzugen sollte man daher biologisch angebautes, rückstandsfreies Obst. Dieses findet man hauptsächlich in den Naturkostläden mit einer entsprechenden Auszeichnung. Oder man pflanzt sich seinen Obstbaum selbst, sofern man den Platz dafür und Zeit hat, auf eine erste, eigene Ernte zu warten. Das dauert gar nicht so lange: Nach 2–3 Jahren kann ein Obstbaum ein qualitativ annehmbares Obst produzieren.

Gleichzeitig wird der Baum dazu beitragen, Sauerstoff an die Biosphäre abzugeben, der durch das weltweite Baumsterben und den Kraftfahrzeugverkehr immer geringer wird. Ein einzelner Baum mag wohl lächerlich erscheinen, doch schon sieben Bäume, die im Laufe der Zeit gepflanzt werden, können eine vierköpfige Familie mit Obst versorgen und gleichzeitig einen recht bedeutsamen Beitrag zur Umweltverbesserung leisten.

Apfelbäume können 75 bis 100 Jahre alt werden! Manche gedeihen sogar in Stadtgärten und geben 25–75 Kilo Obst pro Jahr. Wenn Äpfel gekocht und gewürzt sind, können sie auch von Vatas — Kapha und Pittas haben keine Probleme mit ihnen — gegessen werden. Sie reinigen gut, speziell bei einer Herbst-Fastenkur, und sind hilfreich bei schmerzenden Gelenken, Sinusitis* und Kopfschmerzen.

Aprikosen sind süß und adstringierend im Geschmack. Sie wirken anfänglich wärmend, dann langfristig süß (also verzögernd) auf die Verdauungsenergie. Diese Wirkungen machen eine süße Aprikose ideal für Vata, Kapha und auch gut für Pitta. Eine saure Aprikose dagegen kommt für Kapha und Pitta nicht in Frage, und auch Vata würde durch sie gereizt.

Süße Kirschen sind eine weitere leichte Frucht, die von allen Konstitutionen gut vertragen wird. Sie sind süß, leicht, kühl und feucht — damit

---

* Sinusitis: Entzündung der Nasennebenhöhlen.

können sie, in Maßen genossen, leicht verdaut werden. Große Mengen beschleunigen die Ausscheidung sehr intensiv und schnell. Wie bei Aprikosen wirken saure Kirschen eher reizend auf Pitta und nicht besonders hilfreich auf die anderen Veranlagungen.

Pfirsiche und Nektarinen sind schwerer verdaulich als Kirschen oder Aprikosen. Durch ihre Schwere steigern sie unterschwellig auch Kapha. Gelegentlich einen Pfirsich zu essen, kann keinem Kapha schaden. Während einer Fastenkur sollte dieser Typ jedoch auf solches Obst verzichten. Statt dessen wird zu Beeren, Aprikosen, süßen Kirschen, Äpfeln und Stachelbeeren geraten. Es sei denn, Ihr Ernährungsberater hat Ihnen etwas anderes empfohlen. Süße Pfirsiche und Nektarinen wirken ausgleichend auf Vata und werden in Maßen genossen von Pitta gut vertragen.

Die meisten Beeren sind süß oder sauer und leicht. Diese Eigenschaften macht sie angemessen für Kapha, während ihr Geschmack Vata ausgleicht. Ein paar Beeren werden Pitta zwar nicht reizen, doch sie sollten von diesem Typ nicht in großen Mengen gegessen werden.

Süße, dunkle Trauben können in Maßen von allen gegessen werden. Am besten sind sie für Vata und Pitta, auf Kapha wirken sie gut – in geringen Mengen. Trauben sind gewöhnlich stark mit Chemikalien besprüht. Deswegen ist es ratsam, organisch gewachsene Trauben und Rosinen zu besorgen, wenn man sich gesund erhalten will. Getrocknete Trauben – also Rosinen – sind eines der ältesten Nahrungsmittel. Wenn sie gründlich in Wasser eingeweicht werden, wirken sie ausgleichend auf alle Konstitutionen.

Kiwis müssen nicht sehr teuer sein, sind reich an Vitamin C und können an einem kühlen Platz für Monate gelagert werden. Wie Beeren sind sie süß, leicht und kühl, mit einer sehr feinen säuerlichen und adstringierenden Geschmacksnote. Sie empfehlen sich besonders für Vata und Pitta, in geringer Menge für Kapha, da sie einen feuchten Charakter haben.

Zitronen und Limetten stehen oft auf der ayurvedischen Verbotsliste für Pitta und Kapha. Damit scheiden sie auch für eine Saftkur für beide Typen aus. Doch ein wenig Zitronen- oder Limettensaft, der Speise nach dem Kochen zugefügt, wirkt anregend, anfänglich kühlend und langfristig süß auf die Verdauungsenergie. Die Limette ist besonders nützlich, da ihre Wirkungen auf den Körper milder sind.

Zitrusfrüchte sind besonders gut für Vata, insbesondere die Orange mit ihrer feuchten Süße, die wohltuend auf diesen Typ wirkt. Orangen reinigen das Blut, regen den Appetit an und werden bei Leberschwäche empfohlen. Interessanterweise wurden Zitrusfrüchte ursprünglich in Indien, China und Japan angebaut — das Wort »Orange« stammt übrigens aus dem Indischen. Andere Zitrusfrüchte als die Orange sollte Pitta vermeiden, es sei denn, sie sind sehr süß. Weder süße noch saure Zitrusfrüchte, das schließt Mandarine und Grapefruit ein, tun dem Kapha gut, denn sie reizen diese Veranlagung langfristig.

Bananen sind sehr heilsam, wenn man sie wirklich reifen läßt. Die meisten grün geernteten Früchte, die wir als schein-reifes Obst angeboten bekommen, sind ganz bestimmt weniger gesund. Das reife Obst hat süße und schwere Eigenschaften mit einer kühlen Wirkung auf die Verdauung, wie man es bei dieser sehr süß schmeckenden Frucht vermuten könnte. Ihre langfristige Wirkung ist aber sauer. Deswegen sind Bananen nicht gut für Kapha und im Übermaß genossen nicht hilfreich für Pitta. Dagegen wirken sie beruhigend auf Vata und können speziell zur Gewichtszunahme genommen werden. Therapeutisch nimmt man sie bei Kater, schlechter Nahrungsaufnahme, entzündetem Magen-Darm-Trakt, Sodbrennen, Blähungen und schmerzhafter Menstruation.

Die offensichtlich sauren und adstringierenden Granatäpfel bekommt man bei uns leider nicht allzu oft und vor allem meist in unreifem Zustand. Sie haben langfristig unerwartet süße Wirkungen auf die Verdauungsenergie. Diese Frucht ist sehr gut für Pitta, sie wirkt sauren Nahrungsmitteln, Zucker oder Salz entgegen. Kapha wird vom Granatapfel gut ausgeglichen, Vata wird leicht gereizt. Sein medizinischer Einsatz liegt im Bereich der Heilung chronischen Durchfalls, beim Auftreten von Würmern und Stärkung von Magen und Darm.

Feigen sind ein paradoxes Obst. Die Ayurveda bedient sich gekochter, getrockneter Feigen für die Behandlung von Verstopfung, das frische Obst dagegen nicht. Frische Feigen sind zwar nährend, doch sind sie so schwer, daß sie die Verdauung verzögern. Die frischen Früchte sind am besten für Vata und Pitta, während Pitta und Kapha die getrockneten Früchte am besten nutzen können. Frisch sind sie ein speziell gutes Tonikum bei Schwächezuständen, die sich in rauhen, aufgesprungenen Lippen oder Rissen im Mund oder der Zunge zeigen. Man nimmt Feigen sowohl innerlich als auch in heilenden Umschlägen bei solchen Symptomen.

Birnen werden als schwer und trocken betrachtet und sind damit eindeutig schwer verdaulich für Vata, währenddessen Pitta sie gut verträgt und ihre Trockenheit gut mit Kapha harmoniert.

Wassermelonen, die weitverbreiteste, größte Art der Melonen, sind Bestandteil der indischen Küche seit Urzeiten und fanden sich auch schon auf den Tischen Ägyptens 4000 v.Chr. Ihre kühle Schwere ist eine Herausforderung speziell für den Verdauungstrakt des Vata. Ayurveda schlägt als Gegenmittel vor, die Wassermelone mit etwas Salz oder Salz und Chili zu servieren, um die Verdauungsenergie anzuregen. Die meisten Melonen sind süß und passen daher gut zu Pitta und Vata. Besonders die Cantaloup-Melone hat viel Vitamin A und C, die das Immunsystem stärken. Da sie recht schnell verdirbt, sollte sie frisch gegessen werden, um in den Genuß ihrer Heilkräfte zu kommen. Für Kapha ist die Melone nicht geeignet, da sie durch ihre kühle, süße, schwere und feuchte Eigenschaft dessen Tendenzen dazu noch verstärken würde.

Die Papaya wärmt, süßt und versorgt uns mit Feuchtigkeit. Ayurveda nimmt sie, um eine Vielzahl von Symptomen zu behandeln einschließlich gehemmter Energie (auch Verdauungsenergie), schmerzhafter oder verzögerter Menstruation, mangelhafter Verdauung, Hämorrhoiden, chronischem Durchfall, Spulwürmern und Amöbenruhr. Sie eignet sich am besten für Vata, wirkt leicht unausgleichend auf Kapha und definitiv reizend auf Pitta. Täglich eine reife Papaya ist ein ausgezeichnetes Mittel für die Behebung chronischer Verstopfung bei Vata. Ihre Samenkörner und ihr unreifer, milchiger Saft sind eines der besten Mittel, um Spulwürmer bei Kindern zu beseitigen. Die trockene, gesalzene Papaya wird zur Schrumpfung einer vergrößerten Leber oder Milz eingesetzt.

Sollten Sie einmal frische, vollreife Mangos auf dem Markt entdecken, greifen Sie danach, denn sie wirken ausgleichend auf alle Veranlagungen und sind reich an Vitamin A und C. Mangos wirken beruhigend auf Darm und Kehle, sie tonisieren Haut und weiches Gewebe und man sagt ihnen krebsvorbeugende Wirkungen nach. Die Ayurveda hat die Mango seit Jahrhunderten in der Behandlung gegen Würmer, Skorbut, Durchfall und chronische Ruhr eingesetzt.

Unreife Mangos reizen dagegen Pitta und Kapha und können den Darm stark irritieren. Viele fertige Mango-Chutneys sind aus unreifen Früchten hergestellt. Deshalb geben wir Ihnen auf Seite 190 ein Rezept für Minz-Chutney und ein weiteres für Koriander-Curry.

FRÜCHTE FÜR ALLE VERANLAGUNGEN

Einige Früchte sind für alle Veranlagungen gleichermaßen geeignet. Ausgereifte Mangos und gedämpfte oder eingeweichte Rosinen werden allgemein gut vertragen. An roten, süßen Trauben, süßen Kirschen, süßen Aprikosen und frischen, süßen Beeren können sich alle erfreuen, wenn sie maßvoll gegessen werden. Die rohe, süße Ananas ist am besten für Pitta und Vata sowie in Maßen auf Kapha. Sie beruhigt Gastritis, eine überaktive Leber und wirkt wurmtreibend. Äpfel und Birnen können gekocht oder gebacken werden, so daß sie für alle verträglich sind. Reife Bananen sind unbehandelt gut für Vata, und mit einer Prise trockenem Ingwer oder etwas Gelbwurz ebenso für Pitta genießbar. Getrocknete Feigen können Pitta und Vata lediglich erwärmt oder gekocht serviert werden; Kaphas können sie mit einer Prise Ingwer oder Muskat als ausgleichende Beilage verzehren. Preiselbeeren können mit süßer Orange oder Zimt angereichert werden, wodurch sie in kleinen Mengen für alle Veranlagungen gleich wohltuend wirken.

Papaya-Salat

Zubereitungszeit: 5—10 Minuten
Portionen: 2
Wirkung: -Vata/+Pitta/+Kapha
Jahreszeit: F/S/H

1 reife Papaya · 1 TL Limonen- oder Zitronensaft
Meersalz zum Abschmecken

Die gewaschene Papaya halbieren und die Samen entfernen. In etwa 3 cm breite Scheiben schneiden und schälen. Leicht, aber gleichmäßig salzen und Limonensaft darüberträufeln.

Bemerkungen: Man ißt diesen Salat am besten auf leeren Magen. Er ist sehr gut zur Anregung der Eiweißverdauung und Ausscheidung überschüssigen Schleims aus dem Magen-Darm-Trakt. Aber auch ohne speziellen Grund kann man so einen guten Salat immer genießen!

Frischer Ananas-Salat

Zubereitungszeit: 15 Minuten
Portionen: 4—5
Wirkung: -Vata/0 Pitta/+Kapha
Jahreszeit: F

1 reife, süße Ananas · 1—2 Tassen entkernte Datteln
½ Tasse ungesüßte Kokosraspeln · 1 EL frische Minzblätter

Die geschälte Ananas in etwa 2—3 cm große Würfel schneiden. Datteln klein hacken und alle Zutaten in einer Schüssel vermischen.

Bemerkungen: Diese Zubereitung beruhigt Pitta und Vata nur, wenn die Ananas wirklich süß ist. Im Kühlschrank aufbewahrt, kann der Salat auch bis zu 6—8 Stunden später gegessen werden.

Preiselbeeren in Orangensauce

Zubereitungszeit: 25 Minuten
Portionen: 4—6
Wirkung: leicht +Vata/leicht +Pitta/
-Kapha
Jahreszeit: F/W

350 g Preiselbeeren · 3 Orangen oder 2 Tassen Orangendicksaft
1 Tasse Wasser · 2 TL Zimtpulver · 2 Nelken · ¼ TL Ingwerpulver

Alle Zutaten in einer mittelgroßen Kasserolle bei mittlerer Hitze unbedeckt 15–20 Minuten köcheln. Kann anschließend im Mixer zu einer Sauce verarbeitet werden.

Gedünstete Aprikosen

Zubereitungszeit: 15—30 Minuten
Portionen: 2
Wirkung: 0 Vata / - Pitta / - Kapha
Jahreszeit: F / W

1½ Tassen getrocknete Aprikosen · 2 Tassen Wasser · 1 Tasse
Apfel- oder Aprikosensaft · 1 TL Zitronensaft (wahlweise)
1 EL Apfelkonzentrat (wahlweise zum Süßen, wenn Aprikosen
nicht gehaltvoll) · 2 Nelken (nicht für Pitta)

Alle Zutaten in einer Saucenpfanne köcheln lassen, bis die Aprikosen weich sind. Heiß oder kalt servieren.

Würziger Pfirsich

Zubereitungszeit: 20 Minuten
Portionen: 4
Wirkung: -Vata / - Pitta / - Kapha
Jahreszeit: F / W

5 mittelgroße, reife Pfirsiche · ½ Tasse Aprikosennektar · ¼ Tasse
Wasser · ⅛ TL Ingwerpulver (nicht für Pitta) · 3 Nelken (nicht für
Pitta) · 3 Kardamomsamen (etwa 1 Hülse) · 1/16 TL Meersalz

Pfirsiche waschen, entkernen und in kleine Stücke schneiden. Alle Zutaten in eine kleine Saucenpfanne geben und offen bei mittlerer Hitze etwa 15 Minuten köcheln lassen. Heiß bis warm servieren.

Fruchtsalat

Zubereitungszeit: 10 Minuten
Portionen: 3—4
Wirkung: -Vata/leicht +Pitta/-Kapha
Jahreszeit: F

1 Tasse frische, süße Blaubeeren · 1 Tasse süße Aprikosen, geschnitten
1 Tasse Pfirsiche, geschnitten · 1 Tasse frische Erdbeeren, halbiert
1 EL Zitronen- oder Limonensaft · 1 EL Honig (wahlweise)

GARNIERUNG: *Minzblätter (wahlweise, sehr gut für Pitta)*

Aprikosen und Pfirsiche in kleine Stücke schneiden. Erdbeeren halbieren. Alles Obst in eine Schüssel geben, Honig und Fruchtsaft gut unterrühren. Eventuell mit Minzblättern garnieren.

Bemerkungen: Eine gute Vorspeise im Sommer. Mit reichlich Minze und ohne Honig, aber mit Sirup oder Zucker hat sie neutrale (o) Wirkung auf Pitta.

Heiße Feigen oder Pflaumen

Zubereitungszeit: 20 Minuten
Portionen: 2
Wirkung: -Vata/-Pitta/-Kapha
Jahreszeit: F/H/W

1 Tasse getrocknete Feigen oder Pflaumen · 2 Tassen
kochendes Wasser

Früchte in eine hitzefeste Schüssel oder Tasse geben und kochendes Wasser darübergießen. 15 Minuten bedeckt ziehen lassen.

Bemerkungen: Heiße Feigen oder Pflaumen können regelmäßig über einen langen Zeitraum von Pitta und Kapha gegessen werden. Sie reinigen innerlich ausgezeichnet. Für Vata nur für kurze Perioden (max. 10 Tage) angebracht. Gut als »Magenöffner« beim Frühstück.

Einfache Apfelsauce

Zubereitungszeit: 30 Minuten
Portionen: 4
Wirkung: 0 Vata / - Pitta / - Kapha
Jahreszeit: F / S / H / W

6 rohe Äpfel · 2 Tassen Apfelsaft · ¼ TL Zimt (mehr ist für Vata und Kapha möglich)

Äpfel entkernen, waschen und in 3 cm große Stücke schneiden. Apfelsaft in einer Kasserolle aufkochen, dann sofort Äpfel und Zimt zufügen. Bei mittlerer Hitze 10—15 Minuten oder länger — je nach Apfelsorte — köcheln lassen. Heiß oder kalt servieren.

Bemerkungen: Die Apfelsauce kann man als Zwischenmahlzeit, Dessert oder zu Beginn des Frühstücks essen. Der Zimt wärmt die Sauce und kann reichlich für Kapha genommen werden. Apfelsaft süßt ohne die übliche Schwere anderer Süßmittel. Als Apfelsorte wird organisch gewachsener Golden Delicious vorgeschlagen, da er besonders reich an Pektin ist, das die Nahrungsaufnahme anregt, aber auch andere Äpfel schmecken gut in diesem Rezept.

FRUCHTSÄFTE

Fruchtsäfte bedeuten konzentrierte Süße und werden am besten therapeutisch angewandt. Generell haben sie dieselben Wirkungen wie die Früchte, aus denen sie gewonnen werden. Sie beruhigen Vata und Pitta und wirken nur hochverdünnt nicht reizend auf Kapha. Für Kapha sollten Kräutertees oder Säfte 1:5 verdünnt werden und eine Prise Ingwer enthalten. Besonders Brombeersaft ist ein gutes, adstringierendes Mittel bei Durchfall. Viel Apfelsaft kann dagegen Durchfall, Blähungen oder Verstopfungen auslösen. Vata wird durch ihn aus dem Gleichgewicht gebracht. Am besten ißt man ganze Früchte und jede Frucht für sich allein.

Suppen

Suppen ergeben ein ausgezeichnetes nährendes und normalerweise auch einfaches Essen. Man kann sie im voraus kochen, aufwärmen und als Vor- oder Hauptspeise servieren. Klare Suppen sind leicht verdaulich und erfordern am wenigsten Energie. Sie sind besonders im Herbst und im Winter wohltuend, unterstützen bei der Wiedergenesung und tun jedem Alter gut. Sie sind ein probates Mittel, um den Darm und das Nervensystem zu tonisieren, wenn diese durch häufige eilige Kurzmahlzeiten malträtiert oder vernachlässigt wurden. Milchsuppen erfordern etwas mehr Verdauungsenergie und sind daher angebracht, wenn die Verdauungskräfte stark sind.

Gerste-Gemüse-Suppe

Zubereitungszeit: 1—1½ Stunden
Portionen: 12
Wirkung: 0 Vata/-Pitta/-Kapha
Jahreszeit: F/H/W

1½ Tassen ungekochte Gerste · 1 EL Sonnenblumen- oder Olivenöl · 2 TL Kreuzkümmelsamen · ½ mittlere Zwiebel, gehackt 1 Zehe Knoblauch, gehackt (nicht für Pitta) · 3 Stengel Sellerie, geschnitten · 1¾ l Wasser · 2 Tassen frische oder tiefgefrorene Erbsen 3 Tomaten, geschnitten · 1 große Karotte, halbiert und geschnitten ¼ Bund frische Petersilie, gehackt · 2 Tassen Stangenbohnen, geschnitten · 3 große, getrocknete Shiitake-Pilze · ½ TL Kreuzkümmelpulver · ¼ TL frische schwarze Pfefferkörner, gemahlen · 1½ TL Meersalz

Öl in einem großen Topf erhitzen. Kreuzkümmelsamen leicht anbräunen. Zwiebel, Knoblauch und Sellerie zugeben und 3—4 Minuten anbraten. Wasser zufügen und zum Kochen bringen. Dann Gerste und restliches Gemüse unterrühren (tiefgefrorene Erbsen erst gegen Ende der Gesamtkochzeit zugeben). Shiitake-Pilze zerkleinern, der Suppe zur Geschmacksverbesserung zufügen. Bedecken und bei kleiner Hitze 1 Stunde köcheln, bis alles gar ist. Das ergibt eine dicke Suppe, die nach Belieben mit Wasser verdünnt werden kann. Abschließend tiefgefrorene Erbsen, Kreuzkümmelpulver und Salz einrühren, nochmals 5 Minuten köcheln lassen. Kann mit einem Teelöffel Ghee pro Teller serviert werden.

Bemerkungen: Es können auch 1 Tasse ungekochte, halbierte Mungobohnen oder 500 g gewürfelter Tofu mit der Gerste zugefügt werden, um einen Eintopf zu erhalten. Vata braucht dann zum Ausgleich etwas zusätzliches Ghee und Gemüsebrühe.

Einfache Zwiebelsuppe

Zubereitungszeit: ½ Stunde
Portionen: 6—8
Wirkung: -Vata / leicht + Pitta / -Kapha
Jahreszeit: F / H / W

2 EL Ghee · 3 große Zwiebeln, fein gehackt · 2 Zehen Knoblauch, gehackt · 1 EL Gerstenmehl · 1¼ l Wasser · ½ Bund frische Petersilie, gehackt · 3 EL Miso (möglichst aus Gerste)

GARNIERUNG: *Zitronenscheiben*

Ghee in einem großen Topf erhitzen, Knoblauch und Zwiebel zufügen. Die Zwiebeln auf kleiner Flamme und unter gelegentlichem Umrühren braten, bis sie gar sind (etwa 20 Minuten). Zwiebel an den Rand schieben und Gerstenmehl mit Ghee gut verrühren. Dann langsam Wasser in die Mehl-Ghee-Mischung rühren und abschließend die Suppe kurz aufkochen lassen.
Miso, ½ l Suppe und die Hälfte der Petersilie in einem Mixer pürieren. Püree und restliche Petersilie in die Suppe einrühren, nochmals 2 Minuten erhitzen.

Broccoli-Blumenkohl-Suppe

Zubereitungszeit: 20—30 Minuten
Portionen: 4—6
Wirkung: +Vata/-Pitta/-Kapha
Jahreszeit: F/S/W

*4 Tassen Broccoli, geschnitten · 2 Tassen Blumenkohl, geschnitten
¾ l Wasser · ½ Zwiebel, gehackt · 2 Tassen Spargel, geschnitten
(wahlweise) · 1 TL Ghee oder Sonnenblumenöl · 1 TL Kreuzkümmelsamen · ¼ TL schwarze Senfsamen · 2 TL Ingwer, gehackt
1 TL Meersalz*

GARNIERUNG: *geschnittene Schalotten (Kapha) oder Korianderblätter (Pitta)*

Zwiebel, Broccoli und Blumenkohl dünsten, bis alles gar ist. In einem
Mixer pürieren. Spargel separat dünsten. Ghee in einer kleinen Pfanne
erhitzen, Kreuzkümmel und Senfsamen zufügen. Wenn die Senfsamen
platzen, Ingwer zufügen und 30 Sekunden umrühren. Gewürzmischung,
Spargel und Salz zu dem Gemüse-Püree in den Mixer geben und mixen. Nach Belieben mit Wasser verdünnen.

Blumenkohl-Kadhi

Zubereitungszeit: 30 Minuten
Portionen: 3
Wirkung: mittel +Vata/0 Pitta/-Kapha
Jahreszeit: F/W

*2 Tassen Blumenkohl, gewürfelt · 3 EL Haferflocken
½—2 Tassen Zwiebel, gehackt (nach Geschmack, geringere Menge
besser für Pitta) · ¾ l Wasser · ½ TL Bockshornkleesamen
1 EL Ghee oder Sonnenblumenöl · ¼ TL schwarze Senfsamen
2 ganze Nelken · ¼ TL Kreuzkümmelsamen · ¼ TL Gelbwurz
4—5 Curryblätter (Neem) · ¼ TL frische Ingwerwurzel, gerieben
1 TL Meersalz · 1 TL Limonen- oder Zitronensaft*

GARNIERUNG: *gehackte Korianderblätter*

Blumenkohl, Haferflocken, Zwiebel und Wasser in einer mittelgroßen Kasserolle bei mittlerer Hitze etwa 10 Minuten kochen. Währenddessen Ghee in einer kleinen Pfanne erhitzen und Bockshornkleesamen, Senfsamen, Nelken und Kreuzkümmelsamen einrühren. Wenn die Senfsamen platzen, Gelbwurz und Curryblätter zufügen, 30 Sekunden erwärmen. Die gargekochte Gemüsemischung mixen, in die Kasserolle zurückgeben und die Gewürzmischung sowie alle anderen Zutaten gut einrühren. Unbedeckt 10–15 Minuten kochen, dabei gelegentlich umrühren. Mit Korianderblättern garnieren.

Bemerkungen: Diese Suppe ist gut für Kaphas, Pitta-Kaphas und andere Kapha-Seelen. Senf, Nelken, Ingwer und Bockshornklee machen die Suppe zu wärmend, um auf Pitta beruhigend zu wirken, aber die restlichen Zutaten besänftigen Pitta wiederum, so daß ein neutraler Effekt erzielt wird.

Scharfe Suppe

Zubereitungszeit: 25–30 Minuten
Portionen: 6
Wirkung: 0 Vata / + Pitta / - Kapha*
Jahreszeit: F / S / H / W

1¼ l Wasser · 3 cm Ingwerwurzel · 80 g Basmati-Reis · 1 Nelke
3 Pfefferkörner · 1 mittelgroße Karotte, geschnitten · 2 Tassen Kohl, geschnitten oder 2 Tassen Blattgrün · 1 Umeboshi-Pflaume
1 großer Shiitake-Pilz (wahlweise; gut für den Geschmack; Vata kann auf ihn verzichten) · ¼₆ TL Cayennepfeffer
1 EL Tamari · 1 TL Honig (wahlweise)

Wasser in einem mittelgroßen Topf zum Kochen bringen. Ingwer schälen und in 4–5 Stücke schneiden. In den Topf geben, bedecken und auf kleiner Hitze köcheln. Reis waschen, abtropfen lassen und in den Topf geben. Auf Mittelhitze schalten und bedecken. Karotte und Kohl schneiden, beides in die Pfanne geben. Etwa 10 Minuten köcheln lassen. Cayenne, Tamari und Honig kurz vor dem Servieren zufügen.

---

* Für Vata kann die Suppe mit Sesamsamen bzw. Gomasio garniert werden.

Bemerkungen: Diese Suppe paßt gut zu Miso-Tofu (Seite 112) und ist hilfreich bei Erkältung, Grippe, Husten oder Heuschnupfen. Sie wärmt den Körper und unterstützt das Immunsystem. Der Kohl hat viel Vitamin C, die Karotten liefern reichlich Vitamin A, und wenn man noch Blattgrün nimmt, erhält man eine zusätzliche Dosis beider Vitamine. Außerdem regt Ingwer den Kreislauf und die Verdauung an.

Erbsensuppe

Zubereitungszeit: 2¼ Stunden
Portionen: 8—10
Wirkung: mittel + Vata / - Pitta / - Kapha
Jahreszeit: F / W

4 Tassen grüne oder gelbe Schälerbsen · 2½ l Wasser · 3 große Karotten, geschnitten · 2 Stengel Sellerie, fein geschnitten 1 große Zwiebel, geschnitten · 1 TL Meersalz (je nach Geschmack) ½ TL frischgemahlener, schwarzer Pfeffer · 1 TL Miso (möglichst aus Gerste)

Erbsen mit dem Wasser in einem großen Topf zum Kochen bringen. Karotten, Sellerie und Zwiebel zufügen, bedecken und in 2 Stunden gar köcheln lassen. Die Erbsen sollen sich in einer dicken Suppe auflösen. Zum Schluß Salz, Pfeffer und Miso einrühren. Heiß servieren.

Bemerkungen: Kann als Mittagessen oder herzhaftes Abendessen mit Brot gegessen werden. Die normalerweise kühlen Erbsen werden durch die Karotten, Zwiebeln und Gewürze erwärmt. Dadurch sind sie auch besser verdaulich. Auch manche Vata-Typen können diese Erbsensuppe vertragen. Probieren Sie sie aus.

Kichererbsensuppe mit Blattgrün

Zubereitungszeit: Im Dampfkochtopf
1 Stunde, 1 Nacht einweichen
Portionen: 8—10
Wirkung: +Vata/-Pitta/-Kapha
Jahreszeit: F/S/W

3 Tassen Kichererbsen (Garbanzos) · 1½—2 l Wasser
2 EL Sonnenblumenöl · 1 TL Senfsamen · 1 TL Gelbwurz
2 TL Meersalz · 2 TL Sesamsamen · 1½ EL Gerstenmalz
3 EL Zitronensaft · 1 EL Korianderpulver · 1 Bund Blattgrün,
geschnitten (Senf-, Grünkohl, Löwenzahn- oder Mangoldblätter)

GARNIERUNG: *gehackte Korianderblätter*

Bei Benutzung eines Dampfkochtopfes die Erbsen am Vorabend einweichen. Dann mit 1½ l frischem Wasser in etwa 35 Minuten gar kochen.

Ohne Dampfkochtopf die Erbsen mit gut 2 l Wasser 4—5 Stunden oder für eine Nacht einweichen. Wasser abgießen, 1½ l frisches Wasser zufügen und in einem Topf zum Kochen bringen. Bedecken und bei mittlerer Hitze etwa 1 Stunde kochen, bis die Erbsen ziemlich weich sind.

In einer kleinen Pfanne Öl erhitzen und die Senfsamen zufügen. Wenn die Senfsamen platzen, Gelbwurz zugeben. Anschließend diese Gewürzmischung und alle restlichen Zutaten zu den Erbsen geben. Gut verrühren und 15 Minuten auf mittlerer Hitze kochen. Mit Korianderblättern garnieren.

Bemerkungen: Dazu passen Chapatis oder Reis.

Rote-Linsen-Suppe

Zubereitungszeit: Im Dampfkochtopf
30 Minuten
Portionen: 5—6
Wirkung: 0 Vata / + Pitta / - Kapha*
Jahreszeit: F / W

*2 Tassen rote oder gelbe Linsen · 1½ l Wasser · 1 EL Sonnen-
blumenöl · ½ TL Senfsamen · ¼ grüne Paprika, geschnitten
(wahlweise) · 1¼ TL Meersalz · 2 TL Korianderpulver
3 EL Zitronensaft · 2 TL Gerstenmalz · 1 EL Ingwerwurzel,
geschnitten*

Die gewaschenen Linsen in einem Dampfkochtopf mit ¾ l Wasser etwa
10 Minuten garen. Ohne Dampfkochtopf die Linsen eine Stunde einweichen, Wasser abgießen und mit 1 l frischem Wasser etwa 30 Minuten kochen.
In einer kleinen Pfanne Öl erhitzen und Senfsamen zufügen. Wenn die
Senfsamen platzen, Gelbwurz zufügen. Gewürzmischung, ¾ l Wasser
und restliche Zutaten zu den Linsen geben. Bei mittlerer Hitze weitere
10 Minuten kochen.

Bemerkungen: Schmeckt gut mit einer Gemüsebeilage und Rotalis (Chapatis). Die Suppe ist dünnflüssig, schmackhaft und eignet sich gut als
Vorspeise oder leichte Hauptspeise. Übrigens, Linsen haben viel Harn-
säure und wärmen, so daß sie indirekt, aber wirkungsvoll Gicht verschlimmern können.

---

* Pittas können gehackte Korianderblätter beifügen, um die Reizwirkung abzumil-
dern.

Miso-Brühe

Zubereitungszeit: 5 Minuten
Portionen: 1
Wirkung: -Vata/+Pitta/+Kapha*
Jahreszeit: F/W

*1 TL Misopaste gelb, weiß oder rot · 2 Tassen Wasser
Schalotten (wahlweise, für Kapha)*

Wasser zum Kochen bringen und etwas davon über die Misopaste in eine Tasse oder kleine Schale gießen. Mit einem Löffel oder einer Gabel gründlich vermengen. Den Rest abschließend gut ins Wasser einrühren.

Bemerkungen: Diese einfache Brühe ist eine wärmende und besänftigende Stärkung an einem kalten Tag. Miso-Brühe ist die Grundlage für viele Gemüsesuppen mit etwas gedünstetem Gemüse, gekochtem Reis oder Buchweizennudeln.

Salate und Brotaufstriche

SALATE

Ein Salat gleicht ein Essen auf leichte und kühle Weise aus, was speziell für Pitta und Kapha angebracht ist. Vatas essen besser warme Salate, zumindest sollten sie vorher gekocht worden sein und eine Marinade oder Sauce haben, um sie besser aufnehmen zu können.

Blattsalat wie Endivie und Kopfsalat ist durch seine Leichtigkeit eine wahre Wohltat für Kapha. Seine kühle, feuchte Natur macht ihn aber auch zu einem angemessenen Nahrungsmittel für Pitta. Vata-Energie wird durch ihn mittelmäßig gesteigert, auch wenn seine leicht beru-

---

* Man kann auch ½ TL Misopaste für eine neutral wirkende Brühe für Pitta und Kapha nehmen. Miso-Brühe ist ein ausgezeichnet beruhigendes Mittel für die Nerven und den Magen des Vata.

higende, besänftigende Eigenschaft ansprechend auf den Vata wirkt. Durch Essig und Öl oder eine auf Milch basierende Sauce kann diese Wirkung auf Vata erheblich gemildert werden. Doch viele Menschen, deren Vata aus dem Gleichgewicht ist, spüren, daß sie Salate nicht gut vertragen.

Romana ist einer der nahrhaftesten Salate, reicher an Folsäure und Vitamin A als alle anderen. Brunnenkresse wärmt dagegen mehr als Salatblätter aufgrund ihres schärferen Geschmacks. Brunnenkresse ist auch besonders anregend und harntreibend — ein wertvolles Tonikum für den Frühling. Ihr Samen wird von der ayurvedischen Medizin neben der Wiedergenesung vielfältig genutzt.

Frische Sprossen wirken ähnlich wie Salat. Die gekochten oder gedünsteten Sprossen von Bohnen haben einen neutralen Effekt auf alle Veranlagungen. Als Rohkost werden sie am besten von Kapha und Pitta vertragen. Alfalfa (Luzerne) und Sojasprossen sollten wie Bohnensprossen für Vata mit einer Sauce auf Ölbasis zubereitet werden, da sie leicht reizend auf seine Energie wirken. Rettichsprossen haben mehr Schärfe und somit eine wohltuendere Wirkung auf Kapha als auf Vata und reizen Pitta.

Die wärmende, harntreibende Eigenschaft der Petersilie tut Kapha gut. Pitta gerät durch sie leicht aus dem Gleichgewicht und Vata kann Petersilie in kleinen Mengen essen.

Gurken werden als kühl, beruhigend, nahrhaft, schwer und feucht betrachtet. Vata und Pitta empfinden sie als wohltuend, aber einige Vatas bekommen davon Verdauungsprobleme. Durch das Entfernen der Samenkörner und Würzen mit etwas schwarzem Pfeffer, Ingwer oder Zitrone kann dem abgeholfen werden.

Salatkombinationen für alle Veranlagungen

Blattsalat und gedünsteter Spargel
Blattsalat und marinierte Artischockenherzen
Brunnenkresse und geschnittener Sommerkürbis
Blattsalat mit frischen Erbsen und roter Bete
Blattsalat, Sprossen, Karotten und rote Bete

Blattsalat, Sprossen, Karotten und Spinat
Blattsalat, Sprossen, Sommerkürbis und rote Bete
Blattsalat, Artischockenherzen, Gurke und Spinat
Gurke, Sprossen, Karotten und Rettich

ÖLE UND FETTE

Ghee ist das am meisten bevorzugte Fett der Ayurveda. Es ist leicht, gut verdaulich und paßt zu den meisten Nahrungsmitteln, aber zu den wenigsten Salaten. Da sollte man das preiswertere Sonnenblumenöl vorziehen. Es hat zwar weniger therapeutische Wirkung, aber es ist reich an essentiellen Fettsäuren und frei von Cholesterin. Beide, Ghee und Sonnenblumenöl, werden von allen Typen vertragen.

Sesamöl nimmt man, wenn man seinen wärmenden Effekt nutzen möchte. Es stabilisiert Vata, tonisiert die weiblichen Fortpflanzungsorgane und wird für vieles mehr genutzt. Für Kapha und Pitta wird es wegen seiner Wärme und Schwere nicht empfohlen. Das Öl der gerösteten Sesamsamen hat ein stärkeres Aroma.

Olivenöl ist warm und schwer – trotzdem klärt es Leber und Gallenblase, so daß es therapeutisch für die Stärkung der beiden Organe eingesetzt wird. Walnußöl ist eine gute Wahl für Salatsaucen und kann wie Olivenöl genommen werden. Sein Nachteil ist seine geringe Haltbarkeit.

Saflor- oder Distelöl wird von der Ayurveda nicht besonders empfohlen. Man kann es gelegentlich nehmen, denn langfristig wirkt es lebensverkürzend, wie ein Versuch mit Ratten am Linus-Pauling-Institut gezeigt hat.

Die Mehrzahl der Pflanzenöle (Sesam-, Aprikosenkern-, Mais-, Soja-, Mandel-, Oliven-, Erdnuß-, Distelöl) wie auch Schmalz und gesalzene Butter sind wärmend und schwer. Sonnenblumen-, Avocado-, Kokosöl und ungesalzene Butter haben eine kühlende Wirkung, wobei Sonnenblumen- und Avocadoöl nur leicht kühlend sind. Die kühlenden Öle, mit Ausnahme des Sonnenblumenöls, sind nicht für Kapha geeignet, denn sie können die kaphische Veranlagung, wie z.B. einen hohen Cholesterinspiegel, verstärken. Ghee ist das einzige Fett, das als leicht verdaulich nach ayurvedischen Maßstäben angesehen wird. Kapha sollte es als Fett minimal nutzen, da es Cholesterin enthält.

Mayonnaise wirkt anfänglich kühlend, doch ist sie durch die in ihr enthaltenen Eier und das Öl letztlich warm und schwer in ihrer Wirkung. Margarine ist kalt, schwer verdaulich und wird selten von ayurvedischen Heilern empfohlen.

Krautsalat

Zubereitungszeit: 15 Minuten
Portionen: 4—6
Wirkung: +Vata/-Pitta/-Kapha
Jahreszeit: F/S

½ großer Weißkohl, geraspelt · ½ mittlere Karotte (für Farbtupfer)
2 EL Reisessig oder Limonensaft · 1 EL getrockneter Dill
¼ TL Meersalz · ½ Tasse Sonnenblumenöl · 1 TL Apfeldicksaft
schwarzer Pfeffer zum Abschmecken

GARNIERUNG: *1 EL gehackte Korianderblätter (wahlweise)*

Gemüse waschen und fein raspeln. In einer Schüssel Essig, Dill und Salz gut verquirlen. Pfeffer, Öl und Apfeldicksaft einrühren. Die Sauce über das Gemüse gießen. Eine Weile durchziehen lassen.

Artischockenherzensalat

Zubereitungszeit: 10 Minuten
Portionen: 2—3
Wirkung: leicht +Vata/-Pitta/-Kapha
Jahreszeit: F/S/W

1 Glas (ca. 200 g) marinierte Artischockenherzen
2 Tassen Erbsen (möglichst frisch)

Die gewaschenen Erbsen etwa 5 Minuten dünsten. Mit den Artischok-kenherzen in einer Schüssel mischen. Bei Artischockenherzen ohne Marinade kann die Einfache Essig- und Öl-Sauce (Seite 186) als Dressing genommen werden.

Spargelsalat

Zubereitungszeit: 15 Minuten
Portionen: 4
Wirkung: -Vata/-Pitta/-Kapha
Jahreszeit: F/S/H/W

500 g Spargel

Wie gedämpfter Spargel (Seite 140) zubereiten. Während des Dämpfens die Einfache Essig- und Öl-Sauce (Seite 186) zubereiten. Den abgetropf-ten, weichen Spargel mit der Sauce servieren.

Bemerkungen: Dieser Salat paßt zu fast jedem Essen.

Rosinen-Karotten-Salat

Zubereitungszeit: 20 Minuten
Portionen: 4—5
Wirkung: -Vata/+Pitta/-Kapha*
0 Vata/leicht +Pitta/-Kapha**
Jahreszeit: F/S

5—6 Karotten (4 Tassen, gerieben) · ¹/₂ Tasse Rosinen · ¹/₂ Tasse kochendes Wasser · 2 EL Reisessig · 1 EL trockener Dill ¹/₄ TL Meersalz · 1 EL Apfelkonzentrat · ¹/₄ Tasse Sonnenblumenöl 2 EL Mayonnaise (nur für Vata)

Rosinen mit kochendem Wasser übergießen und 10 Minuten ziehen lassen. Geschälte Karotten reiben (geschälte Karotten machen das Ge-

---

* mit Mayonnaise
** ohne Mayonnaise

richt süßer). Dressing aus Dill, Salz, Essig und Apfelkonzentrat zubereiten, bevor das Öl dazugegeben und alles unter die Karotten gerührt wird. Abgegossene Rosinen und Mayonnaise zufügen, wenn nur für Vata zubereitet. Ansonsten Mayonnaise separat als Garnierung für Vata servieren.

Lauch-Rettich-Salat mit Sonnenblumenkernen

Zubereitungszeit: 10 Minuten
Portionen: 2—4
Wirkung: -Vata / 0 Pitta / -Kapha
Jahreszeit: F / H / W

½—1 Lauchstange (½ für Pitta) · ¾—1 Tasse geriebener, milder Rettich · 2 EL Sonnenblumenkerne · 1 Tasse Sonnenblumensprossen · 1 TL Reisessig · 1 TL Sonnenblumenöl schwarzer Pfeffer zum Abschmecken

Gemüse gut waschen, Lauch fein schneiden, Rettich fein reiben. Öl in einer mittelgroßen Pfanne erhitzen, Lauch dazugeben und gar braten. Rettich und Sonnenblumenkerne zufügen, für weitere 2—3 Minuten sautieren, bis der Rettich gar, aber nicht angebraten ist. Sprossen in eine kalte Salatschüssel geben, alle anderen Zutaten zufügen und gut vermischen.

Bemerkungen: Dieser wahrhaft einfache Salat erhält seinen einmaligen Geschmack vom Gemüse und wird sehr empfohlen.
Die angegebene Wirkung für Pitta gilt nur, wenn die geringe Menge Lauch und milder Pfeffer genommen werden. Ein sehr scharfer Rettich könnte Pitta stimulieren.

Curry-Eier-Paste

Zubereitungszeit: 20 Minuten
Portionen: 1—3
Wirkung: 0 Vata/-Pitta/-Kapha (mit
Eigelb); -Vata/+Pitta/-Kapha (ohne
Eigelb)
Jahreszeit: F/S/H/W

*4 Eier · 2 EL Sonnenblumenöl · 1 TL Reisessig · ½ TL gemahlener
Kreuzkümmel · ½ TL mildes Currypulver · 2 EL Korianderblätter, gehackt · 2 EL Gemüse, gehackt (z.B. Gurke oder Zucchini)*

Eier hart kochen und schälen. Wenn der Brotaufstrich nur für Pitta ist,
das Eigelb entfernen, ansonsten mitverarbeiten. Eiweiß oder ganze Eier
mit allen Zutaten gründlich vermischen.

Bemerkungen: Eine Prise Safran kann als zusätzliche Kühlung für Pitta
zugefügt werden.

Avocadopaste

Zubereitungszeit: 10 Minuten
Portionen: 2
Wirkung: -Vata/0 Pitta/+Kapha
Jahreszeit: F/H/W

*1 Avocado · 1 EL Zitronen- oder Limonensaft · ⅛ TL Knoblauch-
pulver (nicht für Pitta) · ⅛ TL frisch gemahlener schwarzer
Pfeffer · 1 EL Korianderblätter, gehackt*

Die Avocado halbieren, entkernen und das Fruchtfleisch mit einem
Löffel herausnehmen. Mit einer Gabel zerdrücken, mit allen anderen
Zutaten in einer kleinen Schüssel gut vermischen.

Cremige Avocado-Salat-Sauce

Zubereitungszeit: 10 Minuten
Portionen: 2—3
Wirkung: -Vata / 0 Pitta / +Kapha
Jahreszeit: F / S / H / W

Zutaten wie bei Avocadopaste, eventuell ohne Koriander, zusätzlich:

4 EL Limonen oder Zitronensaft · 4 EL Wasser (nach Geschmack)

Alle Zutaten in einer kleinen Schüssel gut vermischen. Sofort servieren.

Einfache Essig- und Ölsauce

Zubereitungszeit: 10 Minuten
Portionen: 6—8
Wirkung: -Vata / +Pitta / +Kapha
Jahreszeit: F / S / H / W

*½ Tasse Reisessig · ½ TL Meersalz · ¼ TL frisch gemahlener
schwarzer Pfeffer · 1 Zehe Knoblauch (fein gehackt, bei Pitta ungeschält und ganz) · ½ TL trockenes Basilikum · 1 TL Süßmittel
(Sirup, Honig, Apfel- oder Birnendicksaft) · 1 Tasse Öl (Oliven-
oder Walnußöl wegen des Aromas, oder auch Sonnenblumenöl)*

Alle Zutaten mit Ausnahme des Öls gut verquirlen. Dann das Öl einrühren. Ergibt 1½ Tassen Sauce.

Bemerkungen: Für Vata oder Pitta Braunen Reissirup, für Kapha oder
Vata Honig, für Pitta oder Kapha Apfeldicksaft nehmen. Sonnenblumenöl und Honig haben eine ziemlich gute Wirkung auf alle Veranlagungen.

Petersilien-Kürbiskern-Sauce

Zubereitungszeit: 10 Minuten
Portionen: ca. 3 Tassen
Wirkung: -Vata/-Pitta/-Kapha
Jahreszeit: F/S

*1 großes Bund Petersilie · ½ Tasse Kürbiskerne · 1 Tasse Wasser
½ TL Meersalz · 2¼ EL Zitronensaft · 1 Zehe Knoblauch
(nicht für Pitta) · 1 EL Sonnenblumenöl (für Vata allein mehr
Öl nehmen)*

Die Petersilie waschen und hacken. Alle Zutaten in einem Mixer pürieren. Ergibt etwa 3 Tassen.

Bemerkungen: Diese leichte und nahrhafte Salatsauce ist gut für Lunge, Blase und gegen Prostata-Probleme.

Beilagen

Für die indische Küche sind Beilagen ein wichtiger Bestandteil, die nicht zuletzt das Zeichen der Gastfreundschaft angesehen werden. Außerdem sind sie eine kluge Art, ein Gericht ayurvedisch auszugleichen. Beilagen sind im allgemeinen einfach und schnell zubereitet. Sie geben dem Essen ein ansprechendes Aussehen, denn schließlich ißt das Auge mit. Geben Sie die Beilagen in kleine Schüsseln, die Sie hübsch auf dem Tisch arrangieren.

Paprika, Zwiebelscheiben, Rettich, japanischer Daikon-Rettich, Radieschen, rote Bete, Karotten, eingelegtes Gemüse, Salz, Tamari, Misopaste und frisch gemahlener schwarzer Pfeffer stimulieren die Verdauung und wärmen die Speisen.

Die Eigenschaften der Zwiebel überraschen fast jeden, der sich mit den Wirkungen von Nahrungsmitteln befaßt: Einerseits ist sie recht scharf im Geschmack, andererseits wirkt sie nicht so wärmend auf das Verdauungssystem wie andere scharfe Nahrungsmittel. Ihre Wirkung auf die Verdauungsenergie ist kühlend und damit verdauungsverzögernd! Wer Probleme nach dem Essen roher Zwiebeln hat, wird dies bestätigen. Deswegen steht die Zwiebel nicht auf der Liste empfohlener Gemüse für Vata. Durch Kochen oder Braten wird die Zwiebel süßlich und leichter, wodurch sie ausgleichend auf Pitta und Vata wirkt. Zu Kapha paßt die Zwiebel ebenso gut roh wie gekocht.

Lauch und Lauchzwiebeln sind Verwandte der Zwiebel und leichter verdaulich als diese. Sie passen gut zu Suppen und sind ein gutes Tonikum im Frühling.

Knoblauch ist von Natur aus wärmend und behält seine Eigenschaft, solange er sich im Körper befindet. Er ist scharf, anregend, parasitenfeindlich und blähungswidrig. Bei kaltem Wetter nimmt ihn die Ayurveda vorbeugend gegen Arthritis und nervöse Störungen. Er wirkt roh oder gekocht ausgezeichnet bei Bronchitis, Lungenentzündung, Asthma, Grippe und anderen Erkrankungen der Lunge. Für therapeutische Zwecke nimmt man Knoblauch am besten mit Öl, z.B. in Öl gegart.

Frischgehackte Korianderblätter, ungesüßte Kokosraspeln, Gurken, Minzblätter, Rosinen und Salatblätter oder Sprossen kühlen die Speisen und wirken ausgleichend auf Pitta.

Einfacher Joghurt wirkt anfänglich kühl, dann wärmend und das Verdauungsfeuer anregend. Damit empfiehlt er sich im oder nach dem Essen bei stark gewürzten Speisen. Raitas aus Joghurt und frischgeriebenem Gemüse und Gewürzen wirken entweder kühlend oder wärmend — je nachdem, welche Zutaten verwendet wurden.

Nüsse, gemahlene Sesamsamen, schwarze und grüne Oliven werden oft als Beilage genommen. Warm und schwer, regen sie die Verdauungsenergie nicht so an wie die meisten wärmenden Speisen — sie verlangen uns Verdauungsenergie ab! Sonnenblumen- oder Kürbiskerne sind dagegen etwas leichter verdaulich.

Meerespflanzen wie Seetang sind eine Zutat, die sich zwar selten in der indischen Küche findet, aber von der Ayurveda medizinisch genutzt wird und somit eine gute Ergänzung eines ausgewählt heilsamen Mahls ist. Seetang (Kelp) ist reich an Jod und Mineralien und wird hauptsächlich in Gewürzmischungen verwendet.

Beilagen und ihre Wirkung

	Vata	Pitta	Kapha
Ungesüßte Kokosraspeln	-	-	+
Eingeweichte Rosinen	o	-	-
Geröstete Sonnenblumenkerne	-	o	o
Geröstete, gemahlene Sesamsamen	-	+	+
Rohe/geröstete Kürbiskerne	-	o	o
Sprossen	+	-	-
Salatblätter	o	-	-
Pfefferschoten	-	+	-
Große Menge Pfefferschoten	+		
Rohe Zwiebel	+	+	-
Radieschen/Rettich	-	+	-
Frisch gemahlener Pfeffer	-	o	-
Salz	-	+	+
Frische Korianderblätter	-	-	-
Frische Minzblätter	-	-	-
Sehr viele Minzblätter	+		
Salatgurken	-	-	+
Joghurt, Hüttenkäse, Raita (abhängig von der Zubereitung)	-	-	+
Mandeln, Cashew u.a. Nüsse	-	+	+
Mango Chutney	+	+	+
Vegetarische Bouillon	o	-	-
Honig o.a. Süßmittel (siehe Hinweise bei den einzelnen Süßmitteln)	-	+	+
Seetang/Algen	-	+	+
— gewaschen	-	o	o

Zur Erinnerung: — = beruhigend, hilfreich
                    + = steigernd, reizend
                    o = neutral wirkend

Koriander-Chutney

Zubereitungszeit: 5 Minuten
Portionen: 2 Tassen
Wirkung: -Vata/-Pitta/-Kapha
Jahreszeit: F/S/H/W

*125 g frischer Koriander (Cilantro) · ½ Tasse frischer Zitronensaft
½ Tasse Wasser · ½ Tasse Kokosraspeln · 2 EL Ingwerwurzel,
geschnitten · 1 TL Gerstenmehl oder Honig · 1 TL Meersalz
¼ TL frischgemahlener schwarzer Pfeffer*

Wasser, Zitronensaft und Koriander gründlich mixen, bis der Koriander gänzlich zerkleinert ist. Restliche Zutaten zufügen und pürieren. Kann in einem geschlossenen Behälter im Kühlschrank bis zu einer Woche aufbewahrt werden.

Bemerkungen: Paßt ausgezeichnet zu Dals, Getreidespeisen, Curries, Brot, sollte aber sparsam genommen werden. Eine köstliche Beilage für Pitta und für diese Veranlagung am besten mit Gerstenmalz gesüßt. Die Menge des Süßmittels in diesem Rezept ist so gering gehalten, daß pro Portion keine Reizwirkung auf Pitta oder Kapha auftritt.

Minz-Chutney

Zubereitungszeit: 10—15 Minuten
Portionen: ¾ Tasse
Wirkung: -Vata/-Pitta/-Kapha
Jahreszeit: alle

*1 Tasse frische Minzblätter · 2 EL Kokosraspel
1 EL Sesamsamen (wahlweise, kann für Pitta genommen werden)
1 EL Zitronensaft · ½ TL Meersalz · 1 EL geriebene, frische
Ingwerwurzel · 1 EL Gerstenmalz oder Honig*

Gewaschene und kleingehackte Minzblätter mit allen anderen Zutaten mixen, bis ein Püree entstanden ist. Abfüllen und im Kühlschrank aufbewahren. Haltbarkeit: 4—5 Tage. Sparsam gebrauchen.

Bemerkungen: Eignet sich gut, um Tofu und Gemüse geschmacklich zu verbessern.

Ingwermarmelade

Zubereitungszeit: 20—25 Minuten
Portionen: 2 Tassen
Wirkung: -Vata/+Pitta/-Kapha
Jahreszeit: F/H/W

*1 große Ingwerwurzel (2 Tassen gerieben) · 3 Tassen Wasser
1 Tasse Apfeldicksaft · 1 EL geriebene Zitronen- oder Limettenschale
½ TL Ingwerpulver*

Ingwer schälen und reiben. In einem kleinen Topf mit allen anderen Zutaten bei mittlerer bis kleiner Hitze kochen, bis eine dicke Masse entsteht (etwa 10 Minuten). Haltbarkeit: 3—4 Tage im Kühlschrank.

Bemerkungen: Sehr gut zur Anregung der Verdauung. Auf Toast oder Chapatis servieren oder als Garnierung indischer Curries.

Variation: Eine Prise Safran, je ¼ TL Nelkenpulver, Kardamom, Muskat nach dem Kochen gut einrühren. Wohltuend bei Erkältung, Husten und Asthma.

Geröstete Zwiebeln

Zubereitungszeit: 1 Stunde
Portionen: ca. 3 Tassen
Wirkung: -Vata/0 Pitta/-Kapha
Jahreszeit: F/S/H/W

*2 große Zwiebeln, fein geschnitten oder gehackt · 1 TL Kreuz-
kümmelsamen · 1 TL Sucanat oder Rohrzucker · 1½ EL Ghee*

Ofen auf 150 Grad Celsius vorheizen. Eine hitzefeste Schüssel oder Backform mit dem Ghee einstreichen. Zwiebeln und alle anderen Zutaten darin gut vermischen. Bedeckt etwa 50 Minuten backen, bis die Zwiebeln gar sind.

Bemerkungen: Paßt gut zu den meisten Dals, Bohnengerichten und dort, wo zusätzliche Würze gebraucht wird. Geröstete Zwiebeln sind nicht nur köstlich und wirken beruhigend, sondern sind ein altes ayurvedisches Heilmittel gegen Hämorrhoiden. Sie regen den Kreislauf im Darm an, was die Heilung unterstützt.

Bananen-Raita

Zubereitungszeit: 10—15 Minuten
Portionen: 4—5
Wirkung: -Vata/+Pitta/+Kapha
Jahreszeit: H/W

*¼ l Joghurt · 1 EL Butter oder Ghee · 1 TL Kreuzkümmelsamen
1 TL Kardamompulver · 1 TL Kreuzkümmelpulver · 2 reife
Bananen · ½ Tasse Rosinen (wahlweise)*

Butter oder Ghee in einer mittelgroßen Pfanne erhitzen und Kreuzkümmel zufügen. Wenn der Kreuzkümmel braun wird, Joghurt zugeben und den Herd abstellen. Bananen in Scheiben oder Würfel schneiden und mit allen anderen Zutaten in den Joghurt gut einrühren.

Bemerkungen: Paßt gut zu Suppen, Reis, Körnern, Müsli. Exzellent für
Vata, etwas extravagant für alle anderen.

Rote-Bete-Raita

Zubereitungszeit: 15 Minuten
Portionen: 5—6
Wirkung: -Vata/+Pitta/+Kapha*
Jahreszeit: H/W

*600 g rohe rote Bete, geraspelt · 1 Lorbeerblatt · 1 EL Sonnen-
blumenöl · ½ Senfsamen · 1 TL Meersalz · 1 EL Honig,
Ahornsirup o. ä. · ¼ l Joghurt*

Die Bete bei mittlerer Hitze in einem Locheinsatz in einem großen
Topf mit wenig Wasser etwa 2—3 Minuten dämpfen. Öl in einem Töpf-
chen erhitzen und Senfsamen und zerriebenes Lorbeerblatt zufügen.
Wenn die Senfsamen platzen, Töpfchen vom Herd nehmen. Restliche
Zutaten gut einrühren.

Bemerkungen: Ausgezeichnet zu Brot, Suppen, Reis oder Gemüse. Dieses Raita kann auch kalt serviert werden.

---

* Wenn man nur 1 Tasse Joghurt nimmt, wirkt das Raita beruhigend auf Kapha.

Gurken-Raita

Zubereitungszeit: 10 Minuten
Portionen: 4
Wirkung: -Vata / leicht + Pitta /
+ Kapha*
Jahreszeit: F / S / H / W

*¼ l Joghurt · ½ Tasse geschälte Gurke, fein geraspelt
1 EL Schalotten, fein geschnitten · ¼ TL Ingwerpulver oder
1 EL Ingwerwurzel, geschält und feingerieben · ⅛ TL Gelbwurzpulver · ¼ TL schwarzer Pfeffer · ⅛ TL Zimt (wahlweise)
½ Tasse Korianderblätter (Cilantro)*

Alle Zutaten in einer kleinen Schüssel gut verrühren.

Bemerkungen: Paßt gut zu den meisten Curries, Dals und anderen indischen Gerichten. Auch mit Karotte, Rettich oder anderem Gemüse
gut.

Delikater Joghurt mit Melasse

Zubereitungszeit: 5 Minuten
Portionen: 1
Wirkung: -Vata / + Pitta / + Kapha
Jahreszeit: F / S / H / W

¼ l Joghurt · 1–2 TL Melasse · ¼ TL Vanilleextrakt

Alle Zutaten gut verrühren.

Bemerkungen: Besonders wohltuend für Vata durch die warme, ölige,
feuchte Eigenschaft der Melasse. Gleichzeitig ist dieser Joghurt reich
an nervenberuhigenden Mineralien und Vitaminen (Kalzium, Eisen,
Schwefel und B-Vitamine). Kann als Zwischenmahlzeit oder mit Hafer-
küchlein (Seite 136) gegessen werden.

---

* Kann gelegentlich von Kapha und Pitta gegessen werden.

Snacks

Zur normalen ayurvedischen Ernährung der früheren Zeiten gehörten keine Snacks. Ein bis zwei Mahlzeiten täglich wurden als ideal betrachtet. Zwischen den Hauptmahlzeiten viel zu essen, galt als sichere Methode, den Verdauungstonus zu ruinieren und für eine unvollständige Verdauung und Ausscheidung zu sorgen. Heutzutage nehmen kleinere Snacks bei Menschen mit unausgeglichenem Blutzuckerspiegel oder hektischem Leben sogar die Stelle der Hauptmahlzeiten ein.

Die folgenden Rezepte sind für die wahrhaft Hungrigen gedacht. Aber auch Früchte sind ausgezeichnete Zwischenmahlzeiten.

NÜSSE UND SAMEN

Als schmackhafter, einfacher Snack bieten sich Nüsse und Samen an. Ayurveda empfiehlt sie wegen ihrer regenerativen, wärmenden und nährenden Wirkungen. Nüsse haben darüber hinaus schwere, ölige und süße Eigenschaften. Eine Ausnahme stellt die Kokosnuß dar, die zwar auch schwer und süß ist, aber trocknend wirkt.

Je fetthaltiger eine Nuß ist, desto mehr reizt sie den Kapha-Typen (z. B. Pecannüsse, Erdnüsse, Pinienkerne, Pistazien und Walnüsse). Vata sollte nur wenige Nüsse essen und Pitta, mit Ausnahme der Kokosnuß, alle meiden.

Nüsse werden aber wegen ihrer medizinischen Wirkungen geschätzt. So betrachtet man z. B. Walnüsse und Haselnüsse als aphrodisierend und nimmt Haselnüsse als allgemeines Tonikum und Stärkungsmittel für den Magen. Pistazien sollen beruhigend und stärkend auf unser System wirken und sind hilfreich bei Erschöpfungszuständen.

Erdnüsse betrachtet man als nahrhaft, abführend und lindernd. Sie sind reich an Vitamin E, B-Vitaminen, Eisen, Eiweiß und Zink. Bei einer trägen Leber oder Gallenblase sollte man auf diese Nüsse verzichten, da sie diese Neigung noch verstärken. Sie können außerdem Blähungen bei Vata hervorrufen.

Die nahrhaften Mandeln sind ein gutes Mittel zur Regeneration und Tonisierung von Körper und Nerven. Sie werden auch zur wirksamen Stimulation eines trägen Verdauungstraktes genutzt.

Sehr gut für Pitta ist die köstlich schmeckende Kokosnuß mit ihrer kühlenden, süßen, nährenden und abführenden Wirkung. Ihr Fett kann allerdings den Cholesterinspiegel indirekt heben und sollte daher von Menschen mit zuviel Cholesterin gemieden werden.

Kürbiskerne sind reich an Zink, Eisen und Ballaststoffen und werden von allen gut vertragen.

Sesamsamen sind sehr wärmend und können bei der Verdauung von Hülsenfrüchten — insbesondere beim Vata-Veranlagten — helfen.

Der Vorteil der Sonnenblumenkerne liegt weniger in ihrer medizinischen Wirkung als ihrem Nährwert, da sie viel Kalium und Zink enthalten. Sie sind für alle Veranlagungen hilfreich.

Leinsamen hat viel essentielle Fettsäuren. Er wird ayurvedisch als wärmend betrachtet und hat gleichzeitig eine innerlich und äußerlich entzündungshemmende Wirkung. Leinsamen ist daher für Vata besonders geeignet. Er beruhigt und lindert trockene Entzündungen der Gelenke und der Haut und bronchiale Verstopfungen beim Kapha-Typen. Leinsamen regen die Ausscheidung an. Sie müssen jedoch immer mit ausreichend Flüssigkeit genommen werden, um ihre Wirkung voll entfalten zu können.

Wenn Sie regelmäßig Samen essen, sollten Sie einfache verdauungsanregende Gewürze wie Zimt, Nelken, Kardamom oder schwarzen Pfeffer mitverwenden, da sonst Ihre Verdauungsenergie erlahmt.

Geröstete Sonnenblumenkerne

Zubereitungszeit: 20 Minuten
Portionen: 4 Tassen
Wirkung: -Vata/0 Pitta/0 Kapha
Jahreszeit: F/S/H/W

4 Tassen frische Sonnenblumenkerne

Eine große Pfanne (möglichst aus Eisen) auf kleiner Flamme erhitzen. Nach 2 Minuten Sonnenblumenkerne hineingeben und unter gelegentlichem Umrühren etwa 15–20 Minuten rösten. Abkühlen lassen und servieren.

Bemerkungen: Schmackhafte Garnierung für Salate, Gemüse und Hauptgerichte, aber auch ein prima Snack. Reich an Kalium und Zink.

Gesalzene Cashewnüsse

Zubereitungszeit: 5 Minuten
Portionen: 2 Tassen
Wirkung: -Vata/+Pitta/+Kapha
Jahreszeit: H/W

2 Tassen rohe Cashewnüsse · ½–1 TL Meersalz
1 TL Korianderpulver

Alle Zutaten in einer kleinen Schüssel gut vermischen.

Bemerkungen: Ein leicht verdaulicher und geschmackvoller Ersatz für handelsübliche geröstete Nüsse. Idealer Party-Snack – macht aber süchtig!

Trockengeröstete Kürbiskerne

Zubereitungszeit: 10—15 Minuten
Portionen: 2 Tassen
Wirkung: -Vata/0 Pitta/0 Kapha
Jahreszeit: F/S/H/W

2 Tassen rohe Kürbiskerne · ½ TL Kreuzkümmelpulver
1 TL Korianderpulver · ¼ TL Gelbwurzpulver · ½ TL Meersalz

Alle Zutaten in einer kleinen Pfanne bei geringer Hitze so lange rösten, bis die Kürbiskerne zu platzen beginnen (etwa 10 Minuten) und eine hellgrüne Farbe annehmen. Umrühren und nochmals 1—2 Minuten rösten. Abgekühlt servieren.

Bemerkungen: Die Gewürze regen die Verdauung der Kerne an.

Sonnenblumen-Kürbiskern-Mischung

Zubereitungszeit: 20 Minuten
Portionen: 5 Tassen
Wirkung: -Vata/0 Pitta/0 Kapha
Jahreszeit: F/S/H/W

Kürbiskerne trockenrösten wie im o.g. Rezept beschrieben. Sonnenblumenkerne getrennt rösten wie im Rezept »Geröstete Sonnenblumenkerne« und beides zum Schluß mischen.

Sonnenbällchen

Zubereitungszeit: 20 Minuten
Portionen: 24 Stück
Wirkung: -Vata/-Pitta/0 Kapha*
Jahreszeit: H/W

*1 Tasse Sonnenblumenkerne · 2 EL geröstete Sonnenblumen-
kerne (siehe Seite 196) · 1 Tasse ungesüßte Kokosraspeln (nicht für
Kapha) · 2–3 EL Rosinen (nicht für Vata) · ½ Tasse Butter
1 EL Ahornsirup · 1 TL Mandelmus · ½ TL Korianderpulver*

In einem Mixer die Sonnenblumenkerne zu einem groben Mehl zerkleinern. Alle Zutaten in einer Schüssel gut vermischen und etwa 3 cm
große Bällchen formen.

Eingeweichte Mandeln

Zubereitungszeit: 1 Nacht einweichen
Portionen: 4 Tassen
Wirkung: -Vata/+Pitta/+Kapha
Jahreszeit: F/S/H/W

250 g rohe Mandeln (am besten biologisch angebaute) · ½ l Wasser

Mandeln in einer kleinen Schüssel mit Wasser über Nacht einweichen.
Am nächsten Tag Wasser abgießen und Schalen entfernen. Man erhält
somit schön pralle und dennoch rohe Mandeln.

Bemerkungen: Kann in geringen Mengen von Pitta gegessen werden.

Variation: Wenn Sie in Eile sind, können Sie die Mandeln blanchieren.
Bringen Sie ½ l Wasser zum Kochen und lassen Sie die Mandeln 5 Minuten darin liegen. Dann die Haut entfernen. Durch die Hitzeeinwir-
kung wird jedoch das Öl der Mandeln verändert, so daß sie nicht mehr
so beruhigend auf Vata wirken und auch nicht mehr so leicht verdaulich sind.

---

* Neutrale Wirkung auf Kapha, wenn etwas Ingwer zugegeben wird.

Desserts und Süßmittel

In Indien nimmt man Süßigkeiten, um das Göttliche zu preisen. Süß-speisen werden den Gläubigen am Ende einer religiösen Zeremonie gereicht, ähnlich wie man das im Christentum mit Wein und Brot zur Kommunion zelebriert. Süßigkeiten sind etwas ganz Spezielles, eine Liebesgabe. Gleichzeitig verwöhnt man mit ihnen den Gast und unter-streicht damit das Besondere einer Situation.

Einerseits gibt es unzählige Rezepte aus alten Überlieferungen für Süß-speisen mit therapeutischem Nutzen, andererseits lehnt die Ayurveda süße Desserts ab und rät, maßvoll bei süßen Snacks gegen den Hunger zu sein. Der Grund liegt natürlich im Ansatz der Ayurveda, der die körperliche Gesundheit erhalten oder wiederherstellen will. Eine schwe-re, süße Delikatesse nach einem Essen verzögert die Verdauung, kann zur Ansammlung von Giftstoffen durch verzögerte Ausscheidung und Gewichtszunahme führen.

Wir wollen hier einen Mittelweg gehen und Ihnen einige leichte und so leicht wie möglich zu verdauende Süßigkeiten, aber auch einige au-ßergewöhnliche Fettbomben für ganz besondere Anlässe anbieten.

Menschen mit einer (Hefe-)Pilzinfektion sollten sich am besten fern von Süßem halten, da es den Zustand nur noch verschlimmert. Bei ei-ner Herzkrankheit, Krebs oder Diabetes sollten Sie die folgenden Spei-sen völlig aus ihrer Ernährung streichen. Und wenn Sie nicht verzichten wollen, vertrauen Sie Ihrem Gefühl. Alle Rezepte bieten eine Alternati-ve zu Zucker an und viele sind ohne Weizen, falls Sie diesen meiden müssen.

Die meisten Süßmittel haben kühle, schwere und feuchte Eigenschaf-ten, so daß sie beruhigend auf Vata und Pitta wirken, aber das Gleich-gewicht von Kapha sehr stören. Honig ist eine Ausnahme, da er wär-mend, trocknend und adstringierend wirkt. Er ist gut für Kapha, wenn er in Maßen genommen und nicht erwärmt wird. Apfeldicksaft ist eine weitere Alternative für den Kapha-Typen, er ist eine Nuance trockener und leichter als die meisten anderen Süßmittel. Er ist von Natur aus kühl und paßt damit auch zu Pitta.

Einige andere Süßmittel wie Palmzucker (Jaggery) und Melasse wirken wärmend. Sucanat aus der Schweiz ist wie »Ursüße« ein Granulat aus Vollrohrzucker, das leicht wärmend schmeckt, aber wir haben noch nicht genügend Erfahrungen damit gesammelt. Sirup aus braunem Reis, Gerstenmalz, Ahorn, Rüben und der gewöhnliche weiße Zucker wirken kühlend.

Wir tendieren in unseren Rezepten zu den Alternativen des weißen Zuckers. Sie haben mittlere Mengen von Spurenelementen, etwas B-Vitamine und scheinen weniger heftige Reaktionen des Blutzuckersystems auszulösen als der weiße Zucker. Wenn ihr Blutzuckerspiegel nicht ausgeglichen ist, können sogar die alternativen Süßmittel zuviel sein. Dann sollten Sie nur auf die natürliche Süße des vollen Korns, gedünsteter Karotten, süßer Kartoffeln und Zwiebeln zurückgreifen.

Dattelbällchen

Zubereitungszeit: 45 Minuten
Portionen: 24—30 Stück
Wirkung: -Vata / -Pitta / +Kapha

500 g trockene, entkernte Datteln · 2 EL Wasser · 2 EL brauner Reissirup · 1 TL Vanille · 1 EL Orangen- oder Mandarinenschalen ¼ Tasse blanchierte, gehackte Mandeln · ¼ Tasse Dattelzucker

Datteln fein hacken, mit Wasser, Sirup, Vanille und Orangenschalen vermischen. In einer kleinen, schweren Pfanne bei kleiner Hitze 10—15 Minuten köcheln, bis das Wasser verdampft und alles eingedickt ist. Je dicker die Masse, desto leichter läßt sie sich verarbeiten. Die Mandeln zugeben und abkühlen lassen. Mit eingefetteten Händen kleine Bällchen (ca. 2—3 cm Durchmesser) formen und im Dattelzucker wälzen, so daß sie trocken genug sind, um serviert zu werden.

Bemerkungen: Im alten Indien wären die Bällchen als Aphrodisiaka bezeichnet worden. Jedenfalls sind sie sehr delikat.

Generell beruhigen Datteln Vata sowie Pitta und bringen Kapha aus dem Gleichgewicht. Frische Datteln werden als leicht wärmend betrachtet und sind somit am besten für Vata. Trockene Früchte sind nicht so wärmend, und der Dattelzucker ist kühler als alle Früchte. Beide haben gute Wirkungen auf Pitta. Die Ayurveda nimmt Datteln zur Stärkung der Leber und bei Alkoholismus. Sie sind auch ein generelles Tonikum und werden therapeutisch zur Linderung von Lungen- und Blasenentzündungen sowie von Fieber und Kältezuständen genommen.

HONIG

Honig wurde im Altertum wegen seiner Heilwirkungen hoch geschätzt. Inder und Ägypter nutzten ihn bei einer Vielzahl von Symptomen. So z.B. als Umschlag zur Heilung, der direkt auf die Wunde gelegt wurde. Da er durch Wärme unbeständig wird, löst er sich äußerlich genommen auf und kann in die Haut eindringen. Honig sollte also kühl oder bei Zimmertemperatur verwendet werden. Wenn er zu warm gelagert wird, beginnt er zu gären.

Wird Honig erhitzt, wie z.B. beim Backen, verliert er nicht nur seine Heilwirkungen, sondern verursacht auch eine verzögerte Verdauung und Ausscheidung, also eine Ansammlung von toxischen Stoffen im Körper. Er sollte Speisen und Getränken nach der Zubereitung, kurz vor dem Servieren zugefügt werden.

In Indien sagt man, daß sich die Wirkungen des Honigs mit seinem Alter verändern können. Junger Honig, der weniger als 6 Monate als ist, wirkt heilend auf Pitta. Ansonsten ist Honig am besten für Kapha. Vatas können ihn wegen seiner wärmenden Eigenschaften gelegentlich genießen. Seine Trockenheit kann Vata reizen, wenn er in großen Mengen gegessen wird. Im folgenden Rezept wirkt der Sesam mehr als nur ausgleichend durch seine Wärme und Öligkeit auf die Trockenheit des Honigs.

Sesambällchen

Zubereitungszeit: 20—30 Minuten
Portionen: ca. 20 Bällchen
Wirkung: -Vata/+Pitta/+Kapha
Jahreszeit: H/W

1 Tasse Sesamsamen · ²/₃ Tassen Honig · 2 EL rohe Sonnen-
blumenkerne · 2 EL Tahini oder Sesambutter · 1 Tasse geröstete
Weizenkeime · ⅛ TL Meersalz · 1 Tasse ungesüßte Kokos-
raspeln · 1 TL Vanilleextrakt

GARNIERUNG: *zusätzliche Kokosraspeln*

Sonnenblumenkerne zu einem körnigen Mehl mahlen. Alle Zutaten in
eine Schüssel geben und zu einem Teig kneten. Nach Belieben formen
(z.B. 2—3 cm große Bällchen) und in Kokosraspeln wälzen.

Variation: Als weizenfreie Version statt Weizenkeimen 1 Tasse grob gemahlene Sonnenblumenkerne nehmen.

Butterscotch Brownies

Zubereitungszeit: 30—40 Minuten
Portionen: 15—25 Stück
Wirkung: -Vata/-Pitta/++Kapha
(mit Vollkornmehl); leicht -Vata/
+Pitta/++Kapha (mit Reismehl)
Jahreszeit: H/W

6 EL Ghee · 1 Tasse Sucanat · 1 Tasse Reis- oder Vollkorn-
weizenmehl · 1 Tasse Pecan- oder Walnüsse, gehackt · ½ Tasse
Sonnenblumenkerne (roh) · 1 Ei · 1¼ TL Vanilleextrakt
1 TL Backpulver · ¼ TL Meersalz

Den Ofen auf ca. 180 Grad Celsius vorheizen. Ghee in einer mittelgroßen Kasserolle erwärmen, Sucanat einrühren. Es wird aussehen wie
brauner Zucker, aber nicht so zerschmelzen. Mehl und Nüsse in einer
Schüssel vermischen und die Ghee-Sucanat-Mischung sofort einrühren.

Das Ei in einer Rührschüssel schlagen und den Vanilleextrakt zugeben. Backpulver und Salz in den Teig rühren, das Ei unterziehen, gut durchschlagen. In eine (vorzugsweise viereckige) gefettete Form (ca. 20 × 25 cm) gießen und 20—30 Minuten oder so lange backen, bis ein in die Mitte gestecktes Messer sauber herauskommt. Sie können aber auch eine Springform verwenden. Abkühlen lassen und in beliebige viereckige Stücke schneiden.

Bemerkungen: Brownies wirken nicht gerade entgiftend oder Kaphareduzierend. Sie machen außerdem geradezu süchtig und man kann kaum widerstehen.

Variation: 1 Tasse Gerstenmehl verwenden und das Ghee auf 5 EL reduzieren.

SCHOKOLADE

Die Schokolade wurde von den Inkas, Majas und Azteken wegen ihrer energetisierenden Eigenschaften geschätzt. Sie ist warm, schwer und feucht. Durch ihren hohen Fettgehalt ist sie am besten geeignet für Vata und am wenigsten empfehlenswert für Kapha und Pitta. Zudem reizt ihr Koffein Pitta.

ZUCKER

Sucanat ist wahrscheinlich die gesündeste, sicherlich die einfachste Weise, den weißen Zucker zu ersetzen. Sucanat ist frei von Chemikalien und rein organisch. Es ist eine wirkliche Alternative für die, welche sich von dem weißen Zucker zu trennen beginnen. Es schmeckt wie brauner Zucker und hat ungefähr die gleiche Konsistenz und Trockenheit, jedoch mehr Nährstoffe. Es ist leicht wärmend, jedoch nicht so stark wie Melasse.

Weißer Zucker ist kalt, trocken und leicht. Er kann Vata wie keine andere Substanz förmlich abheben lassen. Seine Konzentration von Süße macht ihn völlig ungeeignet für Kapha. Während er oft vor der Ayurveda zur Beruhigung von Pitta genommen wird, würde ich eher zu nahrhafteren und schwereren Süßmitteln wie Sirups raten. Unraffinierter Rohrzucker aus Zuckerrohr unterscheidet sich sehr vom weißen Zucker. Da er aus der ganzen, unveränderten Pflanze stammt, hat er Feuchtigkeit, Kühle und Mineralien. Rohrzucker wirkt grundsätzlich verdauungsfördernd, harntreibend und weit mehr ausgleichend als raffinierter Zucker. Er beruhigt Vata und Pitta und reizt Kapha nur mittelmäßig. Den meisten Fabrikzuckersorten, als »roh« ausgewiesen, können diese Wirkungen allerdings nicht nachgesagt werden. Man kann sicher sein, daß sie eher wie weißer Zucker wirken. Kurioserweise wurde berichtet, daß mehr Zahnschäden durch den weißen als durch den rohen Zucker auftreten. Es ist möglich, daß die Spuren von Nährstoffen und Flüssigkeit im Rohzucker die Zähne schützen. Auf jeden Fall scheint unser Körper unbehandelte, naturbelassene Nahrungsmittel besser verarbeiten zu können als raffinierte Produkte.

Fruchtzucker (Fructose) ist ein anderer Ersatz, der von Pitta und Vata reichlich genossen werden kann. Er ist kühl, süß, leicht und mittelmäßig trocken. Trotzdem bringt seine Süße Kapha aus dem Gleichgewicht, weniger als brauner Zucker, aber etwas mehr als Honig. Jedenfalls sind Honig und Früchte die beste Wahl für Kapha, wenn er nach Süßem verlangt.

Kokosmakronen

Zubereitungszeit: 50 Minuten
Portionen: 24 Stück
Wirkung: -Vata/-Pitta/+Kapha
Jahreszeit: S/H/W

½ Tasse rohe Mandeln · 4 Eiweiß · ¼ TL Weinstein
1 Tasse Ahornsirup · 1 Tasse brauner Reissirup · ½ TL Backpulver
3 Tropfen Rosenwasser (wahlweise; aus der Apotheke)
300 g ungesüßte Kokosraspeln

Ofen auf 150 Grad Celsius vorheizen. Mandeln blanchieren oder während der Nacht vorher einweichen (siehe Eingeweichte Mandeln, Seite 198), mahlen und beiseite stellen.

Eiweiß und Weinstein schlagen, bis sich ein fester Schaum bildet, dann das Backpulver unterrühren.

In einer separaten Schüssel Sirup, Kokosraspeln, Mandeln und Rosenwasser mischen. Den Eiweißschaum darunterheben und jeweils 1 EL der Masse auf ein eingefettetes Backblech setzen. 30 Minuten backen, bis die Kokosmakronen an Boden und Spitze goldfarben werden. Vom Backblech nehmen und abkühlen lassen.

AHORNSIRUP

Ahornsirup stammt aus Nordamerika und beinhaltet Spuren von Mineralien und B-Vitaminen. Er ist kühl, frisch, leicht und feucht, so wie die Wälder, in denen er geerntet wird. Ahornsirup kann erhitzt und beim Backen verwendet werden, jedoch sollte man sich seines eigentümlichen Geschmacks bewußt sein, bevor man ihn großzügig nimmt. Er paßt gut zum morgendlichen Getreidebrei. Er wirkt beruhigend auf Vata und Pitta, aber unausgleichend auf Kapha, da er kühl und feucht ist. Nachdem er recht teuer ist, wird man ihn wohl sparsam genießen. (Als Alternative bietet sich naturbelassener oder organischer Rübensirup an. Anm. d. Übersetzers.)

Klassische Haferplätzchen

Zubereitungszeit: 1 Stunde
Portionen: 25—35 Plätzchen
Wirkung: -Vata/-Pitta/mittel +Kapha
Jahreszeit: H/W

2 Tassen Sirup oder Zuckerrohrgranulat oder Kombination davon
1 Tasse Ghee oder ungesalzene Butter · ⅛ TL Ingwerpulver
⅛ TL Nelkenpulver · 1 TL Zimtpulver · 1 Ei · 2 Tassen Hafer-
oder Vollkornmehl · ½ TL Meersalz · 1 TL Backpulver
3 Tassen Haferflocken · 1 Tasse Rosinen · ½ Tasse Walnüsse oder
Sonnenblumenkerne · ½ Tasse Datteln, gehackt (wahlweise)
1 TL Vanilleextrakt

Ofen auf 180 Grad Celsius vorheizen. Ghee oder Butter mit Zuckerrohrgranulat und Sirup zu einer Creme verrühren. Ingwer, Nelken und
Zimt unterrühren und abschließend das zuvor geschlagene Ei mit Vanille zufügen.
In einer separaten Schüssel Mehl, Haferflocken und restliche Zutaten
mischen. Dann diese trockene Mischung mit der Ghee-Ei-Mischung
verrühren. Aus dem Teig auf einem eingefetteten Backblech etwa 3 cm
große Plätzchen formen und 15 Minuten backen, bis die Plätzchen am
Rand goldgelb sind. Erst nach dem Abkühlen vom Backblech nehmen.

Bemerkungen: Für Kapha kann dieses Rezept auch ohne Sirup und
Zucker mit ½ Tasse Apfeldicksaft zubereitet werden, damit die Plätzchen Kapha-beruhigend wirken.
Außerdem sollte nur die Hälfte des Ghees oder der Butter, keine Datteln, aber dafür Rosinen oder Rosinen und Feigen verwendet werden.
Sie können mehr Ingwer und Nelke nehmen (etwa ¼ TL mehr), je nach
Geschmack. Hafermehl und -flocken wirken wärmend und brauchen
nicht verändert zu werden. Insgesamt gesehen sind diese Plätzchen
recht schwer und daher eher zum gelegentlichen Naschen, als zum über-
mäßigen Schlemmen geeignet.

Ingwerplätzchen

Zubereitungszeit: 1 Stunde
Portionen: 36 Plätzchen
Wirkung: -Vata/+Pitta/+Kapha
Jahreszeit: F/H/W

*1 Tasse Ghee oder ungesalzene Butter · 1 Tasse Melasse
1 Tasse brauner Reissirup · 1 Ei · 2 TL Ingwerpulver · 2 Tassen
Reismehl · 3 Tassen Hafermehl oder 5 Tassen Vollkornmehl
2 TL Backpulver · ½ TL Meersalz*

Ofen auf 180 Grad Celsius vorheizen. Melasse, Ghee und Sirup zu einer Creme rühren. Ei schlagen und mit den Gewürzen in die Creme einrühren. In einer separaten Schüssel Mehl, Backpulver und Salz mischen. Mehlmischung gut in die Creme rühren. Aus dem Teig auf einem gefetteten Backblech Plätzchen formen. Man nimmt etwa ½ EL Teig für ein Plätzchen. Genügend Platz um die Plätzchen lassen, da diese sich ausbreiten werden. Etwa 12 Minuten backen, bis die Plätzchen am Rand goldgelb sind. Auf dem Backblech abkühlen lassen.

Variation: Als lustige Version für die Kinder kann man den Ingwerplätzchen auch ein Gesicht machen, indem man vor dem Backen 2 Rosinen für die Augen und etwas Orangenschale für den Mund auflegt.

MELASSE

Ein oder zwei Ingwerplätzchen bringen Pitta und Kapha sicher nicht aus dem Gleichgewicht, wohl aber mehr davon, denn Melasse ist warm, schwer und ölig. Durch diese Eigenschaften ist sie aber perfekt für Vata geeignet. Am wertvollsten ist naturbelassene Melasse, die sich — mit heißem Wasser oder heißer Milch getrunken — ausgezeichnet zur Beruhigung von Vata eignet. Sie dominiert allerdings geschmacklich in Speisen und Getränken!
Leichte, naturbelassene Melasse hat zwar weniger Mineralien, speziell Eisen und Kalzium, aber einen milderen Geschmack und läßt sich deswegen harmonischer in Rezepten verwenden.

PFLAUMEN

Pflaumen wirken warm, süß, schwer und abführend. Die abführende Eigenschaft kommt vor allem Pitta und Kapha wohltuend zugute. Sie sind außerdem reich an Eisen. Für Vata sind sie zu schwer und abführend, als daß er sie in großen Mengen essen könnte.

Delikate Pflaumenriegel

Zubereitungszeit: 1 Stunde
Portionen: 24 Riegel
Wirkung: +Vata/-Pitta/-Kapha
Jahreszeit: F/W

300 g entkernte Pflaumen, fein gehackt · 2 Tassen Apfelsaft
⅓ Tassen Wasser · ½ TL Zimtpulver · ¼ TL Piment
½ TL Mandelextrakt (wahlweise) · 2 Tassen Gerstenmehl
½ TL Backpulver · ¼ TL Meersalz · 1 EL Ghee
1½ Tassen Wasser · Zimt

GARNIERUNG: *Limetten- oder Zitronenschale (von unbehandelten Früchten) oder dünn geschnittene Zitrusfruchtscheiben ohne Schale*

Ofen auf 170 Grad Celsius vorheizen. In einem Töpfchen Pflaumen mit Saft, Wasser und Gewürzen unbedeckt etwa 20–30 Minuten köcheln, bis sie eingedickt sind. Mandelextrakt am Ende der Kochzeit einrühren. Währenddessen die restlichen Zutaten in einer Schüssel vermischen. Mit der krümeligen Masse auf einem eingefetteten Backblech etwa 4–5 cm lange Riegel formen, dabei den Teig gut zusammendrücken. Abschließend mit Zimt bestreuen. Etwa 12–20 Minuten backen, bis die Riegel knusprig aussehen.
Backblech aus dem Ofen nehmen, Riegel mit Pflaumenmischung bestreichen und mit dünn geraspelter Zitronenschale oder Zitronenscheiben ohne Schale (sieht sehr attraktiv aus) garnieren. Zurück in den Ofen schieben und nochmals 15 Minuten backen. Abgekühlt servieren.

Bemerkungen: Die Pflaumenriegel sollten in angemessener Menge (1—2) gegessen werden, da sie recht abführend wirken. Bei allen, die mit diesen Riegeln getestet wurden, wurde Vata auf jeden Fall gereizt.

Pal Payasam

(Für alle Veranlagungen)

Zubereitungszeit: 20 Minuten + Kühlung
Portionen: 4—6
Wirkung: 0 Vata/-Pitta/-Kapha*
-Vata/-Pitta/+Kapha**
Jahreszeit: S/H/W

1 l Soja- oder Ziegenmilch · 4 EL Basmati- oder brauner Reis
2 EL Honig · ½ Tasse Rosinen · 3 Kardamomschoten · ½ Tasse
geröstete Sonnenblumenkerne · ¼ Tasse ungesüßte Kokosraspel
(wahlweise)

GARNIERUNG: *Sonnenblumenkerne und Kokosnußraspel*

Reis im Mixer zu feinem Mehl verarbeiten, mit ½ Tasse kalter Sojamilch verrühren. Restliche Milch in einer mittelgroßen Pfanne erhitzen. Reismehl einrühren und unter ständigem Rühren zum Kochen bringen. Koriandersamen aus den Hülsen entfernen und mit den Rosinen zur heißen Milch geben. Bei kleiner Hitze 5—10 Minuten köcheln lassen. Das Dessert wird ein wenig eindicken, bleibt aber generell flüssig. Vom Herd nehmen, Honig einrühren, garnieren und danach kühlen.

Bemerkungen: Das Dessert kann auch mit Kuhmilch und Cashewnüssen zubereitet werden und beruhigt damit Vata. Mit Kuhmilch und ohne Nüsse kann es bei Durchfall hilfreich sein.

Ziegen- und Sojamilch haben ihre Eigenarten. Einige Vatas finden Sojamilch durchaus anregend, während andere Blähungen von Ziegenmilch bekommen. Die Kuhmilch ist meistens am besten verträglich für Vatas, solange sie nicht allergisch auf sie reagieren.

---

* ohne Kokosraspeln
** mit Kokosraspeln

Gebackene Äpfel

Zubereitungszeit: 1 Stunde
Portionen: 4
Wirkung: 0 Vata/-Pitta/-Kapha
Jahreszeit: F/H/W

4 ungespritzte Äpfel · 2 Tassen Apfelsaft · 1 TL Zimtpulver
¼ TL Muskat oder Kardamom · ¼ TL unbehandelte Zitronenschale
oder 1 TL Zitronensaft · 1 Tasse Rosinen · ½ Tasse Sonnen-
blumenkerne · Ghee oder ungesalzene Butter

Ofen auf 190 Grad Celsius vorheizen. Äpfel waschen, das Kernhaus ausstechen, die Früchte in eine ofenfeste Form setzen. Rosinen, Gewürze und Sonnenblumenkerne verrühren. Die Mischung in die Äpfel füllen und etwas Butter oder Ghee als Abschluß auf die Füllung geben. Apfelsaft zugießen und ca. 45 Minuten backen, bis die Äpfel gar sind.

Bemerkungen: Ein sehr sättigendes Dessert, das auch auf sanfte Weise die Ausscheidung unterstützt und damit toxische Stoffe reduziert.
Fruchtsäfte und -konzentrate wie Apfel- oder Kirschdicksaft sind gute Süßmittel für Kapha. Rosinensirup (Rosinen und Wasser im Mixer püriert), getrocknete Feigen oder andere getrocknete Früchte sind bei maßvollem Genuß eine weitere heilende Alternative zum Süßen für Kapha. Wenn Sie Kapha sind, sollten Sie versuchen, alles Süße, mit Ausnahme von Früchten und Honig, zu meiden. Beobachten Sie, wieviel leichter und klarer Sie sich fühlen.

Variation: Gebackene Birnen, halbiert und entkernt, wie hier beschrieben zubereiten.

Kapha-Frucht-Dessert

Zubereitungszeit: 30 Minuten
Portionen: 4
Wirkung: 0 Vata/-Pitta/-Kapha
Jahreszeit: F/H/W

800 g Obst (Äpfel, Aprikosen, Himbeeren, Blaubeeren, Kirschen,
Pfirsiche, Birnen) · 3 Tassen Apfelsaft · ½ Tasse Rosinen

1 TL Zimt · ¾ TL Korianderpulver · ⅛ TL (Pitta) bis
¼ TL (Kapha, Vata) Ingwerpulver · 1 EL Zitronensaft
2–4 EL Honig (wahlweise) oder Apfeldicksaft

GARNIERUNG: *1 Tasse Granola · 1 EL ungesüßte Kokosraspeln*

Obst waschen und großes Obst in kleine, etwa 2–3 cm große Stücke schneiden. Apfelsaft in einer mittelgroßen Kasserolle bei mittlerer Hitze erwärmen. Obst, Rosinen und Zimt darin etwa 15 Minuten dünsten. Vom Herd nehmen, restliche Zutaten einrühren, in kleine Schalen füllen, mit Granola und Kokosraspeln garnieren und heiß oder kalt servieren.

Bemerkungen: Dieses Rezept ist eine Ausnahme der Regel, daß Kapha von den meisten Süßmitteln aus dem Gleichgewicht gebracht wird, denn es beruhigt Kapha und befriedigt die Lust nach Süßem. Nehmen Sie mehr Ingwer, wenn Sie das Dessert für Kapha zubereiten, aber weniger für Pitta, denn Ingwer ist recht wärmend.

Herzhafter Reispudding

Zubereitungszeit: 2 Stunden
Portionen: 8
Wirkung: 0 Vata / - Pitta / + Kapha
Jahreszeit: H / W

1 Tasse Naturreis, ungekocht · 1 Tasse Gerstengraupen, ungekocht
⅞ l Wasser · ⅛ TL Meersalz · ¼ l Ziegen- oder Kuhmilch
1 Ei · 1 EL Gerstenmehl · 1½ TL Zimtpulver · ¼ TL Muskat
1 EL unbehandelte Orangenschale, feingerieben oder -gehackt
1 TL Ghee · 2 TL Vanilleextrakt · ¼ Tasse Rosinen
4 EL Apfeldicksaft

Ofen auf 180 Grad Celsius vorheizen. Reis, Gerste, Wasser und Salz in einem Topf zum Kochen bringen. Dann bei kleiner Hitze 50 Minuten köcheln lassen. Restliche Zutaten einrühren und in eine leicht eingeölte Form geben. 45–50 Minuten unbedeckt backen. Abkühlen lassen und servieren.

Bemerkungen: Eigentlich sollte dieses Rezept Kapha beruhigen, wenn man von den Zutaten ausgeht. So zubereitet wird es aber die Kapha-Energie steigern, es sei denn, man ißt nur kleine Häppchen von diesem delikaten Pudding.

Getränke

Getränke sind für die Ayurveda Teil einer Mahlzeit. Sie sollten nicht ausdrücklich von festen Nahrungsmitteln getrennt genossen, aber doch in Maßen — eher schlückchenweise — getrunken werden. Getränke verstärken die Verdauungskräfte und geben der Nahrung, neben der Anreicherung mit Speichel, Flüssigkeit bzw. Feuchtigkeit. Einige Flüssigkeiten steigern die Verdauungsenergie, andere können sie reduzieren, was von der Zusammensetzung der Getränke und der Menge, die man trinkt, abhängig ist.

Ein Glas einfaches Wasser von Zimmertemperatur oder etwas warmer Tee sind gute Getränke, um eine Speise zu begleiten. Mit einer Scheibe Zitrone oder Limone darin wird ihre verdauungsfördernde Wirkung noch erhöht. Jedoch rät die Ayurveda vom Herunterspülen von Nahrung mit großen Mengen kalter Getränke gänzlich ab. Sowohl östliche als auch westliche Forschungen haben gezeigt, daß solche Angewohnheiten die Magensäuresekretion unterdrücken und damit die Verdauung unmöglich machen.

Getränke können auch, wie eine Speise, für sich selbst genossen werden. Viele der im folgenden beschriebenen Getränke sind gute Snacks oder einfache Mahlzeiten.

Gemüse- und Fruchtsäfte werden wegen ihrer medizinischen Eigenschaften geschätzt und oft zur Anregung von bestimmten Heilprozessen genommen.

Einige ayurvedische Anwendungen von Gemüse- und Obstsäften

Kopfsalat	beruhigende Wirkung auf Nerven und Herz bei Herzrhythmusstörungen
Rotkohl	chronischer Husten, Bronchitis, Asthma (in Saftmischungen)
Spinat	Gurgellösung bei Halsentzündungen
Granatapfel	Hämorrhoiden
Zwiebel	Aphrodisiakum, Geruch belebt bei Ohnmacht
Rettich	verdauungsfördernd, appetitanregend
Knoblauch	beruhigend und schleimlösend bei hartnäckigem Husten, Bronchitis, Asthma, Lungenentzündung, Grippe
Bete	Nasenspülung bei Kopf- und Zahnschmerz

Weitere Anwendungen werden bei den Rezepten beschrieben.

HÜTTENKÄSE

Hüttenkäse wirkt kühlend auf Pitta, und seine feuchten und schweren Eigenschaften gleichen auch Vata aus. Man kann ihn gänzlich oder teilweise als Ersatz für Sauerrahm in den Rezepten nehmen, manchmal mit etwas zusätzlichem Zitronensaft. Hüttenkäse ist für Kapha zu schwer, um regelmäßig gegessen zu werden, auch wenn er weniger störend als Hartkäse auf das Gleichgewicht wirkt. Man serviert ihn am besten mit frisch gemahlenem schwarzen Pfeffer, was Kapha reduziert und ihn verdaulich für alle Veranlagungen macht.

Vata Lassi

Zubereitungszeit: 5 Minuten
Portionen: 1—2
Wirkung: -Vata/leicht +Pitta/+Kapha
Jahreszeit: F/S/H/W

*1 Tasse Hüttenkäse · 1 Tasse Joghurt · 1½ Tassen Wasser
1 TL Kreuzkümmelpulver · 1 TL Honig oder 3 entkernte Datteln
½ TL Zitronensaft*

Hüttenkäse, Joghurt und Wasser mixen. Restliche Zutaten zufügen und nochmals mixen. Bei Zimmertemperatur trinken.

Pitta Lassi

Zubereitungszeit: 5 Minuten
Portionen: 1—2
Wirkung: -Vata/-Pitta/+Kapha
Jahreszeit: S/H/W

*1 Tasse Hüttenkäse · 1 Tasse Joghurt · 1½Tassen Wasser
2 TL Korianderpulver · 1 EL Ahornsirup oder 3 große,
entkernte Datteln*

Hüttenkäse, Joghurt und Wasser mixen. Restliche Zutaten zufügen und nochmals mixen. Bei Zimmertemperatur trinken.

Kapha Lassi

Zubereitungszeit: 5 Minuten
Portionen: 1—2
Wirkung: -Vata/+Pitta/-Kapha
Jahreszeit: S/H/W

*1 Tasse Joghurt · 2 Tassen Wasser · 2 TL Honig · je ⅛ TL Zimt,
Ingwerpulver, schwarzer Pfeffer und Kreuzkümmelpulver
3 Kardamomkapseln · 1 EL Lecithin (wahlweise)*

Alle Zutaten mixen. Bei Zimmertemperatur trinken. Sehr würzig, erst einmal probieren!

MANDELN

Mandeln werden als Verjüngungsmittel von der Ayurveda geschätzt und nach ayurvedischen Regeln immer blanchiert empfohlen, da ihre Haut schwer verdaulich ist.

Verjüngende Mandelmilch

Zubereitungszeit: 5—10 Minuten
(+ 1 Nacht einweichen)
Portionen: 1
Wirkung: -Vata/-Pitta/+Kapha
Jahreszeit: F/S/H/W

5 eingeweichte Mandeln · 2 Tassen Milch · ¼ TL Kardamompulver

Die nachts zuvor eingeweichten Mandeln schälen. Milch zum Kochen bringen, die Mandeln im Mixer damit übergießen, Kardamom dazugeben und gut durchmixen.

Bemerkungen: Diese Mandelmilch ist gut für die Wiederherstellung der Kräfte, speziell im Herbst und Winter oder nach einer langen anstrengenden Phase.

Eisenreicher Frühstückstrunk

Zubereitungszeit: 5 Minuten
(+ 1 Nacht einweichen)
Portionen: 2
Wirkung: -Vata/-Pitta/-Kapha
Jahreszeit: F/S/H/W

*½ Tasse Rosinen · ½ Tasse ungeschwefelte getrocknete Aprikosen
oder Pfirsiche · 2 Tassen Wasser · ⅛ TL Ingwerpulver
(nur für Kapha)*

Rosinen und Trockenfrüchte für 1 Nacht einweichen. Wasser und Früchte am nächsten Morgen im Mixer pürieren. Für Kapha mit Ingwerpulver bestreuen.

Bemerkungen: Für Vata kann das Getränk mit 1 TL Melasse für zusätzliches Eisen angereichert werden.

Eisenreicher Joghurttrunk

Zubereitungszeit: 5 Minuten
(+ 1 Nacht einweichen)
Portionen: 1—2
Wirkung: -Vata/-Pitta/leicht +Kapha
Jahreszeit: F/S/H/W

*½ Tasse Rosinen · ½ Tasse ungeschwefelte getrocknete Aprikosen,
Pfirsiche oder Feigen · 2 Tassen Wasser · 1 Tasse einfacher Joghurt*

Früchte für 1 Nacht einweichen und morgens zusammen mit dem Joghurt im Mixer verquirlen.

Bemerkungen: Eine ausgezeichnete, leicht abführend wirkende Verdauungshilfe und ein Stärkungsmittel.

Dattelmilch

Zubereitungszeit: 5 Minuten
Portionen: 2
Wirkung: -Vata/-Pitta/+Kapha
Jahreszeit: S/H

6 entkernte Datteln · 3 Tassen Kuh-, Soja- oder Ziegenmilch
¼ TL Vanilleextrakt · 1 Tasse ungesüßte Kokosraspeln

Alle Zutaten gut mixen und sofort trinken, da sich sonst die Kokosraspeln am Boden absetzen.

Bemerkungen: Süß, stabilisierend und kühl. Vata kann eine Prise Kardamom oder Nelkenpulver zur besseren Verdauung zufügen.

Feigenmixtur

Zubereitungszeit: 5 Minuten
Portionen: 2
Wirkung: +Vata/-Pitta/-Kapha*
Jahreszeit: W/F

3 Feigen · 3 Tassen Apfelsaft · ¼ TL Nelkenpulver (wahlweise;
Pitta sollte darauf verzichten) · ½ TL Mandelextrakt

Alle Zutaten im Mixer verquirlen.

Heißer Apfelsaft

Zubereitungszeit: 20 Minuten
Portionen: 2
Wirkung: 0 Vata/-Pitta/-Kapha
Jahreszeit: W/F

¼ l Apfelsaft · 1 kleine, ungespritzte Orange oder Mandarine
1 Stange Zimt · 2 Nelken

Apfelsaft in einem Töpfchen erwärmen. Obst in feine Scheiben schneiden (bei behandeltem Obst ohne Schale). Obst, Zimtstange und Nel-

---

* Für Kapha: mit Nelken.

ken zum Apfelsaft geben und mindestens 20 Minuten ganz leicht köcheln lassen.

Bemerkungen: Für Pittas die Nelken weglassen, da sie recht wärmend wirken. Als Variante können 2 Tassen Wasser zugefügt werden, wodurch das Getränk leichter und wohltuender für Kapha wird, da nicht mehr so süß.

MILCH

Milch wirkt aufbauend und wird zur Einleitung ayurvedischer Reinigungstherapien genommen, um in einem Bereich erst einmal Energie zu sammeln, bevor er gereinigt wird. Milch gibt Speisen Masse, Süße, Stabilität und gewöhnlich Kühle. Daher ist sie ausgezeichnet für Kinder, Jugendliche, Schwangere, Genesende und stillende Mütter, also für alle, die Stabilität und Beruhigung oder Erholung brauchen.
Sie ist bestens zuträglich für Vata, gänzlich ungeeignet für Kapha (mit wenigen Ausnahmen) und manchmal wohltuend für Pitta. Sie liefert uns Kalorien, Kalzium, Eiweiß und Vitamine. Milch baut Knochen und Zähne auf, und sie stärkt das Herz und die Nerven des Vata-Menschen. Bei Kapha kann sie umgekehrt auf das Herz wirken und eine Verstopfung da erzeugen, wo sie nicht gebraucht wird. Ihre kühle Süße ist gut zum Tonisieren des Pitta-Typs, wenn die richtigen Milchprodukte genommen werden.
Nach Ansicht eines bekannten ayurvedischen Therapeuten ist der schlechte Ruf der Milch auf ihre Herstellungsweise und die Art wie sie verwendet wird, zurückzuführen, nicht aber wegen der ihr innewohnenden Eigenschaften. Im Westen wird sie meistens homogenisiert und kalt und ungewürzt getrunken, oft und in zu großen Mengen zusammen mit anderen Nahrungsmitteln. Durch ihren hohen Fettgehalt, ihre Schwere und Kühle ist sie aber dafür nicht geeignet. So genossen kann sie das Risiko von Herzkrankheiten, Krebs oder Fettleibigkeit steigern. Milchprodukte sollten fachgerecht und nicht im Übermaß zugeführt werden.

Kuhmilch war in den ayurvedischen Überlieferungen sehr hoch geschätzt, da sie leichter verdaulich als die meiste andere Milch ist. Sie regt an und ist gut für Vata und Pitta, solange sie nicht dagegen allergisch sind. Durch die massive und extreme Ernährung von Kleinkindern in der Zeit nach dem letzten Weltkrieg mit allen möglichen konzentrierten Milch- bzw. Trockenmilchprodukten ist die momentane Empfindlichkeit gegenüber Milch heutzutage erklärbar. Wenn Ihnen Milch keinen Durchfall, Blähungen, Verstopfung o. ä. verursacht, ist sie bei richtiger Zubereitung für Sie ein ausgezeichnetes, ausgleichendes Nahrungsmittel.

Das Geheimnis liegt also in der Zubereitung. Man hat in der letzten Zeit viel über das Für und Wider roher oder homogenisierter Milch diskutiert. Ayurveda spricht sich, wo möglich, immer für die Rohmilch aus. Milch sollte immer vor dem Verzehr gekocht werden, was eventuelle Bakterien wirkungsvoll vernichtet. Das Kochen kann auch die Proteine pasteurisierter Milch weiter denaturieren, womit sie sich in kleinere Aminosäureketten zerlegen, die leichter verdaulich sind. Generell ist also gekochte Milch verdaulicher und sicherer, was auf Rohmilch ganz besonders zutrifft. Der Kochvorgang wärmt das eigentlich kühle Nahrungsmittel, die zugesetzten Gewürze wie Zimt, Kardamom, Ingwer und schwarzer Pfeffer tun ein übriges. Durch etwas Honig, den man nach dem Kochen zufügt, werden die Wirkungen der Milch ausgeglichen, sie wird dadurch wärmer und trockener.

Die Pasteurisierung macht den Verzehr von handelsüblichen Milchprodukten sicherer bezüglich der Verringerung einer möglichen Bakterieninfektion vieler Konsumenten. Aber der niedrige Wärmepunkt (15 Sekunden bei ca. 70 Grad Celsius oder 30 Minuten bei gut 60 Grad) macht die Milch weder leichter verdaulich, noch eliminiert er das Risiko einer ernsten Virus-Ansteckung. Das unvollständige Erhitzen beim Pasteurisieren scheint ein teilweises Auseinanderbrechen der Milchproteine in verhedderte Aminosäureschlangen zu verursachen. Diese ungeordneten Schlangen sind nicht leicht von den Verdauungsenzymen aufzuhalten und zu zersetzen. Für manch einen mag das der Grund sein, warum pasteurisierte Milch Verstopfung verursacht, während gekochte Milch nicht diese Folgen hat.

Das Homogenisieren ist auch ein kontroverser Prozeß. Er spaltet die Milchfette scheinbar in genügend kleine Kügelchen auf, so daß manche komplett in den Blutstrom übergehen können, wo sie einen umfassenden Prozeß bewirken, der möglicherweise eine stärkere Neigung zu arteriosklerotischer Klumpenbildung nach sich zieht. Ob dem so ist, wird noch von Medizinern und Gesundheitsfachleuten diskutiert. Jedenfalls ist die Kuhmilch, von der die alte Ayurveda spricht, nicht die, welche wir heute in den meisten Geschäften vorfinden.

Ziegenmilch ist adstringierender als Kuhmilch und verursacht weniger Schleim. Oft wird sie von denen gut vertragen, die sich mit Kuhmilch nicht wohl fühlen. Ihre starke Pufferkapazität macht sie sehr wertvoll zur Beruhigung und Heilung von Magengeschwüren. Pitta wird Ziegenmilch normalerweise gut vertragen, und auch für den Kapha ist sie in kleinen Mengen von Vorteil. Ihre Wirkung auf Vata ist verschieden. Im alten Indien gab man Ziegenmilch stillenden Müttern, damit ihre Milchproduktion stimuliert wurde und man betrachtete sie auch als spezielles Heilmittel bei starken Blutungen (aufgrund ihrer adstringierenden Wirkung).

Schafsmilch findet man recht selten. Sie beruhigt Kapha und Pitta. Sie wird von den alten Ayurveden im übrigen als gleichwertig mit der Kuhmilch betrachtet.

Heiße Gewürzmilch 1

Zubereitungszeit: 10 Minuten
Portionen: 1
Wirkung: -Vata/-Pitta/leicht +Kapha
Jahreszeit: S/H/W

2 Tassen Rohmilch · 2 TL Ghee · 1 TL oder mehr Korianderpulver

Milch und Ghee in einem Töpfchen unbedeckt erwärmen. Wenn sie heiß wird, Gewürze einrühren. Warm trinken.

Bemerkungen: Eine gute Art, Pitta zu beruhigen.

Heiße Gewürzmilch 2

Zubereitungszeit: 10 Minuten
Portionen: 2
Wirkung: -Vata/-Pitta/0 Kapha*
Jahreszeit: S/H/W

2 Tassen Milch (Ziegenmilch für Kapha) · 2 Tassen Wasser
¼ TL Kardamom · ¼ TL Ingwer · ¼ TL Nelken · ¼ TL Kümmel

Alle Zutaten in einem Töpfchen 15 Minuten köcheln lassen, sieben und warm trinken.

Bemerkungen: Ein gutes Mittel bei Verdauungsstörungen. Kann auch nach dem Essen getrunken werden.

Heiße Gewürzmilch 3

Zubereitungszeit: 10 Minuten
Portionen: 1
Wirkung: -Vata/0 Pitta/0 Kapha
Jahreszeit: F/S/H/W

2 Tassen Rohmilch (Ziegenmilch für Kapha) · ½ TL Muskatpulver

Milch aufkochen, Muskat einrühren, 5 Minuten köcheln lassen, sieben.

Bemerkungen: Ein gutes Getränk für gereizte Nerven und gegen Schlaflosigkeit. Wirkt auch bei Durchfall im Sommer. Kann gelegentlich von Kapha getrunken werden.

---

* -Kapha bei Ziegenmilch

SOJAMILCH

Eine gute Alternative zur Kuhmilch ist Sojamilch, die weniger störend auf das kaphische Gleichgewicht wirkt, wenn sie richtig zubereitet wird. Sie ist leichter als Kuhmilch und kocht schneller auf. Sojamilch ist aufbauend, aber nicht reinigend, wie die meisten eiweißhaltigen Nahrungsmittel. Man nimmt sie am besten zur Stärkung und Gesunderhaltung. Mit Zimt, Kardamom, Muskat, Ingwer oder schwarzem Pfeffer kann sie gewärmt werden. Einige Vatas vertragen Sojamilch nicht gut. Übrigens sollten Sojabohnen und ihre Produkte für eine gute Verdauung ohne Blähungen immer mit reichlich Gewürzen gut gekocht oder gebraten werden. Man braucht für sie eine Pitta-Konstitution und eine gute Verdauungsenergie.

Heiße Sojamilch

Zubereitungszeit: 5 Minuten
Portionen: 1
Wirkung: 0 Vata / - Pitta / 0 Kapha*
Jahreszeit: F / S / H / W

2 Tassen Sojamilch · 1 Prise Zimt · ¼ TL Sirup oder Gerstenmalz (wahlweise)

Sojamilch aufkochen, in einen Becher gießen, Sirup einrühren und mit Zimt bestreuen. Kann auch ungesüßt getrunken werden.

Bemerkungen: Eignet sich als Snack vor dem Schlafen, wenn man noch hungrig ist und Eiweiß braucht.

---

* Für Kapha die Milch mit einer Prise Ingwer und ohne Sirup zubereiten.

Verdauungstee

Zubereitungszeit: 5 Minuten
Portionen: 2
Wirkung: -Vata/-Pitta/-Kapha
Jahreszeit: F/S/H/W

*½ l Wasser · 1 TL Koriandersamen · 1 TL Fenchelsamen
1 TL Kreuzkümmelsamen*

Wasser aufkochen und die Gewürze im Mixer damit übergießen. Gut mixen und abschließend durchsieben. Nach jedem Essen trinken. Eine sehr gute Verdauungshilfe.

Beruhigender Chai

Zubereitungszeit: 50 Minuten
Portionen: 6
Wirkung: -Vata/0 Pitta/0 Kapha
Jahreszeit: F/H/W

*½ l Wasser · 2 TL frische oder 1 TL getrocknete Pfefferminze
oder 3 Teebeutel · 1 l Kuh- oder Sojamilch · 1 Stange Zimt
¼ TL Nelkenpulver · 1 TL Ingwerpulver · ¾ TL Kardamompulver
1 TL schwarze Pfefferkörner · 2 EL bis 1 Tasse Sirup oder Honig*

Wasser zum Kochen bringen und lose Pfefferminzblätter in einem Tee-Ei zugeben. Vom Herd nehmen und 20 Minuten ziehen lassen. Tee herausnehmen, Milch, Gewürze und Sirup zufügen. Honig erst am Ende der Zubereitung einrühren! Nochmals erhitzen und weitere 30 Minuten auf kleiner Flamme kochen.

Bemerkungen: Kapha sollte am besten Sojamilch und ein Minimum an Süßmittel, vorzugsweise Honig, nehmen. Paßt zu fast allen Speisen.

Ingwertee 1

Zubereitungszeit: 15—50 Minuten
Portionen: 4
Wirkung: -Vata/+Pitta/-Kapha
Jahreszeit: F/H/W

1 l Wasser · 6 cm Ingwerwurzel · Honig (für Vata und Kapha — wahlweise) · Zitrone (für Vata — wahlweise)

Wasser erhitzen, Ingwer schälen und in Stücke schneiden. Ingwer in das kochende Wasser geben und 10—45 Minuten kochen, je nachdem, wie scharf der Tee werden soll. Absieben und Honig und/oder Zitrone einrühren.

Bemerkungen: Ausgezeichneter Tee zur Anregung der Verdauungsenergie. Nützlich bei Erkältung, Halsentzündung, Bronchitis, mangelhafter Blutzirkulation und Verdauung. Gut an verregneten, kalten Tagen.

Ingwertee 2

Zubereitungszeit: 5 Minuten
Portionen: 1
Wirkung: mittel +Vata/+Pitta/-Kapha
Jahreszeit: F/W

2 Tassen Wasser · ⅛ TL Ingwerpulver · Honig (wahlweise)

Wasser zum Kochen bringen und alle Zutaten einrühren.

Bemerkungen: Sehr guter Tee für Kapha, da wärmend und trocknend. Um Vata zu beruhigen, besser Melasse statt Honig nehmen. Für (o) Pitta Ahornsirup und 1 TL Korianderpulver nehmen.

MEDIZINISCHE TEES

Zubereitungszeit: max. 30 Minuten
Wirkung: 0 Vata/-Pitta/-Kapha

Kamillentee

Portionen: 1
Jahreszeit: F/S/H/W

¼ l Wasser zum Kochen bringen. 1 TL getrocknete Kamille einrühren, Herd abstellen, ½ Stunde ziehen lassen. Absieben und trinken.
Gut zur Beruhigung der Nerven und als Einschlaftee. Beruhigt die Verdauung kurzfristig, sollte aber nicht täglich getrunken werden, da er sonst die Funktionen des Verdauungstrakts hemmen kann. (+Vata bei übermäßigem Genuß.)

Chrysanthementee

Portionen: 1
Jahreszeit: S

¼ l Wasser zum Kochen bringen. 2–3 TL Chrysanthemenblüten hineingeben (auch die ungespritzten Blüten aus Ihrem Garten sind gut). Herd abstellen, mindestens 15 Minuten ziehen lassen. Absieben und trinken. Ausgezeichneter Tee für Pitta. Beruhigt Augen, Leber und Emotionen. (+Vata/-Pitta/-Kapha bei übermäßigem Genuß.)

Zitronengras-Brennessel-Tee

Portionen: 2
Jahreszeit: F/S/H

⅜ l Wasser zum Kochen bringen. 1 TL Zitronengras und 1 TL junge Brennessel zufügen und auf kleinster Hitze 5 Minuten bedeckt köcheln. Herd abstellen und 20 Minuten ziehen lassen. Absieben und trinken. Leicht gesüßt ein guter Sommertee. Stärkt die Nieren. Wirkt beruhigend auf Kapha und Pitta (0 Vata/-Pitta/-Kapha).

Pfefferminztee

Portionen: 1
Jahreszeit: F/S/H/W

¼ l Wasser zum Kochen bringen. 2 TL frische oder 1 TL getrocknete Pfefferminze zufügen. Herd abstellen, bedecken und 15 Minuten ziehen lassen. Absieben und trinken. Gut für die Nerven, schwache Verdauung und Herzrythmusstörungen aufgrund Nervenreizung (o Vata/ -Pitta/-Kapha bei mäßigem Genuß).

Borretsch-Himbeer-Brennessel-Minze-Tee

Portionen: 4
Jahreszeit: F/S/H/W

1 l Wasser zum Kochen bringen. 1 EL Borretsch, 3 EL Himbeerblätter, 1½ EL Brennesseln und 1 EL Minze zufügen, vom Herd nehmen und mindestens 30 Minuten ziehen lassen. Absieben und heiß oder kalt trinken. Kann gesüßt werden. In der Schwangerschaft auf den Borretsch verzichten. Guter Tee für die Rekonvaleszenz nach der Geburt (o Vata mit Süßmittel/-Pitta/-Kapha, jedoch +Vata bei übermäßigem Genuß).

Gerstentee

Zubereitungszeit: 1–1½ Stunden
Portionen: 4
Wirkung: leicht +Vata/-Pitta/-Kapha*
Jahreszeit: F/S/H/W

½ Tasse Gerstengraupen (am besten organisch) · 2 l Wasser

Graupen waschen und mit 2 l Wasser aufkochen. So lange köcheln lassen, bis 1 l Wasser verkocht ist (eventuell in einem irdenen Topf). Absieben und trinken.

Bemerkungen: Ausgezeichnet zur Beruhigung von Blasen-, Hals- oder Bauchentzündungen und bei Schleimhautreizungen. Um Fieber zu senken, mit 1 EL Sucanat oder Jaggery und 1 TL Zitronensaft zubereiten.

---

* Nicht regelmäßig für Vata.

Gersten-Abführtrunk

Zubereitungszeit: 1 Nacht im Warm-
haltetopf
Portionen: 3—4
Wirkung: 0 Vata/-Pitta/-Kapha
Jahreszeit: F/S/H/W

*½ Tasse Gerstengraupen (unbedingt biologische, sonst verursacht die
Zubereitung eine Konzentration der Gifte statt Erleichterung)
2½ l Wasser · ½ Tasse Feigen, gehackt (ohne Konservierungsmittel)
½ Tasse Rosinen (ohne Konservierungsmittel) · 2 EL Süßholzwurzel*

Graupen gut waschen, Feigen hacken und Süßholzwurzel in einer Müh-
le trocken mahlen. Alle Zutaten in einem Warmhaltetopf über Nacht
köcheln lassen, bis wenigstens die Hälfte der Flüssigkeit verkocht ist.
Absieben und trinken.

Bemerkungen: Von diesem Trunk kann man jeweils 1 Tasse trinken. Sie
haben hier eines der geheimnisvollsten Rezepte der Ayurveda. Das Getränk wirkt äußerst erleichternd bei Pitta und Kapha, ohne Vata zu reizen. Allerdings eine etwas kostspielige Zubereitung …

Hibiscus-Erfrischungsgetränk

Zubereitungszeit: 15 Minuten
Portionen: 4
Wirkung: -Vata/-Pitta/-Kapha
Jahreszeit: F/S/W

*1 l Wasser · 2 Stangen Zimt · ¼ TL bis 1 EL Ingwerwurzel, gerieben
½ Tasse getrocknete Hibiscusblüten · Honig oder Orangendicksaft*

Wasser zum Kochen bringen. Zimtstangen, Ingwer und Hibiscusblüten
zufügen. Bedeckt bei kleiner Hitze 10 Minuten köcheln lassen. Absieben und ungesüßt oder mit ½–1 TL Honig pro Becher (Vata oder Kapha) oder 1–3 TL Orangensaft (Pitta oder Vata) trinken. Heiß im Winter, gekühlt im Sommer.

Bemerkungen: Dieser intensiv rosenfarbige Tee ist eine gute Alternative zu sonstigen Erfrischungsgetränken für Kinder und Erwachsene. Mit ½ TL Ingwer sehr erfrischend im Sommer für Pitta. Im Winter wirkt der Vitamin-C-reiche Hibiscus vorbeugend gegen Grippe. Dafür dann 1 EL Ingwer nehmen.

Einige sehr feurige Pittas haben sogar Schwierigkeiten mit Orangendicksaft. Für sie kann statt dessen Ahornsirup genommen werden.

Kalter Minztee

Zubereitungszeit: 30 Minuten
Portionen: 4—6
Wirkung: -Vata/-Pitta/-Kapha
Jahreszeit: S

2 Tassen frische oder ½ Tasse getrocknete Pfefferminze · 1 l kochendes Wasser · 1 l kaltes (oder Zimmertemperatur) Wasser · 2 EL Honig (Kapha) oder Reissirup (Pitta; wahlweise)

Kochendes Wasser über die Pfefferminze gießen und zugedeckt 20 Minuten ziehen lassen. Blätter absieben, Honig oder Sirup zufügen, dann kaltes Wasser einrühren und im Kühlschrank mindestens 1 Stunde kühlen oder sofort mit etwas Eis servieren.

Bemerkungen: Ein großartiges Getränk zur Anregung der Verdauung und Beruhigung der Nerven an einem heißen Tag. Eine gute Alternative zu koffeinhaltigen Erfrischungsgetränken.

Bockshornkleetee

Zubereitungszeit: 5 Minuten und
1 Nacht einweichen
Portionen: 1
Wirkung: -Vata/+Pitta/-Kapha
Jahreszeit: F/H/W

1 TL Bockshornkleesamen · 2 Tassen Wasser
½-1½ TL Honig (wahlweise)

Samen für 1 Nacht in dem Wasser einweichen. Am nächsten Morgen kochen und absieben. Honig nach Belieben zufügen.

Bemerkungen: Dieser Tee wirkt stärkend auf Nerven und Verdauung. Er kräftigt vor allem die Atmungs- und Fortpflanzungsorgane. Nicht während der Schwangerschaft trinken! Er ist aber ein gutes Aufbaumittel vor der Empfängnis, hilft bei der Wiedergenesung in den ersten 6 Wochen nach der Geburt und steigert die Muttermilchproduktion. Da entwässernd, wirkt er auch gegen Wasseransammlungen im Gewebe.

Gemüsesaft

Zubereitungszeit: 15—20 Minuten
Portionen: 2
Wirkung: -Vata/-Pitta/-Kapha
Jahreszeit: F/S/H

1 große Karotte · 3 Stangen Sellerie · 1 Kopfsalat · 1 Bund
Petersilie · 2 kleine Zucchini (wahlweise)

Die gewaschenen Gemüse in einen Entsafter geben und den Saft sofort trinken.

Bemerkungen: Der Saft ist ausgezeichnet nervenstärkend und harntreibend.

GEMÜSESÄFTE

Wirkung auf	Vata	Pitta	Kapha	wichtigste Nährstoffe
Karotten	-	+	-	Vitamin A, Kalium, Selen, Biotin (Vitamin H)
Brunnenkresse	+	-	-	Vitamin C, Niacin, Kalzium, Eisen, Kupfer
Rote Bete	-	+	-	Folsäure, Mangan
Petersilie	+	-	-	Vitamin A + C, Kalium, Kalzium, Eisen
Kohl	+	-	-	Folsäure, Vitamin C, Selen
Sellerie	+	-	-	Natrium
Kartoffel	+	-	-	Folsäure, Niacin, Phosphor, Kalium
Spinat	+	+	-	Eiweiß, Vitamin A, Biotin, Folsäure, Vitamin A, Natrium, Kalium, Eisen, Magnesium, Mangan, Zink
Gurke	-	-	+	Vitamin C, Eisen, Kupfer

Frühstück

Es ist eine ganz persönliche Angelegenheit, ob man ein Frühstück mag oder nicht. Vatas und Menschen, die Blutzuckerprobleme haben, betrachten ein deftiges Frühstück als eine Notwendigkeit. Kapha steht der Sinn nicht so sehr nach Essen vor 10 Uhr morgens, und sie essen oft nur, um jemandem Gesellschaft zu leisten. Pittas sind verschieden, aber gewöhnlich brauchen sie etwas gegen Mitte des Vormittags, um keine schlechte Laune zu kriegen. Bei vielen Frühstücksrezepten liegt die Betonung auf vollem Korn, da es am besten stabilisiert und in unserer Kultur viel zu oft vernachlässigt wird.

Hüttenkäse-Blaubeer-Pfannkuchen

Zubereitungszeit: 45 Minuten
Portionen: 16 Pfannkuchen
Wirkung: -Vata/0 Pitta/+Kapha
Jahreszeit: H/W

2½ Tassen Hafermehl · ½ Tasse Gerstenmehl oder 3 Tassen Vollkornmehl · ½ TL Meersalz · 1 TL Backpulver ½ TL Natron · 1 Prise Muskat · 1–2 Eier · 1½ TL Sonnenblumenöl · 2 Tassen Hüttenkäse · 1 Tasse einfacher Joghurt 2 Tassen + 2 EL Wasser · 2 EL Sirup · 1 Tasse frische Blaubeeren (wahlweise)

Alle trockenen Zutaten und Muskat in einer Schüssel gut vermischen. Eier im Mixer verquirlen, die restlichen flüssigen Zutaten zufügen und nochmals gut mixen. Die Flüssigkeit unter leichtem, schnellem Rühren der Trockenmischung zufügen. Dann die Blaubeeren vorsichtig darunterziehen. Teig kellenweise in eine heiße, gefettete Pfanne geben und bei mittlerer Hitze backen, bis die Pfannkuchen Blasen an ihrem Rand bilden. Umdrehen und braten, bis sie goldbraun sind.

Bemerkungen: Vatas vertragen diesen Pfannkuchen am besten mit wärmendem Hafermehl oder stabilisierendem Vollkornmehl, Pittas bekommt am besten die kühlende Gerste oder auch Weizen. Für Menschen, die eine Weizenallergie haben, können diese Pfannkuchen gut mit anderen Mehlsorten zubereitet werden. Es kann aber auch vorkommen, daß man gegen Hafer allergischer reagiert als gegen Weizen!
Für den Kapha-Typen ist eine Mischung aus viel Gerste mit wenig wärmendem Hafer am besten. Je weniger Öl beim Backen genommen wird, desto besser für Pitta und Kapha. Also am besten in einer beschichteten Pfanne backen!

Buchweizen-Pfannkuchen

Zubereitungszeit: 45 Minuten
Portionen: 12 Pfannkuchen
Wirkung: -Vata/+Pitta/-Kapha*
Jahreszeit: F/W

2 Tassen Buchweizenmehl · 2 Tassen Haferschrot
¼ TL Backpulver · 1 TL Natron · ¼ TL Meersalz · ¼ l Butter-
milch · 1 Ei · 2 EL Sonnenblumenöl

Alle trockenen Zutaten in einer Schüssel vermischen. In einer anderen Schüssel Ei, Buttermilch und Öl gut schlagen. Die Flüssigkeit an die Trockenmischung geben und dabei gerade soviel schlagen, daß beides gemischt wird. Ein paar Klumpen können Sie nicht vermeiden. Den Teig in eine heiße, gefettete Pfanne geben. Die Pfannkuchen wenden, wenn sich am Rand Blasen bilden und die Unterseite leicht braun ist.

Bemerkungen: Mit Honig, Ahornsirup, Blaubeersauce oder Apfelkompott warm servieren. Sehr gut und leicht!

MAIS

Mais ist ein leichtes, trockenes und warmes Getreide mit süßlich adstringierendem Geschmack. Seine Eigenschaften machen ihn zum idealen Getreide für Kapha in jeglicher Zubereitung. Mais wird Pitta oder Vata nur leicht aus dem Gleichgewicht bringen, wenn er mit Flüssigkeiten gebacken oder gekocht wird, um ihn feuchter zu machen, z.B. im Maisbrot. Getoastet oder geröstet wirkt er leicht unausgleichend auf beide Typen. Süßer Mais, wie Maiskolben mit Butter, hat viel mehr Feuchtigkeit und etwas mehr Kühle als getrocknetes Maismehl und kann somit von Vata und Pitta besser vertragen werden.

Popcorn oder Maischips sind eine größere Herausforderung für den

---

* Die Hitze des Mehls und der saure Geschmack der Buttermilch machen die Pfannkuchen geeignet für Pitta. Durch Sojamilch werden sie zwar kühler, verlieren aber etwas von ihrem leichten Geschmack.

Vata-Verdauungstrakt, denn sie verstärken die leichte, trockene Qualität des Getreides, wodurch es vom Vata schlecht aufgenommen und verdaut werden kann. Mais nimmt man bei gestörter Blase und als unterstützende Maßnahme bei Nierensteinen.

Gordos Crêpes

Zubereitungszeit: 30 Minuten
Portionen: 8
Wirkung: 0 Vata / + Pitta / - Kapha*
- Vata / + Pitta / + Kapha**
Jahreszeit: H / W

5 große Eier · 1 Tasse Gerstenmehl · 1 Tasse Milch
¼ TL Meersalz

Alle Zutaten im Mixer oder per Hand verquirlen und etwa ½ Tasse der Masse in eine heiße, leicht gefettete Pfanne geben. Pfanne schwenken, damit sich der Teig gleichmäßig verteilt. Bei mittlerer Hitze backen, bis die Unterseite braun ist, dann wenden. Mit Mango-Chutney, Ingwermarmelade, Preiselbeersauce o. ä. servieren.

Bemerkungen: Ein Crêpe für Eierfreunde (außer Pittas), der natürlich auch mit Vollkornmehl zubereitet werden kann.

Pitta-Crêpes

Zubereitungszeit: 30 Minuten
Portionen: 8
Wirkung: 0 Vata / - Pitta / - Kapha
Jahreszeit: H / W

8 Eiweiß · 1 Tasse Gerstenmehl · 1 Tasse Milch · ¼ TL Meersalz

Wie Gordos Crêpes. (Besonders wenig Cholesterin, wenn in einer beschichteten Pfanne gebacken).

---

* Mit Ziegenmilch, ohne Öl (beschichtete Pfanne).
** Mit Kuhmilch und Öl (unbeschichtete Pfanne).

EIER

Aus ayurvedischer Sicht sind Eier wärmend, schwer und fett, also schwer verdaulich, und sie geben dem Körper Masse. Der Wärmeeffekt ist anhaltend, unabhängig davon, ob man warme oder kalte Eier ißt. Das kommt fast nur vom Eigelb, denn das Eiweiß hat eigentlich ganz andere Eigenschaften — es ist leicht, kühl und trocken. Damit ist Eiweiß eine wertvolle, cholesterinfreie Quelle von Proteinen für Pittas und auch Kaphas. Kleinkinder unter 12 Monaten sollten es jedoch nicht essen, denn das könnte sie gegen Eiweiß sensibilisieren.

Eier beruhigen Vata, wenn sie richtig zubereitet sind, d.h. in Aufläufen, Puddings, Kuchen, Crêpes, Saucen etc. Die meisten Vatas vertragen Rühreier oder weichgekochte Eier, aber wenige von ihnen gebratene oder hartgekochte Eier — die zwei schwerstverdaulichen Zubereitungen von Eiern für unseren Magen. Kaphas halten sich am besten von Eiern in Speisen fern, etwa 2 Eier pro Woche sind noch akzeptabel, aber nie gebraten oder roh.

Das reine Eiweiß wird für Pitta empfohlen. Das sieht sehr nach einer strikten Beschränkung aus, und dem ist auch so. Trotzdem können jeweils 2 Eiweiß für 1 ganzes Ei in den meisten Rezepten genommen werden. Zwei Möglichkeiten, Eiweiß zu verwenden, finden sich in den beiden folgenden Rezepten, Französischer Toast und Tofu-Rührei.

In den vergangenen Jahren wurde darüber diskutiert, ob Eier den Cholesterinspiegel anheben. Wie in den meisten Fällen hängt das vom individuellen Stoffwechsel ab, nicht aber von den Nahrungsmitteln allein. Bei einigen Menschen können ein oder zwei Eier täglich dem Cholesterinspiegel nichts anhaben, bei anderen verursacht das bereits ein Ansteigen des Blutfettspiegels. Das mag mit dem Zustand der Leber und dem Gleichgewicht der Spurenelemente (Mineralien) des Menschen zu tun haben. Eine träge Leber, der es an Chrom mangelt, läßt den Blutcholesterinspiegel relativ leicht steigen. Bei genügender Zufuhr entsprechender Mineralien und B-Vitamine befindet sich der Cholesterinspiegel meist in einem normalen Bereich.

Französischer Toast

Vata: Einige ganze Eier mit 1–2 EL Milch verquirlen. Brot einweichen und in einer gefetteten Pfanne hellbraun backen.

Pitta: Nur 1 Eiweiß pro Toast nehmen und leicht verquirlen. Nach Belieben eine Prise Salz zufügen. Das Brot gut in dem Eiweiß einweichen und in einer leicht eingeölten Pfanne backen. Dieser Toast beruhigt auch Vata.

Kapha: Nach Möglichkeit ein reines Roggen- oder Hirsebrot nehmen. Die Brotscheiben entweder in einem ganzen geschlagenen oder verquirlten Ei oder nur Eiweiß (wie bei Pitta, gering an Fett) in einer beschichteten Pfanne ohne Öl backen. Schmeckt delikat mit Honig oder Apfelmus.

Tofu-Rühr»ei«

Zubereitungszeit: 5–10 Minuten
Portionen: 2
Wirkung: -Vata/-Pitta/-Kapha*
Jahreszeit: F/S/H/W

250 g Tofu · 1 EL Ghee oder Butter · ¼ TL Senfsamen
¼ TL Gelbwurz · ⅛ TL Hing · ¼ TL Meersalz
¼ TL schwarzer Pfeffer · ⅛ TL Kreuzkümmelpulver

Ghee oder Butter in einer schweren Pfanne schmelzen. Senfsamen zufügen und erhitzen, bis die Samen platzen. Tofu mit einer Gabel in der Pfanne zerdrücken. Restliche Zutaten gut einrühren. 3–5 Minuten bei mittlerer Hitze braten.

Bemerkungen: Dieses eierfreie Rühr»ei« paßt gut zu Chapatis, Tortillas oder Toast. Man kann auch gebratene Zwiebeln und Pfeffer zufügen.

---

* Wenn keine Tofu-Empfindlichkeit.

HAFER

Hafer ist süß, warm, schwer und feucht mit einem leicht adstringierenden Geschmack. Wenn er in Wasser gekocht wird, gleicht er Vata und
Pitta aus. Für Kapha muß er etwas leichter gemacht werden, z.B. durch
Toasten. Was für Kapha gut ist, ist nicht nützlich für Vata, ausgenom-
men der Hafer ist gut eingeweicht in Milch.

Würziger Haferschleim

Zubereitungszeit: höchstens
10 Minuten
Portionen: 2
Wirkung: -Vata/-Pitta/mittel +Kapha
Jahreszeit: F/H/W

1½ Tassen Haferflocken grob oder fein, nach Geschmack
½ l Wasser · ¼ TL Salz · ½ Tasse Rosinen · 3–4 Kardamomsamen
¼ TL Zimt · ⅛ TL Ingwerpulver

Haferflocken, Rosinen, Salz und Wasser zum Kochen bringen. Restliche Zutaten einrühren und bei kleiner Hitze 2–10 Minuten kochen.
Die Kochzeit ist abhängig von der Konsistenz der Haferflocken.

Bemerkungen: Der Haferschleim kann mit Ghee, Ahornsirup und/oder
Kokosraspeln angereichert werden. Ein wärmendes Frühstück an einem
kalten Wintermorgen.

Frühstücksreis

Zubereitungszeit: 8 Minuten
Portionen: 2
Wirkung: -Vata/-Pitta/0 Kapha*
Jahreszeit: F/H/W

2 Tassen gekochter Basmati-Reis · 2 Tassen Milch
½ Tasse Rosinen · ¼ TL (Pitta) bis ½ TL (Vata, Kapha) Zimt

Alle Zutaten bei mittlerer Hitze etwa 5 Minuten kochen, bis sie richtig heiß sind.

Bemerkungen: Schmeckt gut mit Ahornsirup oder Honig und Ghee. Geröstete Sonnenblumenkerne oder Kokosraspeln sind eine angenehme Garnierung.

Variation: Mit ⅛ l Zimt und 1½ TL Korianderpulver vermischt; wirkt sehr kühlend. -Vata/-Pitta/0 Kapha.

Fleisch, Alkohol und Nikotin

Die alten ayurvedischen Weisen betrachteten rotes Fleisch, Alkohol, Tabak usw. nicht als teuflisch oder gänzlich ungesund, sondern als Dinge, die träge machen oder Widerstand erzeugen. Ayurveda war jahrhundertelang eine vorwiegend vegetarisch ausgerichtete Heilweise aufgrund der religiösen Praktiken und Anschauungen der großen Mehrheit seiner Anwender, die der Hindu-Religion angehörten.

Doch sie war nicht ausschließlich für Vegetarier konzipiert. Das frische Fleisch junger Tiere, Geflügel und Fisch sah man als nährend an, wenn die Tiere in ihrer natürlichen Umgebung gefunden und ohne Gifte — mit Pfeil und Bogen — getötet worden waren. Heute würden die alten

---

* Für Kapha sollte Ziegen- oder Sojamilch genommen werden, um eine ausgleichende Wirkung zu erzielen.

Ayurveden wohl kaum Fisch und Fleisch empfehlen, wenn sie sehen könnten, unter welchen Umständen die Tiere heute regelrecht »produziert« werden oder welche Gewalttätigkeit beim Töten gang und gäbe ist.

Gewaltlosigkeit im Leben wurde als einer der wichtigsten Faktoren zur Unterstützung der Langlebigkeit und reichlicher Körperenergie angesehen, was wichtiger war als irgendwelche Nahrungsmittel oder Kräuter. Die Rückkehr zu dieser uralten Weisheit ist im Moment für die Erhaltung allen Lebens auf diesem Planeten äußerst wichtig geworden.

Wenn Sie kein Vegetarier sind und Geflügel oder Fisch in unseren Rezepten verwenden wollen, sollten Sie bedenken, daß die tierischen Produkte wärmend wirken, wodurch die Gerichte zwar etwas schwerer verdaulich werden, was aber durch die entsprechenden Beilagen und die Anregung des Verdauungsfeuers ausgeglichen werden kann.

Wein nahm man damals bei Schwächezuständen und Verdauungsproblemen. In den klassischen Texten findet man detaillierte Beschreibungen alkoholischer Zubereitungen für Heilzwecke wie z.B. Kräuterweine zur Anregung der Verdauung. Alkohol in großen Mengen war aber schon immer als negativ reizend, besonders bei Pitta, bekannt.

Rauchen wurde erstaunlicherweise auch empfohlen und dabei genau vorgeschrieben, wie, was und wann geraucht werden sollte, abhängig vom individuellen Fall. Tabak kann jedoch grundsätzlich — nicht nur bei Vatas — das Gleichgewicht stören.

Wie bei anderen Substanzen sollte man Tabak, Fleisch und Alkohol bewußt und mit Respekt benutzen.

Anhang

Tabelle für geeignete und ungeeignete Nahrungsmittel – je nach Veranlagung.

Hinweise: Diese generellen Richtlinien können je nach Jahreszeit, Verdauungsenergie oder vorherrschender Veranlagung einer individuellen Anpassung bedürfen.

JA ▼ wirkt ausgleichend und NEIN ▲ reizt die jeweilige Konstitution.

FRÜCHTE

VATA

NEIN ▲	JA ▼
Äpfel	Ananas
Backpflaumen	Aprikosen
Birnen	Avocado
Früchte, getrocknet	Bananen
Granatapfel	Beeren
Persimonen	Datteln
(Dattelpflaumen)	Erdbeeren
Preiselbeeren	Feigen, frisch
Quitten	Früchte, süß
Wassermelonen	Grapefruit
	Kirschen
	Kiwi

PITTA

NEIN ▲	JA ▼
Äpfel, sauer	Ananas, süß
Ananas, sauer	Avocado
Aprikosen, sauer	Backpflaumen
Bananen	Beeren, süß
Beeren, sauer	Birnen
Erdbeeren	Datteln
Früchte, sauer	Feigen
Grapefruit	Früchte, süß
Kirschen, sauer	Granatäpfel
Kiwi**	Kokosnuß
Limonen*	Mango
Papaya	Melonen

KAPHA

NEIN ▲	JA ▼
Ananas	Äpfel
Avocado	Aprikosen
Bananen	Backpflaumen
Datteln	Beeren
Feigen, frisch	Birnen
Früchte, süßsauer	Erdbeeren*
Grapefruit	Feigen, getrocknet
Kiwi*	Granatäpfel
Kokosnuß	Kirschen
Limonen	Mango
Melonen	Persimonen
Orangen	(Dattelpflaumen)

* Nahrungsmittel sind in Maßen genossen in Ordnung.
** Nahrungsmittel können gelegentlich gegessen werden.

▷

VATA		PITTA		KAPHA	
NEIN ◄	JA ▶	NEIN ◄	JA ▶	NEIN ◄	JA ▶
	Kokosnuß	Persimonen (Dattelpflaumen)	Orangen, süß	Papaya	Pfirsiche
	Limonen	Pfirsiche	Pflaumen, süß	Pflaumen	Preiselbeeren
	Mango	Pflaumen, sauer	Quitten, süß	Rhabarber	Quitten
	Melonen, süß	Preiselbeeren	Rosinen	Trauben*	Rosinen
	Orangen	Rhabarber	Trauben, süß	Wassermelonen	
	Papaya	Trauben, sauer	Wassermelonen	Zitronen	
	Pfirsiche	Zitronen			
	Pflaumen				
	Rhabarber				
	Rosinen, eingeweicht				
	Trauben				
	Zitronen				

GEMÜSE

VATA		PITTA		KAPHA	
NEIN ◄	JA ▶	NEIN ◄	JA ▶	NEIN ◄	JA ▶
Artischocken	Artischocken	Aubergine**	Artischocken	Artischocken*	Aubergine
Auberginen	Rote Bete	Rote Bete	Blattgrün	Gemüse, süß und saftig	Rote Bete
Blattgrün*	Bockshornkleeblätter*	Bockshornkleeblätter	Blumenkohl	Gurken	Blattgrün
Blumenkohl	Bohnen, grün, gut gekocht	Gemüse, scharf	Bohnen, grün	Oliven	Blumenkohl
Broccoli**	Brunnenkresse	Karotten**	Broccoli	Pastinaken**	Bohnen, grün
Erbsen	Gemüse, gekocht	Knoblauch	Brunnenkresse*	Steckrüben	Broccoli
Gemüse, tiefgefroren, getrocknet, roh	Gurken	Kohlrabi**	Erbsen	Süßkartoffeln	Brunnenkresse
Kartoffeln, weiß	Kürbisse	Lauch (Porree), gekocht**	Gemüse, süß und bitter	Tomaten	Erbsen
Klettenwurzel	Karotten	Meerrettich	Gurken	Winterkürbis	Gemüse, roh, scharf und bitter
			Kürbisse	Zucchini	

Kohl
Kohlrabi
Kopfsalat*
Mais, frisch**
Paprika
Petersilie*
Pilze
Rübenblätter
Rosenkohl
Salat*
Sellerie
Spinat*
Sprossen*
Steckrüben
Tomaten
Zwiebel, roh

Lauch (Porree), gekocht
Meerrettich*
Okra, gekocht
Oliven
Pastinaken
Rettich (jap. Daikon)
Rettich
Senfblätter
Spargel
Steckrüben
Süßkartoffeln (Bataten)
Zucchini
Zwiebeln, gekocht

Oliven, grün
Pfefferschoten
Rübenblätter
Rettich (jap. Daikon)**
Rettich
Senfblätter
Sommerkürbis**
Spinat**
Steckrüben
Tomaten
Zwiebeln, roh

Kartoffeln, weiß
Klettenwurzel
Kohl
Mais, frisch
Okra
Oliven, schwarz*
Paprika, grün
Pastinaken
Petersilie
Pilze
Rosenkohl
Salat
Sellerie
Spargel
Sprossen
Steckrüben
Süßkartoffeln
Zucchini
Zwiebeln, gekocht

Karotten
Kartoffeln, weiß
Klettenwurzel
Knoblauch
Kohl
Kohlrabi
Kopfsalat
Kürbisse (Sommer-)
Lauch (Porree)
Mais, frisch
Meerrettich
Okra
Paprika
Pastinaken
Petersilie
Pilze
Rettich
Rettich (jap. Daikon)
Rosenkohl
Salat
Sellerie
Spargel
Spinat
Sprossen
Steckrüben
Zwiebeln

* Nahrungsmittel sind in Maßen genossen in Ordnung.
** Nahrungsmittel können gelegentlich gegessen werden.
* ** ▷

	VATA		PITTA		KAPHA
	NEIN ▲	JA ▼	NEIN ▲	JA ▼	NEIN ▲	JA ▼

GETREIDE

VATA NEIN ▲	VATA JA ▼	PITTA NEIN ▲	PITTA JA ▼	KAPHA NEIN ▲	KAPHA JA ▼
Buchweizen	Amaranth	Amaranth**	Basmati-Reis	Hafer, gekocht	Amaranth*
Gerste**	Hafer, gekocht	Buchweizen	Gerste	Reis, alle Sorten	Basmati-Reis (* mit Nelken oder Pfefferkörnern)
Getreide, trocken, kalt, gebläht (z.B. Popcorn)	Reis	Mais	Hafer, gekocht, weiß	Weizen	Buchweizen
Hafer, trocken (Granola, Haferkleie)	Weizen	Hirse	Reis, weiß		Gerste
Hirse	Wildreis	Hafer, trocken	Reisküchlein		Granola, fettarm
Mais		Haferkleie*	Weizen		Hafer, trocken
Quinoa		Hafergranola	Weizengranola		Haferkleie
Reisküchlein**		Quinoa	Weizenkleie		Hirse
Roggen		Reis, braun**			Mais
Weizenkleie (im Übermaß)		Roggen			Quinoa
					Reisküchlein**
					Roggen
					Weizenkleie**

TIERISCHE PRODUKTE

VATA NEIN ▲	VATA JA ▼	PITTA NEIN ▲	PITTA JA ▼	KAPHA NEIN ▲	KAPHA JA ▼
Kaninchen	Eier	Eigelb	Eiweiß	Ente	Eier (nicht gebraten, fettfrei)
Lammfleisch	Ente	Ente	Geflügel, weißes	Meeresfrüchte	Geflügel, dunkles Fleisch
Schweinefleisch	Fisch	Lammfleisch	Fleisch	Rindfleisch	
Wild	Geflügel, weißes	Meeresfrüchte	Kaninchen	Süßwasserfisch**	

HÜLSENFRÜCHTE

Fleisch / Meeresfrüchte / Rindfleisch**

Bohnen, schwarz, weiß
Erbsen, dunkel, halbiert
Gartenbohne
Kichererbsen
Kidneybohnen**
Lima-Bohnen
Linsen
Sojabohnen
Sojamehl
Sojapulver
Tempeh
Adzuki-Bohnen*
Linsen, schwarz, rot*
Mungobohnen*
Sojakäse*
Sojamilch*
Tofu*

Rindfleisch / Schweinefleisch / Wild

Linsen, dunkel

Süßwasserfische* / Shrimps*

Adzuki-Bohnen
Bohnen, schwarz, weiß
Erbsen, halbiert
Gartenbohnen
Kichererbsen
Kidneybohnen
Lima-Bohnen
Linsen, rot
Mungobohnen
Schälerbsen
Sojabohnen
Sojakäse
Sojamehl*
Sojamilch
Sojapulver*
Tempeh
Tofu

Schweinefleisch / Wild**

Gartenbohnen
Kidneybohnen**
Linsen, dunkel
Mungobohnen*
Sojabohnen
Sojakäse
Sojamehl
Sojamilch, kalt
Sojapulver
Tempeh
Tofu, kalt

Kaninchen

Adzuki-Bohnen
Bohnen, schwarz
Erbsen, halbiert
Kichererbsen
Lima-Bohnen
Linsen, rot
Schälerbsen
Sojamilch, warm*
Tofu, warm*

* Nahrungsmittel sind in Maßen genossen in Ordnung.
** Nahrungsmittel können gelegentlich gegessen werden.
▷

	VATA NEIN ▲	VATA JA ▼	PITTA NEIN ▲	PITTA JA ▼	KAPHA NEIN ▲	KAPHA JA ▼
NÜSSE		Cashewnüsse* Erdnüsse Haselnüsse Kokosnuß* Mandeln* Paranüsse* Pecannüsse (Hickory-) Pinienkerne Pistazien Walnüsse*	Cashewnüsse Erdnüsse Haselnüsse Mandeln Paranüsse Pecannüsse Pinienkerne Pistazien Walnüsse	Kokosnuß	Cashewnüsse Erdnüsse Haselnüsse Kokosnuß Mandeln Paranüsse Pecannüsse Pinienkerne Pistazien Walnüsse	
SAMEN		Kürbiskerne Leinsamen Sesamsamen Sonnenblumen- kerne	Leinsamen Sesamsamen	Kürbiskerne* Sonnenblumen- kerne	Sesamsamen	Kürbiskerne* Leinsamen* Sonnenblumen- kerne*
SÜSSMITTEL	Zucker, weiß	Ahornsirup Früchte	Honig* Jaggery	Ahornsirup Fruchtdicksäfte	Ahornsirup (im Übermaß)	Fruchtdicksäfte (Apfel/Birne)

				Honig, kaltge-schleudert
Fruchtdicksäfte	Melasse	Fructose (Frucht-zucker)	Fructose (Frucht-zucker)	
Fructose (Frucht-zucker)		Gerstenmalzsirup	Gerstenmalzsirup	
Gerstenmalzsirup		Reissirup, braun	Jaggery	
Honig		Sucanat*	Melasse	
Jaggery		Zucker, weiß**	Reissirup, braun	
Melasse		Zuckerrübensaft	Sucanat	
Reissirup, braun			Zucker, weiß	
Sucanat			Zuckerrübensaft	
Zuckerrübensaft				

BEILAGEN

				Chili
Algen	Algen	Algen, gut ge-spült*	Algen, gut ge-spült*	Ghee*
Ghee	Chili	Ghee	Hüttenkäse*	Ingwer, bes. trocken
Gomasio	Gomasio	Hüttenkäse	Joghurt	Knoblauch
Hüttenkäse	Ingwer	Kokosnuß	Käse, gerieben	Kopfsalat
Ingwer, frisch	Joghurt, unver-dünnt	Kopfsalat	Ketchup	Korianderblätter
Joghurt	Käse, gerieben	Korianderblätter	Kokosnuß	Meerrettich
Käse, gerieben	Ketchup	Mango-Chutney	Limette	Pfeffer, schwarz
Knoblauch	Knoblauch	Minzblätter	Limettenpickles	Rettich
Kokosnuß	Limette	Pfeffer, schwarz*	Mayonnaise	Rettich (jap.,
Kopfsalat*	Limettenpickles	Salat	Mangopickles	Daikon)
Korianderblätter*				

Chili*
Ingwerpulver*
Ketchup
Sprossen*
Zwiebel, roh

* Nahrungsmittel sind in Maßen genossen in Ordnung.
** Nahrungsmittel können gelegentlich gegessen werden.
▷

	VATA		PITTA		KAPHA	
NEIN ◄	NEIN ◄	JA ▼	NEIN ◄	JA ▼	NEIN ◄	JA ▼
		Limette	Mayonnaise	Seetang, gut gespült	Mango-Chutney	Salat
		Limettenpickles*	Mangopickles	Sprossen	Papaya-Chutney	Senf
		Mayonnaise	Meerrettich		Pickles	Sprossen
		Mangopickles	Papaya-Chutney		Salz	Zwiebeln
		Mango-Chutney	Pickles		Seetang, gut gespült*	
		Meerrettich	Rettich		Sesamsamen	
		Minzblätter*	Rettich (jap., Daikon)*		Sojasauce	
		Papaya-Chutney	Salz*		Tamari	
		Pfeffer, schwarz*	Seetang, ungewaschen*		Zitrone	
		Pickles	Senf			
		Rettich (jap., Daikon)	Sesamsamen			
		Rettich	Sojasauce			
		Salat*	Tamari*			
		Salz	Zitrone			
		Seetang (Kombu)	Zwiebeln (bes. roh)			
		Senf				
		Sesamsamen				
		Sojasauce				
		Tamari				
		Zitronenpickles				
		Zwiebeln, gekocht				

GEWÜRZE

Curryblätter (Neem)*

Anis
Asafoetida (Hing)
Basilikum
Bockshornklee*
Bohnenkraut
Cayennepfeffer*
Estragon
Hing
Ingwer
Kreuzkümmel
Kümmel
Knoblauch (bes. roh)
Lorbeerblätter
Majoran
Mandelextrakt
Meerrettich*
Mohnsamen
Muskatblüte
Muskatnuß
Nelken
Oregano
Paprika

Ajawan
Anis
Asafoetida
Basilikum
Bockshornklee
Bohnenkraut
Cayennepfeffer
Estragon
Ingwer
Knoblauch (bes. roh)
Kümmel*
Lorbeerblätter
Macis
Mandelextrakt*
Majoran
Meerrettich
Mohnsamen*
Muskat
Nelken
Oregano
Paprika
Piment

Basilikumblätter, frisch*
Curryblätter (Neem)
Dill
Fenchel
Gelbwurz
Kardamom*
Koriander
Kreuzkümmel
Minze
Orangenschalen*
Petersilie*
Pfeffer, schwarz*
Pfefferminze
Rosenwasser
Safran
Vanille*
Zimt*

Mandelextrakt*
Tamarinde

Ajawan
Anis
Asafoetida (Hing)
Basilikum
Bockshornklee
Bohnenkraut
Cayennepfeffer
Curryblätter (Neem)
Dill
Estragon
Fenchel*
Gelbwurz
Hing
Ingwer (bes. trocken)
Kümmel
Kardamom
Knoblauch
Koriander
Kreuzkümmel
Lorbeerblätter
Majoran

* Nahrungsmittel sind in Maßen genossen in Ordnung.
: Nahrungsmittel können gelegentlich gegessen werden.
▷

VATA

NEIN ◄

JA ▼
Piment
Pippali
Rosmarin
Salbei
Senfsamen
Tamarinde
Thymian
Zwiebeln (gekocht)

PITTA

NEIN ◄
Pippali
Rosmarin
Salbei
Senfsamen
Sternanis
Tamarinde
Thymian
Zwiebeln (bes. roh)

JA ▼

KAPHA

NEIN ◄

JA ▼
Meerrettich
Minze
Mohnsamen
Muskatblüte
Muskatnuß
Nelken
Orangenschale
Oregano
Paprika
Petersilie
Pfeffer, schwarz
Pfefferminze
Piment
Pippali
Rosenwasser
Rosmarin
Safran
Salbei
Senfsamen
Thymian
Vanille*
Zimt
Zwiebel

MILCHPRODUKTE

Ziegenmilchpulver	Alle Milchprodukte (in Maßen) Buttermilch* Eiscreme* Joghurt* Käse* Kuhmilch* Sauerrahm* Ziegenkäse* Ziegenmilch*	Butter, gesalzen Buttermilch Fetakäse Hartkäse Joghurt Sauerrahm	Butter, ungesalzen Eiscreme Ghee Hüttenkäse Joghurt, verdünnt (1:2–3 Teile Wasser) Käse, mild und weich Kuhmilch Ziegenmilch	Alle Käsesorten Butter Buttermilch Eiscreme Joghurt, unverdünnt Kuhmilch Sauerrahm	Ghee Joghurt, verdünnt (1:4 oder mehr Teile Wasser) Ziegenmilch

ÖLE

	Alle Öle, bes. Sesamöl	Aprikosenkernöl Distelöl Maisöl Mandelöl Sesamöl	Avocadoöl* Kokosöl* Olivenöl* Sesamöl* Sojaöl* Sonnenblumenöl* Walnußöl*	Aprikosenkernöl Avocadoöl Distelöl Kokosöl Olivenöl Sesamöl Sojaöl Walnußöl	Maisöl Mandelöl Sonnenblumenöl (alle in geringsten Mengen)

* Nahrungsmittel sind in Maßen genossen in Ordnung.
** Nahrungsmittel können gelegentlich gegessen werden.
▷

GETRÄNKE

VATA NEIN ▲	VATA JA ▼	PITTA NEIN ▲	PITTA JA ▼	KAPHA NEIN ▲	KAPHA JA ▼
Apfelsaft	Alkohol*	Alkohol	Apfelsaft	Alkohol*	Apfelsaft
Birnensaft	Ananassaft	Bananengetränk	Aprikosensaft	Bananengetränke	Aprikosensaft
Gemüsesaft-mischung, Handels-produkt**	Aprikosensaft	Getränke, eiskalt	Beerensaft, süß	Gemüsesaft-mischungen	Beerensäfte
Getränke, kalt	Bananengetränk	Getränke, sauer	Birnensaft	Getränke, eiskalt	Birnensaft
Koffein	Beerensaft	Getränke, stark gesalzen	Gemüsebrühe	Getränke, stark gesalzen (z.B. Bouillon)	Gemüsebrühe, leicht gesalzen
Kohlensäurehaltige Getränke	Gemüsesaft-mischung, selbst-gemacht	Grapefruitsaft	Gemüsesaft-mischungen, frisch	Grapefruitsaft	Gemüsesaft-mischungen
Milch, kalt	Getränke, salzig	Kaffee	Getreidetee	Kohlensäurehaltige Getränke	Getreidetees
Pflaumensaft**	Grapefruitsaft	Karotten-Gemüse-saftmischungen**	Kirschsaft, süß	Kokosnußmilch	Kaffee*
Tees, stark***	Kaffee	Karottensaft*	Kokosnußmilch	Limonade	Karottensaft
Kräutertee:	Karottensaft	Koffein	Mangosaft	Milchgetränke, kalt	Kirschsaft, sauer
Alfalfa (Luzerne)**	Kirschsaft	Kohlensäurehaltige Getränke	Milchgetränke, kühl	Misobrühe*	Koffein*
Brennesseln**	Kokosnußmilch	Limonade	Pfirsichnektar	Orangensaft	Mangosaft
Brombeere	Limonade	Misobrühe*	Pflaumensaft	Papayasaft	Pfirsichnektar
Chrysantheme*	Mangosaft	Orangensaft*	Sojamilch	Säfte, sauer	Pflaumensaft
Hibiskus*	Milch, warm	Papayasaft	Traubensaft	Schokolade	Preiselbeersaft
Hopfen**	Milch, warm und gewürzt	Preiselbeersaft	Ziegenmilch	Sojamilch, kalt	Sojamilch, warm und stark gewürzt
Jasmin**	Misobrühe	Säfte, sauer	*Kräutertee:*	Tees, sauer	Tees, stark
Klettenwurzel	Orangensaft	Schokolade	Alfalfa (Luzerne)	Tomatensaft	Traubensaft**
Löwenzahn	Papayasaft	Tees, stark	Brennessel		Ziegenmilch, warm und stark gewürzt
Mate**	Pfirsichnektar	Tomatensaft	Brombeere		
	Säfte, sauer		Chrysantheme		

Passionsblume**
Schafgarbe
Veilchen**

Schokolade
Sojamilch, warm
und scharf
gewürzt*
Tees, sauer
Traubensaft

Kräutertee:
Basilikum
Bockshornklee
Eibisch
Eukalyptus
Fenchel
Ginseng*
Hafer
Hagebutten
Himbeere
Ingwer, frisch
Kamille
Kampfer
Lavendel
Lotus
Melisse
Nelken
Orangenschalen
Pfefferminz

Kräutertee:
Ajawan
Basilikum**
Bockshornklee
Eukalyptus
Ginseng
Hagebutten**
Ingwer, frisch
Mate
Nelken
Salbei
Sassafras (Stein-
brech)
Wacholderbeere
Weißdorn
Ysop
Zimt**

Eibisch
Erdbeere
Fenchel
Gerste
Hafer
Hibiskus
Himbeere
Hopfen
Jasmin
Kamille
Klettenwurzel
Löwenzahn
Lavendel
Melisse
Orangenschale*
Pfefferminz
Rose
Süßholz
Safran
Schafgarbe
Veilchen
Zitronengras
(Sereh)

Kräutertee:
Eibisch
Hafer*
Hagebutten**
Kampfer*
Süßholz
(Anmerkung:
Fruchtsäfte 1:1 mit
Wasser mischen
und mäßig trinken)

Kräutertee:
Alfalfa (Luzerne)
Basilikum
Bockshornklee
Brennessel
Brombeere
Erdbeere
Eukalyptus
Fenchel*
Gerste
Ginseng**
Hibiskus
Himbeere
Hopfen
Ingwer, bes.
trocken
Jasmin
Kamille
Klettenwurzel
Löwenzahn
Lavendel
Mate
Melisse
Nelken
Orangenschalen
Pfefferminz

* Nahrungsmittel sind in Maßen genossen in Ordnung.
** Nahrungsmittel können gelegentlich gegessen werden.
▷

	VATA		PITTA		KAPHA	
	NEIN ◀	JA ▶	NEIN ◀	JA ▶	NEIN ◀	JA ▶
		Ringelblume				Rose
		Rose				Safran
		Süßholz				Salbei
		Safran				Sassafras (Steinbrech)
		Salbei				Schafgarbe
		Sassafras (Steinbrech)				Veilchen
		Wacholderbeere				Wacholderbeere
		Weißdorn				Weißdorn
		Ysop				Ysop
		Zimt				Zimt
		Zitronengras (Sereh)				Zitronengras (Sereh)

* Nahrungsmittel sind in Maßen genossen in Ordnung.
** Nahrungsmittel können gelegentlich gegessen werden.

Glossar

Adzukibohnen Kleine rote, nierenförmige Bohnen, in vielen asiatischen Küchen heimisch; bei uns erhältlich in Naturkostläden, Asiengeschäften und Reformhäusern.

Ajawan(samen) Wilde Selleriesamen, wärmendes indisches Gewürz, erhältlich in Asienläden.

Alfalfa Luzerne; äußerst vitaminreich als selbstgezogene Sprossen. Biologisch angebaute Samen bekommt man im Reformhaus.

Amaranth Wie Quinoa ein sehr eiweißreiches Getreide, das erst seit kurzem auf dem europäischen Markt erhältlich ist. Wird hauptsächlich in gebirgigen Gegenden Indiens und Südamerikas angebaut und verwendet. Wirkt blutreinigend und leicht harntreibend sowie gegen Hämorrhoiden.

Apfeldicksaft Konzentrierter Apfelsaft, der sich, wie Birnenoder Orangendicksaft gut zum Süßen, besonders für Kapha eignet. Erhältlich im Reformhaus.

Asafoetida (Hing) Auch Teufelsdreck oder Stinkasant genannt ist Hing ein starkriechendes indisches Gewürz, das die Verdauung fördert und gegen Blähungen hilft. Gibt es in indischen Läden oder Reformhäusern.

Bockshornklee (samen) Plattgedrückte, rhombenförmige, gelblich braune bis graue Samen, die heuähnlich riechen. Daher auch der Name »Griechisches Heu«. Angenehme Geschmacksentwicklung erst beim Kochen. Gehört in Curry.

Brauner Reissirup Malzartig schmeckender Sirup, der aus braunem Reis und Gerste hergestellt wird. Erhältlich in Reformhäusern und Naturkostläden.

Bulgur	Orientalischer Weizenschrot, vorgekocht und mehr oder minder geschält.
Chakra	Lebenswichtiges Energiezentrum im Körper.
Chapati(s)	Wohlschmeckendes indisches Flachbrot (Fladen), aus Weizenmehl hergestellt. Heißt auch Rotali(s).
Curryblätter (Neem)	Bitterschmeckendes Kraut, das wohltuend für Pitta und Kapha ist. Findet man manchmal frisch im Kühlfach indischer Läden, was empfehlenswerter ist als die getrockneten Blätter, deren Wirkung oft bereits sehr nachgelassen hat.
Dal	Nahrhafte indische Suppe aus Hülsenfrüchten; kann sich auch auf die einzelnen Bohnen oder Erbsen beziehen, z.B. *Urud dal* (dunkle Linse), *Chana dal* (halbierte Kichererbsen) oder *Mung dal* (halbierte Mungobohne).
Ghee	Geklärte Butter, siehe Anleitung im Buch.
Gomasio	Gewürz aus schwarzem Sesam, grobem Salz und Glutamat. Im Reformhaus oder Naturkostladen erhältlich.
Guna	Eigenschaft, Attribut.
Hing	Siehe Asafoetida.
Ingwer	Als getrocknetes Pulver oder auch als frische Wurzel im Handel. Gibt es hauptsächlich in Spezialgeschäften oder Naturkostläden.
Jaggery	Goldbrauner indischer Palmzucker, der auch aus Zuckerrohr hergestellt wird und einen ausgeprägten malzigen Geschmack hat, ähnlich wie Melasse. Die Palmzuckerversion ist die gesündere, weil weniger süß.
Kardamom	Ein süßes, wärmendes Gewürz, das es in drei Formen gibt: in Kapseln, als Samen und als gemahle-

	ne Samen, also Pulver. Tut allen Veranlagungen gut und ist überall erhältlich.
Karma	Effekt.
Kombu	Dunkelgrüner getrockneter Seetang. Sehr mineralstoffhaltig, hilft gegen Blähungen und ist gut in Bohnengerichten.
Koriander	Ein kühlendes Gewürz, das gut für die Verdauung ist. Gibt es gemahlen, als ganze Samen oder als frische Blätter, die manchmal als »Cilantro« oder als »chinesische Petersilie« gehandelt werden. Koriander ist relativ einfach zu ziehen.
Kreuzkümmel (Cumin)	Ein beliebtes Gewürz in der indischen und mexikanischen Küche. Bekommt allen Veranlagungen und ist erhältlich in den meisten Gewürzabteilungen der Warenhäuser oder in Spezialgeschäften.
Kurkuma (Gelbwurz, Turmerik)	Hellgelbes Gewürz, das die Eiweißverdauung anregt. Überall erhältlich.
Masala dosa	Traditionelles indisches Gericht, eine Art Pfannkuchen mit Kartoffelfüllung; sehr beliebt zum Frühstück.
Meersalz	Gibt es nicht nur in Reformhäusern, sondern zunehmend auch im Lebensmittelhandel. Sehr reich an Mineralien.
Miso	Fermentierte Sojabohnenpaste, mit Weizen oder Gerste vergoren, von ziemlich salzigem Geschmack. Gibt es in Rot, Gelb und Braun in Reformhäusern, Asienläden und Naturkostgeschäften.
Mung dal	Die halbierte Form der Mungobohne. Enthülst ist sie gelb und sieht aus wie gelbe Schälerbsen.
Mungobohnen	Kleine grüne Sojabohnen. Gibt es in jedem Reformhaus.

Neem	Siehe Curryblätter.
Okasatmya	Ernährungsform oder Lebensstil, der durch Gewöhnung dem Körper nicht mehr schadet.
Pastinake	Möhrenähnliches weißes Wurzelgemüse, das ähnlich wie Petersilienwurzel, jedoch feiner schmeckt. Gibt es ab und zu auf dem Gemüsemarkt.
Pickles	Süßsauer Eingelegtes. Dazu gehören nicht nur Essiggurken, Zwiebelchen oder Mixed Pickles, sondern auch süßsaure Zitronen oder die japanischen Umeboshi-Pflaumen, die es in asiatischen oder speziell indischen Lebensmittelgeschäften gibt.
Pippali	Indische längliche Pfefferschote, hochgeschätzt wegen ihrer verjüngenden und verdauungsanregenden Wirkung. Gibt es ab und zu in Indienläden.
Prana	Lebenspendende Kraft (Energiefluß) im Universum.
Quinoa	Eiweißreiche Getreidesorte, siehe auch unter Amaranth.
Reisessig	Feiner, leichter und milder Essig. Gibt es in Asienläden, Naturkostgeschäften und den Feinkostabteilungen der Kaufhäuser.
Reismehl	Feines, pudriges weißes Mehl, gibt es in indischen und chinesischen Spezialläden, manchmal auch im Reformhaus.
Reissirup	Siehe Brauner Reissirup.
Rotali(s)	Siehe Chapati(s).
Sattva	Eigenschaft von Klarheit, Harmonie und Balance.
Safran	Aromatisches gelbes Gewürz, das allen Typen wohltut. Sehr teuer und nicht leicht zu finden. Am ehesten in Gewürzläden oder asiatischen Lebensmittelgeschäften.

Senf, schwarz	Schwarze Senfsamen werden oft in der indischen Küche verwendet, daher auch in Indienläden erhältlich. Stimuliert die Verdauung.
Sesamöl	Schweres, wärmendes Öl; erhältlich in Asien- und Naturkostläden.
Shiitake-Pilze	Chinesische Baumpilze, meist in getrockneter Form erhältlich in Asien- und Naturkostläden. Stimulieren die Immunkräfte und wirken stärkend.
Soba-Nudeln	Buchweizennudeln, im Naturkosthandel erhältlich.
Sucanat	Zuckerrohrgranulat, das in Geschmack und Beschaffenheit braunem Zucker ähnelt, jedoch mehr Mineralstoffe und Vitamine enthält.
Tahini	Paste aus gemahlenem Sesam, gibt es in Gläsern in Reformhäusern und Naturkostläden.
Tamari	Sojasauce, ohne Weizen hergestellt.
Tamarinde	Saures Mark einer asiatischen Baumfrucht, wird in der indischen Küche oft benutzt, um die Verdauung anzuregen. In Asiengeschäften zu kaufen.
Tempeh	Fermentierter Sojabohnenkuchen. Manchmal in Reformhäusern oder Naturkostläden erhältlich.
Tofu	Weißer Sojabohnenquark, in den meisten Reformhäusern und allen Naturkost- und Asienläden erhältlich.
Umeboshi-Pflaumen	Süßsauer eingelegte, rosafarbene japanische Pflaumen, die die Verdauung anregen. In Gläsern erhältlich, vor allem in japanischen oder chinesischen Spezialläden.
Urud dal	Im ganzen kleine, dunkle Bohnen, wie dunkle Linsen. Enthülst und geteilt sehen sie völlig anders aus, nämlich elfenbeinfarben. Erhältlich in Indienläden.

Zitronengras (Sereh)	Aus Kambodscha stammendes Gras mit Zitronen-aroma. Läßt sich wie Zitronenmelisse als Gewürz, aber auch als Tee verwenden. Bei uns meist ge-trocknet, manchmal auch frisch im Handel.
Zitronenpickles	Als *Lemon Pickles* hauptsächlich in Indiengeschäf-ten im Handel, siehe auch »Pickles«.

Zutaten wie Gerstenmalz, Kichererbsen o.ä. erhalten Sie im Reform-haus, Rosenwasser in der Apotheke.

Ein breites Angebot an Ayurveda-Prokukten finden Sie bei:

HANNEMANN VERSAND - TUSCHE
Ayurvedische Produkte und Literatur, Naturwaren, Vedische Schriften
Max-Pechstein-Straße 2, 22115 Hamburg
Tel. 040-715 79 78   Fax 040-715 65 33
E-Mail: LT565228@aol.com

Sachregister

A

Adzuki-Bohnen 48
Ahornsirup 205
Alkohol 75, 238
Aloe-Vera-Saft 75
Ananas 167
Apfel 163
Apfeldicksaft 199
Apfelsaft 171
Aprikosen 163
Artischocken 141
Asafoetida 89, 115
Auberginen 156
Avocadoöl 181

B

Bananen 165, 167
Basmati-Reis 40, 43, 125
Bataten 160
Beeren 164
Beilagen 187 f.
Birnen 166
Bitterstoffe 43, 57, 144
Blattgrün 144
Blattsalat 179
Bockshornklee 89, 115
Bohnen 39, 43, 48, 58, 65, 78, 101 f.
Brauner Reis 40, 125 f.
Brauner Zucker 204
Brennesseln 75

Broccoli 151
Brombeersaft 171
Brot 40
Brunnenkresse 180
Buchweizen 131
Butter 95
Buttermilch 43, 94

C

Cayenne 88
Chicorée 57
Chili 88
Cumin 86
Curries 56, 86 ff.

D

Daikon-Rettich 187
Desserts 199
Distelöl 181

E

Eiweiß 70, 124
Echinacea 74
Eier 40, 93, 234
Eiscreme 94
Endiviensalat 57, 179

Rezeptregister

Ayurwedische und indische Gewürze und Küchenzutaten

versenden wir schnell und zuverlässig per Post. Hier unsere Angebote an alle Freunde der ayurwedischen Küche:

Ayurweda-Küchenpaket: Ein Sortiment aller wichtigen Gewürze und Küchenzutaten der Ayurweda-Küche: 20 Gewürze und Kräuter, verschiedene Dals (Hülsenfrüchte), Basmati-Reis, Rosenwasser, Kokosnuß-Creme, Butterfett (Ghee), Palm-Rohzucker(Gur), Hing, Saatgut für frische indische Kräuter, und anderes. Dazu unser Katalog, eine Einführung in die Ayurweda-Küche, viele indische Kochrezepte und ein Gewürz-Poster.
DM 69,80 plus 5,- DM Versandkosten (V.-Scheck beilegen, oder per NN)

INDU-Gewürzpäckchen: Ein Grundsortiment der wichtigsten indischen Gewürze zur Einführung in die indische Küche für Anfänger: Kreuzkümmel, Koriander, Kurkuma, Kardamom, Fenchel, Ingwer, Chillies, Nelken, Curry, Bockshornklee, Garam-Masala und Safran. Als Zugabe unser Katalog, viele Kochrezepte und ein Gewürz-Poster.
DM 19,80 plus 5,- DM Versandkosten.(V.-Scheck beilegen, oder per NN)

INDU-Katalog: Unser Gesamt-Programm indischer und ayurwedischer Küchenzutaten, Gewürzen, Küchengeräte, Kochbüchern, sowie ätherischen Ölen, Naturkosmetik, Räucherstoffen und vielem mehr. Und als Zugabe: Viele indische Kochrezepte und ein großes Gewürzposter. Bitte anfordern gegen
DM 3,- (in Briefmarken beilegen)

INDU-VERSAND

Turmstr. 7, D-35085 Ebsdorfergrund, Tel.: 06424-3988, Fax.: 4940

Die gute Küche

*Das Standardwerk
österreichischer Kochkunst
von Ewald Plachutta,
Dreihaubenkoch in Wien,
und Christoph Wagner,
Österreichs meistgelesenem
Gourmetkritiker.*

07/4694

Heyne-Taschenbücher